살아 남은 자의 슬픔

우리시대의 5·18세대에게 이 책을 바칩니다.

물론 나는 알고 있다. 오직 운이 좋았던 덕택에
나는 그 많은 친구들보다 오래 살아 남았다.
그러나 지난밤 꿈속에서
이 친구들이 나에 대해서 이야기하는 소리가 들렸다.
〈강한 자는 살아 남는다〉
그러자 나는 자신이 미워졌다.

———브레히트, 「살아 남은 자의 슬픔」

박일문 장편소설
살아 남은 자의 슬픔

民音社

살아 남은 자의 슬픔

●

차례

제 1 부

소리 없는 노래

라라를 만나지 않았더라면 나는 글 같은 건 쓰지 않았을 것이다.

1961년 비틀즈가 탄생했고 그해는 내가 탄생한 해이기도 하다. 나는 이제 서른둘이 된 것이다. 긴 세월이다. 얼마인가의 희망, 얼마인가의 절망, 그런 것들이 내 몸을 통해서 들어왔다가…… 끝없이 사라졌다.

나는 지금도 나 자신이 하고 있는 일에 대해서 그다지 행복해하지 않는다.

나 자신을 끝없이 파괴하고, 그 폐허 위에 또 하나의 나를 건설해 간다는 일…… 결국 나는 새롭게 만들어진 나의 집을 다시 허문다.

……되풀이다.

*

나는 태어나기 전부터 폴 매카트니, 조지 해리슨, 존 레논의 음악을 들었다. 정확하게 말하면 들었다고 전해진다. 나를 낳은 어머니의 말이다.

「넌 뱃속에서 존 레논의 음악을 들으며 내 배를 톡톡 찼단다」

나의 어머니, 1960년대에는 보기 드물었던 모던한 여자. 바비 다링, 쟈니 허튼, 브렌다리, 스탠더드 팝스타의 계보와 컨트리 뮤직의 계보, 최소한 1971년 헤비 메탈이 성장하기 시작한 해까지의 팝뮤직의 정보가 머릿속에 들어 있는 여자, 그런 여자다.

그 여자가 1980년 12월 8일 오후 1시, 그녀의 전재산인 26평짜리 주공아파트에서 차이코프스키의 〈비창〉을 들으며 자살했다.

수면제 복용 과다로 인한 심장마비.

부검의사의 진단은 그런 것이었다. 그러나 나는 그녀가 자살했다는 것을 안다. 그것은 그녀가 내 서랍 속에 유서를 남겼기 때문만은 아니다.

나의 친구이자 애인, 천사이자 창녀, 그런 나의 어머니였다.

1980년 12월 8일 오후 1시.

그 시간에 나는 달성공원 앞에서 돈 천 원을 내고 1981년 나의 운세를 보고 있었다.

……두 어머니에 배다른 형제가 있을 터, 마침내 무심한 강물 위에 두 기러기만 나란히 날 것이다. 해와 달이 광명을 잃고, 천지가 옆으로 기울었으니 일찍부터 부모 덕을 바라지 마라. 태어날 때부터 부모육친과 인연이 박약하니 하늘을 원망치 말고, 형

　제가 각각 멀리 살며 그리워해야 할 천고를 타고났도다……．

　나는 그날 밤, 늦게까지 여자와 술을 마시다가 새벽 한 시쯤에 귀가했다.
　어머니의 시신 발견, 안방에서 지직거리며 차이코프스키의 〈비창〉 판이 헛돌아가는 소리, 규칙적인 카트릿지의 진동이 방의 정적을 간간이 흔들었다.
　1980년 12월 8일 오후 1시, 내 어머니가 지구를 떠났다.
　1980년 12월 9일 오후 1시, 존 레논이 뉴욕 맨하탄 자기집 앞에서 피격 사망.
　존 레논을 좋아했던 여자. 그리고 존 레논.
　왜 하필 그녀는 죽기 전 차이코프스키였을까? 존 레논의 〈헤이 쥬드〉나 〈렛 잇 비〉일 수도 있을 텐데.
　나는 지금 내 어머니의 사진과 존 레논의 사진, 그리고 오노 요꼬의 사진을 책상 위에 나란히 펼쳐놓고 있다. 어머니가 오노 요꼬를 닮았는지, 오노 요꼬가 어머니를 닮았는지, 그건 아무래도 상관이 없다.
　1935년생. 긴 생머리의 여자. 눈은 크고 깊다.
　내 기억이 정확하다면 입에서 담배를 한순간도 떼었던 적이 없던 여자.
　밥을 할 때도 담배를 피웠고, 빨래를 할 때도 담배를 피웠고, 똥을 눌 때도 화장실 변기 위에 앉아 담배를 빨던 여자.

아마 다른 남자와 그것을 할 때도 담배를 빨았겠지. 세수를 할 때나 밥을 먹을 때만 세면도구 진열장이나 식탁 위에서 담배가 저 홀로 연기를 낼 뿐이었다.

1980년 12월 8일 오후 1시, 내 어머니가 지구를 떠났다.

1980년 12월 9일 오후 1시, 어머니의 존 레논이 지구를 떠났다.

어머니가 죽은 것은 전매청으로선 매우 애석한 일이다. 존 레논이 죽은 것은 오노 요꼬로선 일확천금을 벌어들이고 유명인사가 될, 일생에 단 한 번 있는 기회인 것이다.

내 어머니와 존 레논의 죽음, 24시간의 시간차, 아마 우연의 일치겠지.

나는 내 아버지를 모른다.

어머니가 단 한 번도 스스로 보여준 적이 없기 때문이다. 그러나 그녀는 아버지의 사진을 화장대 문갑 속에, 장롱 깊숙이, 때로는 서재 깊숙이 낡은 사진첩 속에 소중히 보관해 왔었다.

나는 그 사진첩을 국민학교 5학년 때 훔쳐본 적이 있다. 내가 국민학교 5학년이던 해다.

누렇게 바랜 이런 흑백사진이다.

젊은 사내의 뒤에는 책장이 있고 앞에는 앉은뱅이 책상이 있다. 그 사내의 오른쪽에는 다구와 책들이 쌓여 있다. 그 사내의 눈은 어떤 허공을 응시하고 있다.

또다시 어느 먼 곳으로 떠나고 싶은 것일까? 잿빛 승복을 입고 파르라니 머리를 깎은 사내.

그렇다. 그는 출가 사문이다.

나는 그 사진 속의 사내가 나의 아버지라는 것을 직감적으로 알았다. 나는 그 낡은 사진첩을 넘기며 세심하게 그 사내의 사진을 보았다.

그때, 갑자기 안방 문이 열리고 다급한 발자국소리와 함께 나타난 나의 어머니.

그녀는 나에게서 재빨리 사진첩을 빼앗더니, 정확히 나의 뺨을 두 대, 짝, 짝, 갈겼다. 히스테리컬한 여자.

내 뺨을 때릴 때도 그녀의 왼손에는 타고 있는 담배가 쥐어져 있었다. 나는 그녀에게 뺨 두 대를 맞고 멀뚱멀뚱하게 있다가 나도 모르게 갑자기 훌쩍훌쩍 울었다. 그로부터 9년 후.

1980년 12월 8일. 그 여자가 죽었다. 나는 완전히 혼자가 된 것이다.

일찍이 내가 원했던 삶, 나는 어머니가 어디론가 사라지기를 얼마나 열망해 왔던가. 그녀가 사라지고 나에게 남은 것은 26평짜리 주공아파트다. 어머니에 대한 기억 같은 것은 한순간에 잊어버릴 수 있다. 앞으로 살아갈 나를 위해서, 망각, 그런 것은 필요할 것이다. 26평짜리 아파트라면 내가 머리만 굴린다면 죽을 때까지 먹고 살 수 있는 부동산이다.

1980년 12월 8일 이후부터, 나는 완전한 자유인이 된 것이다. 나의 아버지처럼 말이다. 내 책상 서랍 안에는 어머니의 유서가 있

었다. 그 유서는 어머니가 땅에 묻히고 나서 사흘이나 지난 후 발
견되었다. 나는 그 동안 어머니의 장례 절차 등으로 정신이 없었던
것이다. 어머니의 유서는 80장이나 되는 대학 노트 세 권을 잔글
씨로 빽빽하게 채운 엄청난 분량이었다. 시작은 이렇게 된다.

　　사랑하는 나의 아들에게

　유서 중간중간에는 정신Geist, 단톤의 죽음Dantons Tod, Chaos,
Sollen과 Sein, 먼 곳에의 그리움Fern-weh, 페시미즘 Pessimiss-
mus, 뭐 이런 단어 등이 섞여 있었다. 끝은 이렇게 되어 있다.

　　신이 나를 부른다. 나 먼저 간다.

　신이 나를 부른다? 정신나간 소리다. 내가 철이 든 후, 그녀는
아버지 사진 액자를 벽에 걸어놓았다. 그 밑에는 이렇게 씌어 있다.
〈그는 나의 신이다.〉 그리고 일 년 후, 그녀는 지구라는 행성을
떠났다. 그녀보다 앞서 지구를 떠난 사내, 나의 아버지와 어떤 메
시지를 주고받았겠지.
　그녀는 시내의 P여고 독일어 교사였다. 퇴근 후에는 일주일에
한 번씩, 의대생들을 상대로 독일어를 가르쳤다.
　내가 중학교 1학년 때의 일이다. 어느 여름날이었을 거다. 새벽
두 시쯤 되었을까. 나는 내 방에서 빨간 기본영어를 펴놓고 〈부정

사〉 공부를 하고 있었다.

그때 갑자기 아파트 문을 탕탕 두드리는 소리가 났다. 잠시 후, 어머니가 문을 벌컥 열며 나갔다. 밖에서는 격한 고함소리, 다그치는 소리, 뺨따귀를 올리는 소리⋯⋯ 나는 무슨 일인가 싶어 내 방문을 열고 밖으로 나갔다. 이런 광경이다.

어머니는 물에 적신 봉걸레를 쥐고 흔들며 술에 취한 의대생에게 욕을 하고 있었다. 그녀는 낯선 사람을 보고 으르렁거리는 개처럼 씩씩거렸다. 의대생은 이크, 이크, 하면서 아파트 계단을 비틀거리며 내려갔다. 그리고 잠시 후 정적.

어머니는 이마에 흘러내린 땀을 닦더니, 휴우 하는 긴 한숨을 뱉고는 아파트 안으로 들어왔다. 어머니는 화장실로 돌아가서 봉걸레를 제자리에 놓은 후 세수를 하고 거실로 나왔다. 나는 멀뚱멀뚱히 어머니의 거동을 지켜보다가「무슨 일이에요?」하고 물었다. 그러자 어머니는 왼손을 허리에 척, 올린 채, 오른손으로 삿대를 저으며「넌, 들어가서 공부나 해!」하며 고함을 질렀다.

나는「씨이」하고는 내 방문을 탁 닫고 다시 빨간 기본영어 앞에 앉았다.

그해, 서른아홉이던 여자. 그리고 중학교 1학년이며 열세 살이던 그녀의 아들인 나. 그리고 서른아홉의 여자를 사랑했던 스물두셋이었을, 어머니로부터 독일어를 배우던 의대생. 그해, 월남전이 끝났고 헤비 메탈의 대표적인 그룹, 레드 제플린이 〈Stairway to Heaven〉을 부른 해이기도 하다.

* * *

나는 지금까지 나의 어머니 이야기를 했다. 지금 내 글의 목적은 어머니에 대한 소소한 개인사가 아니다. 그러나 지금 나는, 내가 진정으로 쓰고자 하는 글의 어느 한 부분도 어머니의 기억을 통과하지 않고서는 건드릴 수가 없다. 이제 이쯤에서 나는 내 어머니의 이야기를 닫을까 한다.

긴 생머리의 히스테리컬한 여자, 존 레논, 그리고 오노 요꼬.

그 사진들도 책상 위에서 치운다. 어머니의 사진을 꺼내 본다는 것은 나에게 엄청난 고통이다. 나의 어머니는 나에게 좋지 않은 기억들만 남기고 지구를 떠났다. 아마 지옥으로 갔겠지.

어머니가 나를 위해서 단 하나, 좋은 일을 했다. 26평짜리 아파트와 여섯 개의 저금통장, 그녀의 퇴직금을 내 앞으로 남겼다 ……. 아마, 그녀는 천당에 갈 수도 있을 테지.

* * *

지금 나는 길 위에 서 있다. 내가 서 있는 곳은 아스팔트 위다. 그러므로 나는 아스팔트 킨트다. 아스팔트 위에서 태어나, 아스팔트를 보고, 아스팔트 위에서 가갸거겨를 배우고, 아스팔트 위에서 미들스쿨 잉글리쉬와 하이스쿨 잉글리쉬를 배운, 아스팔트 킨트다. 아스팔트 위에서 사랑을 빼앗고 사랑을 차버리는, 아스팔트 위에서 인간에 대한 증오와 배신을 배우는, 그런 세대다.

나는 지금 길 위에 서 있고, 내 앞에 펼쳐진 길, 내 뒤에 펼쳐진 길, 그 길을 생각한다. 이 길은 내가 세계로 가는 길이다. 나는 지금 그 세계 속으로 걸으려고 한다.

이 시간대, 이 지구라는 공간 위에 존재하는 세계가 나의 삶에 달갑지 않은 불청객이듯, 나는 이 세계에 초대받지 않은 불청객이다.

이 세계가 나를 초대한 일은 없다. 그럼에도 불구하고 나는 지구라는 별 위에 착륙했다. 아마 내가 가진 시스템 중 어떤 한 부분의 고장으로 인한 불시착일 테지. 아니면 내 시스템을 마음대로 원격 조정한 어떤 사내의 실수던가, 장난이던가.

그 사내는 엄청난 실수를 저지르고 뒤책임도 지지 않은 채 어느 행성으론가 떠나버렸다. 그러니 나는 지금 흔쾌히 나의 삶을 살고 있는 것이 아니다. 나는 지금까지 결코 좋은 이웃이 아니었고, 아마 앞으로도 좋은 이웃이 되지 못할 것이다. 나는 이 시간과 공간을 사랑하지 않기 때문이다. 나는 나 자신을 가장 잘 알고 있다고 생각한다. 내가 나 자신에 대해서 가장 잘 알고 있는 사실은, 한 번도 직접 대면한 적이 없는 나의 아버지와 마흔여섯에 자살한 나의 어머니로부터, 나는 물려받은 것이 아무것도 없다는 사실이다. 그러니까 나는 〈불행한 아이〉다.

어머니가 남긴 26평짜리 주공아파트와 여섯 개의 저금통장, 퇴직금 같은 건 다 합쳐보아야 1억도 안 된다. 어머니야 자기딴에는 이 정도 자식에게 남겨두고 죽으면 되지 않겠느냐? 하고 생각했는지도 모르겠다. 그것으로서 자신은 자신의 책임을 어느 정도 했겠지 하고 눈을 감았을 것이다. 그러나 그 정도로 내 입을 막으려 하다니, 어림없는 소리다. 누가 언제 1억의 돈을 원했던가? 자신은 살 만큼 살았고 돈이란 것은 지옥에 가든, 천국에 가든, 다른 별나라에 가든, 그런 세상에서는 무용지물이었을 것이다. 그러니 그런 짐 따위를 그냥 내버려두고 간 것이 아닌가.

또한 나에게 돈 같은 것은 이것도 아니고, 저것도 아니며, 아무것도 아니며, 아무것도 아니라는 것이다. 그러므로 내가 부모로부터 물려받은 자산이라는 것은 거의 제로에 가깝다. 내가 삐걱거리고 덜렁거리며 들고 다니는 이 뼈와 살, 그것은 참으로 저주스럽고 거추장스러운 것이다.

나는 사람에 대한 애정이 부족하고 변덕이 심한 편이다. 나는 나 자신에게조차 거의 애정을 기울이지 않는다.

내가 어떤 옷을 입어야 할지, 어떤 직업을 가져야 할지, 그런 것에 대한 고민을 나는 해본 적이 없다. 그 아이가 커서 벌써 서른두 살이 되었다.

서른두 살, 이 나이라면 뭔가를 이루었어야 할 나이다. 그러나 나는 무엇인가? 나는 이 나이가 되도록 아무것도 이룬 것이 없다. 서른두 살이면 누구나 한 가족의 가장이 되어 전권을 휘두르며 왕으로 군림하는데, 나는 무엇인가.

적어도 서른둘의 나이란 한 부족의 족장이 되거나, 돈 안 되는 카리스마 속에서라도 논다거나, 수십 명의 여자를 후린 무용담이

라도 가지고 있다거나, 최소한 뭔가 엄청난 일화라도 가지고 있어
야 되지 않겠느냐는 것, 그것이 나의 생각이다.

그러나 나는 스물의 나이에 완전 자유인이 되어 이 세상이라는
넓은 들에 나가 토끼 한 마리도 잡지 못했다. 그것이 나다. 그러니
나는 내가 무엇을 할 수 있다거나, 내가 무엇이 될 수 있다고 생각
한 적은 단 한 번도 없었다.

냇가에 가서 나뭇잎을 띄운다. 나뭇잎이 아니면 종이배라도 좋
다. 나뭇잎이나 종이배를 띄운 냇물은 흘러흘러 강물이 되고, 강
물은 흘러흘러 바다로 간다. 나는 그런 식으로 살았다. 냇물이 되
거나 강물이 되거나, 뭐 그런 식으로 살아, 나는 바다로 나왔다.
그리고 당신들을 만났다. 이 글을 읽는 바로 당신들을.

*　　　*　　　*

지금 나는 글을 쓴다. 뭐, 대단한 글은 아니다. 연필을 들고 대
학 노트 위에 손을 탁, 하고 얹으면, 가랑잎이 냇물에 소리 없이
떨어져 흘러가듯, 그런 글을 쓰고 있다. 그러니 나는 플롯이나 갈
등, 묘사나 서술 같은 소설의 정공법은 모른다.

내가 소설 같은 것을 쓰기 위해서 이 글을 시작했다면 나는 지금
당장, 연필을 던지고 노트를 덮을 것이다. 조금 전에 이야기했듯
이 세계가 내 삶에 불청객이듯, 나 역시 세계에 아무런 도움을 줄
수 없는 불청객이다. 어쩌면 세계와 인류가 나를 저주할 테지. 어
쩼든 나는 세계가 나에게 값하는 만큼 값하고 산다.

*   *   *

변비에 대해서 이야기하겠다. 당신들에게는 관계없는 이야기일
지는 모르겠지만, 나로서는 무척 중요하고 진지한 이야기다.

나는 진성좌다. 진성좌는 12월 초순, 남쪽 하늘에 보이는 별이
다. 이 진성좌는 생리적으로 장기능이 좋지 않다고 한다. 음력으
로 3월생이 진성좌에 속한다. 진성좌는 체질상 육체의 에너지 태
반이 머리에 집중되어 있다. 그러므로 뇌는 크지만 장은 약하다.
이른바 뇌대장소라는 것이다. 그러므로 나에게는 여러 가지 속병
이 있다. 우선 위궤양, 십이지궤양, 위경련, 신경성 위염, 만성
위염, 변비 등, 속병을 차례대로 앓았다. 담배와 커피, 술은 나의
적이었고 입에 대었다 하면 설사가 나왔다. 항상 뱃속에서는 전쟁
이 일어난 듯이 꾸르륵거렸고 10분 간격으로 방귀가 나왔다. 그런
내가 어느 날 갑자기 변비마저 걸리고 만 것이다. 일주일 내내 똥
을 못 눈 적도 있었다. 변기 위에 앉아 아무리 끙끙거려도 똥 한
가락 나오지 않았다. 속만 더부룩하고 방귀만 피식피식 나올 뿐이
었다. 그런데도 나는 병원이나 약국에는 가지 않았다.

내가 뭐 대단하게 의사나 약사를 싫어해서 그런 것은 아니었다.
나는 내 몸의 자연치유능력 같은 것을 믿었던 것이다.

언젠가 급성위염에 걸려 몸에서 식은땀이 나고 탈수현상이 생기
며 온몸이 불덩이처럼 뜨거워지며 고생한 적이 있었다. 그때도 나
는 병원에 가지 않았다.

어떻게 버티었는가. 이불을 둘둘 말아 감고 꼬박 하룻밤을 끙끙 앓으니, 다음날 아침에 거짓말처럼 나았다. 그 이유는 설명하지 않아도 의사들이 더 잘 알 테지.

만성위염, 급성위염, 치질, 어떻게 고치는가? 하는 것은 서점에 나가면 고칠 수 있는 것이다. 서점에 나가면 〈건강하게 삽시다〉〈1분 건강진단법〉〈나는 이렇게 치질을 고쳤다〉〈철저한 변비 퇴치법〉등, 책 속에 다 나와 있는 것이다.

어쨌든 나는 병원에 가지 않았다. 돈이 아까워서가 아니었다. 누군가 내 몸에 손을 대는 것이 싫어서였다. 이유는 그뿐이다. 이 불쾌한 버릇만은 나의 어머니로부터 물려받은 것이다. 나의 어머니는 내가 그녀의 손을 만지는 것, 심지어 그녀의 구두와 옷을 만지는 것도 몸서리나게 싫어했다. 내가 그녀 가까이 가면 그녀는 반사적으로 뒤로 움찔, 물러나곤 했던 것이다. 물론 그런 내 어머니에게도 섹스는 전혀 별개의 문제였을 테지.

섹스, 그 점 역시 나에게는 그녀와 닮은 점이 있는 것 같다. 나는 결코 섹스를 싫어하지 않는다. 오히려 굉장히 친절하고 격정적이며 다정다감하다. 나의 파트너에게 내가 전희, 후희 같은 것을 베푸는 것은 나의 필수적인 섹스 규범인 것이다. 타인의 육체가 접근하는 것은 싫어하면서 섹스는 싫어하지 않는다는 이율배반성을 어떻게 설명해야 할지, 나는 모른다.

이제야말로 변비에 대해서 이야기하겠다. 내 이야기는 변비에 대한 의학적인 지식이나 깊이 있는 통찰이 아닌, 그저 상식적인 내

경험 수준일 뿐이다.

이런 것이다. 우선 결론부터 이야기하면 변비는 손 맛사지로 충분히 고칠 수 있다. 손바닥을 배에 갖다 대고 배꼽 아래위를 둥글게 그리며 맛사지하면 된다. 그리고 등의 아랫부분을 역시 손바닥으로 맛사지한다. 그리고 변을 누기 위해서 화장실에 갔을 때는 엄지손가락과 인지 사이의 합곡, 손목 부위를 누르면 된다. 그 부분을 누르면 변의를 느끼기 때문이다. 이런 방법으로도 되지 않으면 간단히 방에서 할 수 있는 체조법과 복식호흡법이 있다.

체조법과 복식호흡법, 혹은 단전호흡법을 알고 싶으면 비파사나선, 참선수행, 양생법, 고오타마 싯다르타 호흡법 등에 관한 책을 참조하면 된다. 그래도 모르겠으면 얼치기 단전호흡 도장을 찾지 말고 경주 기림사나 부산 범어사에 가라. 가서 눈 맑은 스님에게 물어보면 된다.

변비에 대한 이야기를 더 하겠다.

변비에는 급성변비와 만성변비가 있다. 만성변비에는 이완성 변비, 직장성 변비, 경련성 변비, 증후성 변비 등이 있는데 경련성 변비나 증후성 변비를 제외하고는 얼마든지 자기 스스로 고칠 수 있다.

나는 경련성 변비였다. 과민성 장증후군이라고도 하는 모양이다. 나는 화장실에 가서 변기 위에 앉아 아무리 낑낑거려도 기껏해야 염소똥만한 것이 톡톡 떨어질 뿐이었다. 나는 이 경련성 변비를 맛사지와 복식호흡을 번갈아가며 한 달 만에 고쳤다. 비로소 나는 변비에서 해방된 것이다.

내 나이 서른 때의 일이다.

내가 존 파울즈의 『프랑스 중위의 여자』를 읽던 해다. 내가 업다이크의 『달려라, 토끼』를 세번째 읽던 해이기도 하다.

이런 장면일 테지. 나는 화장실에 들어가면 최소한 30분 정도 앉아 있으므로 내가 변비를 고치던 그해 봄, 화장실에 들어갈 때는 언제나 책을 들고 들어갔던 것이다. 내가 뭐, 대단한 독서광이어서 그런 것은 절대 아니다. 30분이라는 시간이 너무 지루하기 때문이다. 엉덩이를 까고 낑낑거리며 『달려라, 토끼』『프랑스 중위의 여자』, 그런 것을 본다.

자, 서른 살에 나는 변비에서 해방되었다. 그리고 내가 서른 살이 되기 10년 전, 나는 나의 어머니로부터 해방되었다. 10년 간격으로 나는 내 몸과 내 기억으로부터 어머니와 변비를 떼어낸 것이다. 어머니와 변비, 내 삶에 있어서 어머니와 변비는 동일한 의미였는지 모른다.

어쨌든 나는 서른이 되어서야, 나를 구속하는 모든 것으로부터 해방되었다.

내가 서른이 되던 해, 어느 날이었다.

나는 학교 앞 헌책방에서 나의 어머니 사진 한 장을 발견했다. 그래서 나는 엉겁결에 어머니 사진이 왜 여기에 있을까 하고 그 사진을 집어들려고 했다. 그런데 그것은 사진 한 장이 아니었고 책 뒤표지에 인쇄된, 어머니와 모습이 비슷한 아니 에르노라는 프랑

스 여류작가였다. 나는 그 책 뒤표지에 인쇄된 사진 속의 여자를
자세히 들여다보았다. 결코 미모라고는 할 수 없는 넓은 이마와 짧
게 커트한 생머리, 뾰족한 콧대와 긴 주걱턱, 눈에 띄는 입술선,
분명히 그것은 내 어머니의 모습과 비슷했다. 단지 차이가 있다면
에르노의 눈은 밝고 인자해 보였고 어머니의 눈은 항상 서늘하게
젖어 있다는 차이뿐.

나는 그 소설책을 헌책방에서 천 원을 주고 샀다. 그리고는 내가
숙식을 해결하던 고시원으로 돌아와 새벽 네 시까지 두 번을 읽었
다. 책 제목은 『아버지의 자리』, 왠지 모르게 당기는 맛이 있는 책
이었다. 나는 그 책을 읽고 나서 책상 위에 내 어머니의 사진, 오
노 요꼬, 그리고 에르노의 사진을 나란히 펼쳐놓았다.

어머니, 오노 요꼬, 에르노, 비슷한 이미지의 세 여인, 도대체
이 여자들은 나의 삶과 어떻게 관계하는가? 그런 걸 생각했다.

우선, 나의 어머니——나에게 1억의 유산을 남긴 여자.

오노 요꼬——나와는 아무런 관계가 없는 여자.

아니 에르노——?

*   *   *

내가 아니 에르노를 만나지 않았더라면 나는 라라에 대한 글은
쓰지 않았을 것이다. 또한 내가 라라에 대한 글을 쓰지 않았다면
디디에 대한 글도 쓰지 않았을 것이다. 여기서 한순간에 라라와 디
디가 나와 어떻게 관계되었는가를 설명한다는 일은 대단히 어려운

일이다. 그러나 독자들이 원한다면 라라와 디디의 이야기를 간단하게 할 수도 있다. 시간이 바쁜 사람들을 위하여 간단히 이야기해 보겠다.

이런 이야기다.

라라는 내가 대학을 졸업하기 전에 만난 여자다. 나와 라라는 사랑 같은 것을 했는지도 모르겠다. 디디는 내가 대학을 졸업한 후, 내가 서른 살 때 만난 여자다. 나와 디디는 사랑 같은 것을 했는지도 모르겠다. 나에게 있어서 라라와 디디에 대한 서술은 이렇게 동어반복적이다. 〈사랑 같은 것을 했는지도 모르겠다.〉 나는 매사에 이런 식이다.

그러므로 이런 나를 라라와 디디가 사랑했을 리가 없다. 그래도 나로서는 별로 기분 나쁜 일은 아니다. 나는 지금까지 살아오면서 기분이 나빠본 일이 없는 사람이다.

머리 깎고 중이 되는 수밖에 없겠지. 출가 사문, 고통스러운 길이지만 내 팔자라면 어쩔 수 없는 일이다. 그러나 치의(출가 남자가 입는 먹물 옷)를 입고 평생을 산다는 것이 어디 쉬운 일이겠는가. 나는 지금 원인을 알 수 없는 슬픈 감정 속에 휩싸여 있다. 나는 지금 왜 슬픈가? 그 이유를 이야기하려면 무척 오랜 시간이 걸릴 것이다. 하지만 나는 독자들에게 최대한 친절해지고 싶다. 나는 독자들에게 친절해지기 위하여 나보코브의 도움을 빌려야 할 것 같다. 나보코브의 『어둠 속의 웃음소리』를 보면 소설의 줄거리가 첫 페이지에 등장한다. 시작은 이렇다.

아주 오래전에 알비누스라는 남자가 독일 베를린에 살고 있었다. 그는 돈도 많았고, 사회적 지위도 괜찮았으며, 행복하게 지냈다. 그러던 어느 날 알비누스는 나이 어린 정부를 위해서 자기 부인을 버렸다. 그는 젊은 여자를 사랑했으나 그녀에게서 사랑을 받지는 못했다. 그리고 그의 인생은 불행하게 끝을 냈다.

이상, 더하고 뺄 것도 없다. 다이제스트 지식을 원하는 사람이나 책 읽기를 싫어하는 사람들은 첫 페이지 몇 줄만 보면 되는 것이다. 얼마나 친절한 나보코브인가. 그러면서 그는 〈시시콜콜한 이 얘기 저 얘기가 환영받는 법이다〉면서 지루하게 뒷이야기들을 끌고 나가는 것이다.

그런 방법은 나에게도 가능하다. 나는 나보코브보다 좀더 자세하게 내가 앞으로 쓰고자 하는 이야기에 대해서 설명하겠다. 이를테면 상품의 사용설명서 같은 것이다.

내가 이 글에서 이야기하고 싶은 것은 내 글쓰기의 기원이다. 등장인물은 화자인 나와 디디, 그리고 과거를 회상하는 형식 속에서 라라, 나의 친구인 박이 나온다. 이 이야기의 배경은 신천이라는 똥물이 심장부를 가로지르는 어떤 대도시다.

이 작품의 줄거리를 서술하겠다.

〈나〉라는 인물이 있다. 그리고 〈라라〉라는 인물이 있다. 그리고 〈디디〉라는 인물이 있다. 그들은 각자 나름대로 끊임없이 〈길창

28

기〉를 하고 있다. 그들이 갈 수 있는 길이란 많지 않다. 그들은 지
구에 던져진 이상, 어떤 형식으로든 지구에 관계하며 살아보려고
발버둥친다.

그들이 세상을 사랑하는 형식이란 대부분 세상과 싸우고 분노하
는 방식으로 표현된다. 지구란 사랑할 만한 행성이 못 된다. 대단
히 불쾌한 곳이다. 도시 또한 그러하다. 인간 또한 그러하다. 그
들은 순수하기에 그들의 증오는 여전히 유효하다. 하지만 그들의
증오가 이 세상에 쉽게 받아지지는 않는다. 세상은 제멋대로 굴러
가고 있기 때문이다. 〈라라〉는 죽음의 형식으로 세상에 복수한다.
1980년대, 더러 그런 일이 있었다. 분신? 그러나 〈라라〉의 죽음
은 분신은 아니다.

하지만 어떤 죽음이든, 비정치적인 죽음이란 없다. 누구나 밥을
먹듯이, 누구나 정치적 견해를 가지고 어떤 식으로든 정치를 하며
산다.

이 글에서 〈나〉라는 인물의 길찾기가 제대로 형상화에 성공하지
는 못했지만 그는 끊임없이 변화 발전을 추구한다. 그는 그 길 위
에 서 있다.

학생운동, 그리고 졸업. 노동운동, 그리고 해고. 그리고 감옥.
출옥 후, 출판문화운동, 그리고 저술노동자생활. 그리고 수배. 그
리고 종교운동……

이제 더 이상 어디로 갈 것인가?

결국 〈밥〉의 문제가 제기된다. 타협? 글쎄, 작가가 된다는 것

이 세상과 가짜 화해를 하는 길인지? 그건 두고 볼 문제다.

그리고 디디. 아직은 깊은 상실감에서 벗어나지 못하고 있다. 그러나 그녀는 어떤 식으로든 살아 남으려고 한다. 어떤 길을 걸어야 하는가? 여러 가지의 길이 있다. 하지만 분노를 삭이지 못하는 상처를 가진 자로서, 이 불순한 땅에서 살아 남는 방식은 여전히 제한적이다.

이 이야기는 1980년대에서 1990년까지의 자기총괄서이기도 하다.

이 이야기는 〈페레스트로이카의 철학적 기초〉니, 〈사회주의개혁 어떻게 볼 것인가〉 하는 논쟁이 시들해진, 지식인사회에 허무주의, 냉소주의, 패배주의, 자유주의가 고스트처럼 떠돌던 시기의 이야기다. 그러니 차골로프의 『정치경제학교과서』도 안 팔리고 아길라르, 포시어, 크라신, 치르킨 등의 논문이 저주받던 시기의 이야기다.

이 작품의 마지막은 이렇다.

〈나〉라는 인물이 자신의 30년 청춘을 보낸, 불임의 도시를 떠나는 것으로 되어 있다.

그에게도 뭔가 할 일이 있을 테지. 이것으로 나의 시시콜콜한 이야기를 단 몇 줄로 줄였다. 이 이야기의 숲에 들어와서 나와 같이 지내고 싶지 않은 사람들은 앞에서 이야기한 단 몇 줄만 읽으면 된다. 그러나 만일 그런 위인이 있다면 그는 문화인이 아니다. 그 이유는 뒤에 나오는 이야기들을 읽어보면 안다.

이 글의 화두는 〈우리는 어디서 와서 어디로 가는가〉 하는 것이다.

1992년, 지금 우리는 어디로 가고 있는가?

이제부터 이야기를 시작하겠다.

먼저……

＊　　　＊　　　＊

도시 이야기다.

여자와 자고 여자와 헤어진, 지겨운 9년의 연애에도 눈물 한 방울 없이 헤어졌던, 비정의 도시 이야기다.

희망보다는 절망을 먼저 배운 도시, 자유보다는 억압을 먼저 배운 도시, 사랑보다는 증오를 먼저 배운 도시, 3·4·5·6공화국의 정권을 휘어잡은 장군들의 도시, 그리하여 양심 있는 청년, 학생으로 하여금 부끄러움을 일깨워주었던 도시, 그런 도시 이야기다.

〈호헌 철폐〉〈독재 타도〉를 외치며 아세아극장에서 한일로, 한일로에서 시청, 시청에서 경대 병원, 경대 병원에서 반월당, 반월당에서 군중을 모으고, 군중의 힘으로 밤을 밝히며 햇불 시위를 하던 1986년 4월 5일.

순수함 하나, 뜨거움 하나로 푸르른 스물을 넘기던, 여자와 자고 여자와 헤어졌던, 내가 태어나고 내가 자란, 나의 어머니와 아버지의 탯줄을 묻고 나의 탯줄을 묻은, 그런 도시 이야기다.

항상 현대사의 불행은 이 도시에서 청춘을 보낸 자들로부터 시작되었다.

이 도시의 후세대들은 전세대들이 저지른 잘못을 부정하고 항거

하면서 견디어와야 했던 도시, 겨울이 되어도 눈조차 내리지 않는 도시.

이 도시에서 내가 배운 것은 광기와 억센 사투리, 흔히 화끈함으로 미화되는 근거 없는 배짱과 격함, 그리고 우울이었다.

봄이면 황사를 몰고 오는 바람, 여름이면 한증탕과 같은 더위, 나는 이 분지의 도시에서 한시도 벗어나지 못했던 것을 참으로 억울하다고 생각했었다.

검은 신천의 똥물, 비산 염색공단, 제3공단, 검단 공단, 이현 공단, 서대구 공단, 밤이면 폐수를 내다붓고 아침이면 공장 굴뚝들이 하늘로 총신을 겨누고 욕망을 내다뿜는 도시. 자동차와 사람이 많아지면서 금호강은 더러워졌고, 도시가 비대해지면서 하늘은 탁해져 갔다.

60년대 이후, 물질적으로는 풍족했으나 정치적으로 늘 불우했고 정신사적으로 가난했던, 보수주의자와 자유주의자들의 아성, 그런 도시 이야기다.

그 도시에서 나는 30년을 보냈다. 내 인생의 반이 간 것이다. 내 사랑의 만남과 이별, 방황, 그리고 질주, 그리고 회한, 그리고 눈물. 그 도시의 거리와 거리, 다방과 술집, 학교와 관공서, 그런 곳에 내 청춘의 가슴 아픈 추억의 편린들이 깔려 있는 것이다.

그 도시를 잠시 떠난 적이 있다. 지방 병무청에서 입영 명령서를 받고 155마일 휴전선을 바라보며 초병으로 원통 3년을 보냈다. 그 3년을 제외하면 불행하게도 나는, 그 도시에서 한 발짝도 떠나지 못했다. 한 발짝도 떠나지 못했으므로 나는, 그 도시에 한이 많고, 나는 그 도시에 대한 증오를 남몰래 키웠다.

내가 태어나고 내가 자란 그 도시는 나의 적이었다. 정신적으로 나의 부모가 나의 적이 될 수 있듯이, 그 도시는 나에게 수많은 무기력과 좌절을 안겨준, 그런 적이었다.

내 푸른 스물을 감시하고 억압하고 규정하던 도시, 엄청난 물리력으로 중무장한 도시 앞에서 내가 할 수 있는 증오란, 발악이란, 항거란, 고작 길거리에 토악질을 하고 오줌을 싸고, 염소 산화물과 아황산가스로 가득 찬 도시의 허공에 욕질을 하고, 밤이면 밤마다 그 도시의 여자들 사타구니를 훑어내는 무기력한 반항들뿐이었다. 그렇다. 누가 뭐래도 반항이야말로 나의 성실한 삶의 근거였다.

내 열아홉의 한때는 여자를 낚으려고 발이 부르트도록 동성로 거리를 쏘다녔다.

고등학교 3학년, 금욕의 동산에서 하산해서 나는, 고삐 풀린 망아지처럼 도시의 거리를 헤매고 다녔다. 연극과 영화, 음악과 이념의 매니어가 되지 않으면 나의 존재 이유가 무의미한, 그런 열아홉이었다.

모든 관념은 내 망명의 숲이었다. 관념론과 유물론, 새로운 것과 낡은 것, 본질과 현상, 분석과 종합, 귀납과 연역, 우연성과 필연성, 개별과 보편, 절대적 진리와 상대적 진리, 나는 그 모든 관념 속으로 내 모습을 숨겼다. 아니, 내 모습을 위장시켰다.

　열아홉은 호기심이 많은 나이다. 주위 사물이 신비해 보이고 도시와 사람들에게 매력을 느끼는, 세상에 대한 독서 욕망이 가장 강렬한 나이인 것이다.

　가짜 이데올로기에서 해방되어 진짜를 찾아가는 머나먼 순례의 길, 나의 열아홉은 그렇게 시작되었다. 나는 이제 어른들의 도움이 없이 스스로 걸어갈 수 있게 된 것이다.

　세상에 대한 두려움과 무서움이 있으면서도, 즐거운 불안과 공포, 그러므로 나는 행복하게 슬펐고 불행하게 기뻤다. 그러므로 열아홉은 스스로의 모순, 비적대적인 모순을 가장 많이 가지고 있는 나이인 것이다. 그러나 나는 육체와 정신이 푸르렀으므로 가능성 있는 모든 것들에 도전했다. 두려움과 무서움은 몸으로 부단히 부딪치면서 스스로 극복되는 것이다.

　그러므로 〈열아홉은 훌륭한 나이다. 〉 낮에는 학교 도서관에서 이삼십 권의 책을 쌓아놓고 꽃에서 꽃으로 옮겨다니듯, 나비처럼 날아 벌처럼 쏜다는 독법으로 책을 읽었다.

　책에서 가장 관심 가는 부분은 저자의 약력인 것이다. 약력에는 여러 가지가 있다. 장 주네처럼 도둑이었던 사람, 생 텍쥐페리처럼 비행기 조종사였던 사람, 랭보처럼 스무 살 때까지만 시를 쓴 사람, 게오르그 트라클처럼 마약으로 일생을 보낸 사람, 이반 골처럼 백혈병으로 죽은 사람, 잉게보르크 바흐만처럼 침대 위에서 타죽은 사람, 스베타예바처럼 자살한 여류시인, 예세닌처럼 혈관을 절단한 뒤·피로 시를 쓰고 목을 매달아 죽은 사람, 바타이유나

34

헨리 밀러처럼 몸이 허락하는 한 여자의 구멍에서 구멍으로 옮겨다
니며 인생을 즐긴 사람, 혁명가 체 게바라처럼 평생을 도전 속에서
살다가 볼리비아에서 총살된 사람, 장 꼭도 같은 천부적인 재능
꾼, 제자와 동거한 노신 같은 사람, 굴원처럼 물에 빠져 죽은 시
인, 파온이라는 연하의 청년을 짝사랑하다가 레우카디아 벼랑 위
에서 바다에 몸을 던진 삽포 등등······.

  열아홉의 나이란 삶의 일상성과 무미건조함에 끝없이 도전한 사
람들에게 관심이 가는 나이인 것이다. 좋은 학벌을 가지고 취직을
해서 결혼을 하고, 그리고 아이를 생산하는 사람들의 이야기들이
란, 듣지 않아도 충분히 짐작할 수 있는 것이다. 그들의 이야기란
미화를 하고 윤색을 하고 엄살을 떨고 거짓말을 조금 붙이고 엄숙
주의를 티내고 세상의 일상에 적당히 악수하는 것이다.
  이러한 생각은 내 탓이 아니고 세상과 관계된 열아홉이란 내 나
이 탓인 것이다.
  저자의 살아온 삶을 읽고 난 뒤에는 책의 목차를 본다. 그리고
발행 날짜와 몇 판째 인쇄된 것인지를 본다. 제법 영악하게 책을
대하는 것이다. 목차를 보고 우선 당장 호기심이 가는 부분만 본
다. 지금 당장에는 읽을 필요가 없다고 생각되면 한쪽으로 치운
다. 책 한 권의 소화는 그렇게 수월하게 끝난다. 대사가 중요한 소
설책은 대사를 중심으로 읽는다. 지문이 중요한 소설은 지문을 중
심으로 읽는다. 손등을 뒤집으면 손바닥이 나온다. 그런 독법이

다. 미련스럽게 처음부터 끝까지 읽는 책은 거의 없다. 마음에 드
는 부분만 가려 읽는다. 처음부터 끝까지 읽은 책도 몇 권 있다.
허먼 멜빌의 『백경』, 샐린저의 『호밀밭의 파수꾼』, 베케트의 『고도
를 기다리며』, 카뮈의 『이방인』『페스트』, 도스토예프스키의 『가난
한 연인들』, 톨스토이의 『안나 카레니나』, 업다이크의 『달려라, 토
끼』『모택동 사상』, 방립천의 『불교철학개론』, 기타 등등.

　밤이 되면 다운타운으로 나간다. 밤은 열아홉이란 나이를 거의
미칠 지경으로 만들었다. 이유도 없이 붉은 노을을 보면 가슴이 울
렁거리고 알 수 없는 애수에 젖는 것이다. 언제나 찾아오는 일상적
인 밤이었지만 언제나 새롭고 비일상적인 무엇이 일어날 것만 같은
밤이었다. 나에게 그것은 〈에트바스, 그 무엇〉으로 향한 갈구, 결
핍, 떠남, 자유를 의미했다. 왜 그 나이에 밤이 되면 엉덩이가 가
렵고 초조하고 불안했는지, 나는 그 이유를 10년이 지나 지금에도
논리적으로 설명하지 못한다. 아마 날개가 돋으려고 했었던 모양
이다. 혹은 세상에 대한 호기심, 지식에 대한 욕망 같은 것이었겠
지. 도시를 아는 것은 나에게 삶을 의미했고, 다운타운을 맹목적
으로 쏘다니는 것은 나에게 독서를 의미했다.
　나는 열아홉에 나의 가장 소중한 친구, 박을 만났다. 그와 나는
문화공간 〈토담〉에서 밤에는 구석에 죽치고 앉아 영화를 보며 열
아홉의 나이를 보냈다.
　프랑스 명감독 줄리앙 드비비에의 〈나의 청춘, 마리안〉, 장 꼭

도가 『트리스탄과 이졸데』를 영화화한 〈비련〉, 르네 클레망 감독
의 〈파리는 안개에 젖어〉, 데이비드 린 감독의 〈닥터 지바고〉, 마
빈 르로이 감독의 〈애수〉, 빅터 플레밍 감독의 〈바람과 함께 사라
지다〉, 존 휴스턴 감독의 〈백경〉, 프레드 진네먼 감독의 〈지상에
서 영원으로〉, 룩키노 비스콘티 감독의 〈백야〉, 빗토리아 데 시카
감독의 〈자전거 도둑〉, 네오리얼리즘의 명장 페데리코 펠리니 감
독의 〈길〉, 클로드 를루쉬 감독의 〈남과 여〉…….

〈우리는 모든 가능성에 도전한다.〉박과 나의 캐치프레이즈였다.
우리의 눈이 딱딱한 화석이 되기 전에, 살아 뛰는 것들, 꿈틀거
리는 것들, 생성하는 것들, 소멸하는 것들, 끊임없이 유동하는 것
들, 그 모든 것들을 눈으로 찍어 기억하고 싶었던 것이다. 그것이
추락이든, 비상이든, 혹은 퇴폐와 방종이든, 알에서 깨어나기 위
한 아픔이든.

세상을 들여다본다는 것은 세상을 회의한다는 것이었다. 그것은
우리들의 열아홉이 〈살아 있다〉는 뜨거운 상징이었다. 우리는 말
하고 싶은 욕망, 자기를 알리고 싶은 욕망 때문에 상대방이 듣든
듣지 않든, 끊임없이 지껄였다. 음악에 관해서든, 연극에 관해서
든, 이념에 관해서든, 그리고 여자, 섹스…… 수많은 길을 걸었고
길 위에서 몇 번인가의 눈과 비, 그리고 바람을 맞았다.

나는 두 발로 지구의 낮과 밤을 쉴 새 없이 돌렸고, 손으로는 수
많은 커피 잔과 담배꽁초를 뭉갰다.

무기력과 우울이 내 머리에서 내 발 사이를 통과했고, 때로는 슬

품과 기쁨이 지나가기도 했다. 그렇게 나의 한 해, 두 해가 흘렀다.
 그러므로 나에게는 비관도 낙관도 없는 세월의 나날이었던 것이다.
 ……먼저 라라다.

*   *   *

 라라는 소설 「닥터 지바고」에서 따온 이름이 아니다.
 그녀의 실제 이름은 라라였다. 내가 라라를 만나는 데는 지구가
태양을 스물여섯 바퀴를 돌아야 했다. 참으로 긴 세월이다. 나는
열아홉에서 스물여섯이 된 것이다. 울어야 할지, 웃어야 할지, 그
것은 지구를 더 돌려보면 안다.
 라라를 만난 그해, 나는 대학교 4학년 졸업반이었다.
 봄이었다. 개나리와 목련이 지고 벚꽃도 진, 그런 5월이었다.
제대로만 된다면 코스모스 졸업이 가능한, 나는 그런 4학년이었다.
 나는 마지막 학기까지 21학점을 신청했다. 졸업 학점을 채우기
위해선 어쩔 수 없었다. 1학년 1학기 때는 3학점을 따고 학사경고
를 먹었다. 1학년 2학기 때도 3학점을 따고 학사경고를 먹었다.
그런 속도로 2학년 1학기 때도 3학점을 따고 학사경고를 먹는다면
나는 대학교에서 영원히 추방당하는 것이다.
 나의 어머니는 정말 현명했다. 나의 학점 상태를 잘 알고 있던
나의 어머니는 나를 시내에 있는 근사한 불고깃집으로 데리고 가서
로스구이 3인분과 맥주를 사주었다.

그리고 돌아오는 길에는 백화점에 들러 공부하라고 가방을 사주
었다. 5층에 있는 문구센터로 나를 데리고 가서 만년필과 대학노
트, 필기구 일체를 사주었다.

나의 어머니는 정말 현명하지 못했다. 나는 가방이나 노트 따위
가 없어서 공부를 안한 것은 아니었다. 나는 매일 학교에 나갔다.
나는 도서관에서 거의 종일 살다시피 했다. 나는 나의 어머니에게
공부는 열심히 했다고 강변했다. 나의 어머니는 나를 다그쳤다.
나는 공부는 열심히 했지만 학점이 엉망인 이유를 어머니에게 설명
할 수 없었다. 어머니가 너무 불쌍하다는 생각이 들었기 때문이
다. 결국 나는 그 이유를 어머니에게 설명하지 못했다. 6개월 후
쯤에는 그 이유를 설명하려고 작정했었다. 그러나 어머니는 나에
게 가방을 사준 다섯 달 후, 돌아가셨다.

내 잘못이 아니다. 단지 그녀의 불행일 뿐이다. 어쩌면 죽음이
그녀로선 행복한 일인지도 모른다. 그녀는 죽기 전까지 몇 년 동안
신경쇠약을 앓아왔었다. 그리고 고혈압이었다.

어머니가 죽은 학기 나는 평점 4. 3을 맞았다. 간신히 나는 학교
에서 쫓겨나지 않았다. 대학에서 학점 따는 일은 정말이지, 너무
쉬웠다. 법대에서는 강의를 빼먹어도 시험만 치면 학점을 주었다.
시험문제는 학교 앞 복사실에 가면 항상 비치되어 있었다. 교수들
은 자신들이 좋아하는 문제들만 내는 법이어서 세월이 흘렀다고 시
험문제가 달라지는 법이 없었다.

3년째 형사소송법을 듣던 어떤 친구는 3년 동안 시험문제가 한

번도 바뀌지 않았다고 투덜거렸다. 어쨌든 나는 그 힘든 세월을 잘 참아내고 졸업반이 된 것이다. 몇 개인가의 봄을 무의미하게 날려 보냈고, 다시 봄이었다.

나는 학생회관에 있는 서클룸에서 책상에 다리를 올린 채, 봄날 오후, 나른한 한때의 햇살을 즐기고 있었다. 창 밖으로는 스쿨버 스를 타려고 줄을 서 있는 학생들, 으샤으샤, 하면서 럭비공을 푸 른 하늘로 던지는 럭비부 학생들의 다이내믹한 모습들, 책을 들고 도서관으로 종종걸음을 옮기는 학생들, 석양은 이과대 건물 옥상 에 크고 붉은 당구공처럼 걸려 있었다. 해는 서른 번 셀 때쯤에 이 과대 건물의 옥상 직선 아래로 반쯤이 잘려 나갔고 내가 다시 서른 번을 세려고 할 때, 서클룸을 두드리는 소리가 들렸다.

누군가 밖에서 문을 세 번쯤 똑똑똑, 두드렸다. 인기척이 없자, 길게 생머리를 한 여학생이 문을 열고 들어섰다. 아담한 키에 목이 길며, 눈이 크고 깊은 여자였다.

그녀는 만지면 부서질 것같이 한없이 연약해 보였다. 그녀는 프 로스펙스 운동화, 물이 약간 날아간 청바지에 고동색 통가죽 벨 트, 온통 빨간 바탕에 시몬느 베이유의 얼굴이 까맣게 찍힌 티를 입고 있었다.

나는 무심한 표정으로 그녀를 보았다. 그녀는 인사를 하며 말문 을 열었다.

「저어── 선배님, 혹시 아직까지 신입회원을 받지 않나 해서요」

나는 책상에서 다리를 내렸다. 카키색 사파리에서 담배를 한 개 비 꺼내서 손끝으로 도르르 말며 말했다.

「저는 책임자가 아니라서 그런 것은 잘 모르겠군요」

「그럼 언제 오면 책임자를 만날 수 있을까요?」

「여기 앉아서 잠시 기다려보세요」

나는 일어서서 그녀에게 의자를 내주었다. 그녀는 앉아서 눈을 돌리며 동아리방을 둘러보았다. 잠시 후 문이 열리고 서너 명의 후배들이 들이닥쳤다. 나는 그들 중 동아리 회장에게 그녀를 소개해 주었다. 서너 명의 후배들이 그녀를 둘러싸고 한꺼번에 여러 가지 질문들을 퍼부었다.

그녀는 차분한 목소리로 한꺼번에 쏟아지는 질문들에 조리 있게 대답을 해주었다. 후배들은 그녀를 진정으로 환영하는 것 같았다. 회장이 그녀에게 신입회원 카드를 내밀었다. 그녀는 그 위에 또박또박 신상명세서를 작성해 나갔다. 잠시 후, 회장이 매우 흡족해하며 그녀가 쓴 입회 카드를 회원명부 속에 집어넣었다.

그녀는 정식으로 회원이 된 것이다. 그녀는 조용히 일어나서 밖으로 나갔다. 얼마의 시간이 흘렀을까. 내가 담배 한 개비를 다 태우는 시간이었을 것이다. 문이 열리면서 그녀가 식판에 음료수를 사람의 수대로 뽑아 들고 왔던 것이다. 후배들은 연신 웃으면서 즐거워했다. 그녀는 후배들의 그러한 환영이 조금 부끄러운 듯, 얼굴을 살짝 붉히고 서 있었다.

나는 음료수를 마시고 나서 그녀에게 잘 마셨다는 인사를 했다.

그리고 서클룸을 나왔다. 나는 어두컴컴하고 긴 학생회관 복도를 걸어 나왔다. 나는 발길을 돌려 음악 감상실로 들어갔다.

차이코프스키의 제6번 B단조 〈비창〉이 우울하게 흐르고 있었다. 나는 좌석 뒤에 잠시 서 있다가 감상실의 중앙에 가 앉았다. 내가 앉은 자리의 오른쪽 두 칸 건너, 주인이 없는 책과 핸드백이 댕그랗게 소파 위에 놓여 있었다. 핸드백 바로 밑에 놓인 책은 핸드백 끈에 가려 책의 제목이 보이지 않았지만 맨 아래에 놓인 책은 제목이 선연히 보였다. 알바레즈의 『자살의 연구』였다. 나는 박상륭의 『죽음의 한 연구』보다 뛰어나겠나 싶어 이내 호기심을 포기하고 고개를 돌려 눈을 감았다. 〈비창〉의 3악장이 시작되고 얼마 지나지 않아서였다. 내가 앉은 옆자리에서 인기척이 났고 안녕하세요, 하는 소리가 들렸다.

나는 누구인가 싶어 눈을 떴다. 그녀였다.

그녀가 목례를 하며 책과 핸드백을 들고 내가 앉은 옆자리로 건너와서 앉았다.

「저는 누구인가 했는데 선배님이더군요」

「네에── 이 책의 주인이 당신이었군요」

그녀는 얼굴에 웃음기를 띠며 무릎 위에 올려놓은 책의 등을 손바닥으로 가렸다.

「『자살의 연구』, 재미있던가요?」

그녀는 순간적으로 얼굴이 일그러졌다. 그녀는 고개를 숙이고 오래도록 무엇인가를 생각하는 듯했다. 아마 그것은 그녀가 별 신

42

통치 않은 질문을 받았을 때, 상대방에게 보여주는 버릇인 듯했다. 나는 나의 어리석은 물음을 곧 후회했다.

얼마인가의 시간이 흐르고 그녀가 입을 열었다.

「선배님, 지금 나오고 있는 음악, 〈비창〉의 제목이 어떻게 만들어졌는지 아세요?」

나는 글쎄요, 하고 말했다. 그녀는 마치 혼자 독백이라도 하듯 앞을 보며 이야기를 하기 시작했다. 그녀의 태도는 듣지 않아도 상관이 없다는 투였다. 그녀는 속삭이듯이 말했다. 에로틱한 음색이 깔려 있는 목소리였다.

교향곡 〈비창〉의 초연은 평판이 그다지 좋지 않았대요. 그것은 아마 〈비창〉에 전반적으로 흐르는 절망적인 어두운 분위기 탓이었을 거예요. 차이코프스키의 동생이 차이코프스키를 찾아갔을 때, 그는 그 곡의 표제를 궁리하고 있었죠. 동생이 그 곡의 제목을 〈비극적〉이라고 하면 어떨까 하고 묻자, 그는 고개를 흔들었죠. 다시 동생이 〈비창〉은 어때요, 하고 물었어요. 그러자 차이코프스키가 비창, 그래 바로 그거다, 그래서 〈비창〉이라는 제목이 붙여졌다나 봐요.

거기까지 말하고 그녀는 고개를 내 쪽으로 돌렸다.

나는 조용히 웃으면서 계속하세요, 하고 말했다.

「차이코프스키는 〈비창〉을 초연한 후, 9일 만에 죽었대요」

그녀는 짧게 잘라서 말했다. 마지막 한마디를 하기 위해서 여러 가지 말들을 늘어놓았다는 식이었다.

그로부터 며칠 후.

나는 기숙사 앞 연못에서 아카시아나무를 꺾어, 추와 막대치를 연결하여 만든 낚싯대로 가물치를 잡고 있었다.

나는 그렇게 두 시간째 앉아 있었지만 가물치는커녕 피라미 한 마리도 잡지 못했다.

나는 기숙사 사생들이 아카시아나무 가지로 낚싯대를 만들어 가물치와 팔뚝만한 잉어를 잡는 것을 보아왔으므로, 나 역시 그들의 흉내를 내고 있었던 것이다.

달고 시원한 봄바람이 불었다. 나는 연못에 던져놓은 찌의 오르내림을 건성으로 들여다보면서 『독일 고전 철학의 종말』을 읽고 있었다.

「선배님 아니세요?」

나는 고개를 돌려 연못 방죽 위를 올려다보았다. 그녀였다. 그녀는 하오의 태양을 등지고 있었다. 나는 눈이 부셔서 왼손으로 쏟아지는 햇빛을 가리며 그녀가 책을 두 손으로 모아쥐고 있는 모습을 보았다. 그녀의 연한 살색 플레어 스커트가 봄바람에 살랑거렸다.

「지금 낚시하시고 계신 거예요?」 그녀가 방죽을 내려서면서 말했다.

「낚시? 글쎄요, 날씨가 워낙 좋아서 견딜 수 없었어요」

「어머, 저도 그래요. 수업을 듣다가 창가로 나비가 나풀나풀 나는 것을 보고 슬그머니 나와버렸어요. 미칠 것 같은 날씨예요」

그녀의 〈미칠 것 같은 날씨예요〉라는 말에는 뭔가 섬뜩한, 마치

44

그녀의 삶의 한 부분이 들여다보이는 뉘앙스를 담고 있는 듯했다.
그녀는 내 곁에 쪼그리고 앉았다. 그녀는 저수지의 살랑거리는 수
면에 햇살이 잘게 부서지는 광경을 오래도록 바라보았다.

「참, 이쁘죠? 저기에 당장 뛰어들면 제 몸도 햇살로 부서져 당
장 하늘로 달아나버릴 것만 같아요」

봄바람, 저수지, 수초, 나른한 하오의 햇살, 저수지를 둘러싸고
연두색으로 물이 오르는 수양버들의 살랑거림, 그 산뜻하고 아름
다운 것들과 나의 내부를 내리누르고 있는 엄청난 불안의 무게……
나는 현실에서 희망 없는 유물론자였던 것이다.

다음날 그녀와 나는 안동 하회에 갔다.

나는 그녀의 것이, 그녀는 나의 것이 되었다. 그녀가 나를 소유
하고 내가 그녀를 소유하는 것은 출생할 때, 신으로부터 부여받은
지상의 명령 같은 것이었다. 위에서 아래로 흐르는 물의 흐름과도
같았다. 그녀의 차가움, 그러나 그 속에 도사리고 있는 광기, 나
는 그녀의 그 엄청난 에네르기를 발견했던 것이다. 그녀의 에네르
기는 나에게 충동적인 유혹의 손을 자극하여, 그녀와 나를 은밀한
밀실로 끌고 갔던 것이다. 나는 그녀 위에서 미친 듯이 시를 썼다.
그녀가 내 위로 올라갔을 때, 나는 열정에 떨며 블로크의 시를 노
래했다.

오, 미친 듯 살고 싶어라
존재하는 모든 것을 영원케 하고

무성격적인 것을 인간적이게 하고
불가능한 것을 실현하고 싶어라
삶의 괴로운 꿈을 짓누르게 하라
이 꿈속에서 내가 질식할지라도
아마도 유쾌한 젊은이는
언젠가 나에 대해서 말하리라
우울과 작별하자
정말로 우울이 그의 숨은 원동력인가
그는 온통 선과 빛의 아이
그는 온통 자유의 승리……

*   *   *

그리고 6년이라는 세월이 흘렀다.

그 동안 나는 수많은 사람을 만났고 여러 켤레의 신발을 바꾸어
신었다. 내 몸 어딘가에는 카페인이 조금씩 쌓여갔고, 나는 신성
한 약속의 언어들을 내려놓고 내 머릿속을 배신과 타협의 언어들로
채웠다. 시간이란 인간의 삶에 아무런 간섭을 하지 않았다. 내가
어떤 걸음걸이로 어떤 길을 걷든, 모든 것은 내가 판단하고 결정해
야만 했다. 시간과 공간은 내 삶을 규정하면서도, 시간과 공간에
의미를 부여하는 것은 나 자신이었다. 그러나 자신이 사는 이 시간
대와 공간대에 의미를 부여한다는 일, 그것은 나 자신이 역사 속의
한 존재자로서 버티어낸다는 일이었는데, 이 또한 얼마나 허망한

일인가.

지금부터 6년 전, 안동 하회에는 조그만 나룻배가 한 척 있었다. 그 배는 반쯤은 강물에 잠겨 있었고, 나머지 반은 모래사장에 누워 있었다.

라라와 나는 밤 열 시가 되도록 나룻배 위에서 노래를 부르고 있었다. 나는 한동헌이 작곡한 〈그루터기〉를 불렀고 그녀는 〈사노라면〉을 불렀다. 나는 〈청산이 소리쳐 부르거든〉을 불렀고 그녀는 김민기가 작곡한 〈이 세상 어딘가에〉를 불렀다. 그녀는 다시 베트 미들러가 부른 〈더 로우즈〉를 부르면서 나룻배에서 뛰어내렸다. 그녀는 모래사장으로 내려서더니 그대로 강물 속으로 천천히 걸어 들어갔다. 나는 나룻배 위에 걸터앉아 담배를 입에 물고, 불을 당겼다.

보름달이 환하게 뜬, 강 건너편 숲속의 나무들까지도 달빛에 노출되는, 그런 밤이었다. 그녀는 점점 강의 중심으로 내려서더니, 어느 지점에선가 갑자기 그녀의 몸이 쑥, 하고 가라앉았다. 그녀는 강물 밖으로 얼굴만 달랑 내놓은 채, 오래도록 한군데서 해안선의 부표처럼 떠 있었다.

잠시 후, 그녀는 얼굴마저도 내놓지 않은 채 어디론가 사라졌다.

강물 위로 더 이상 그녀의 얼굴이 나타나지 않았다. 나는 더럭 겁이 났다.

그러나 나는 담배 한 개비가 다 탈 때까지 그대로 앉아 있었다. 이미 물 속에 가라앉았으면 물귀신이 되어 있을 시간이었다.

물귀신이 되었다면 할 수 없는 일이다.

나는 어떤 결과에 대한 체념이 빠른 편이다. 그리고 그 뒤처리를 섬뜩할 정도로 침착하게 처리하는 편이다. 나는 시계를 들여다보았다. 나는 강물에 떠내려간 것이 아닌가 하고 강물을 따라 아래쪽으로 걷기 시작했다. 아래쪽으로 걸으면서 뒤돌아보곤 했다. 그때 갑자기 강의 한가운데서 소리도 없이, 잠수함이 서서히 모습을 나타내듯, 그녀는 물속에서 머리를 드러내면서 닐 세다카가 부른 〈YOU MEAN EVERYTHING TO ME〉를 불렀다.

……그대가 오기 전까지 난 너무나 외로웠어요/당신이 사랑의 황홀함을 가져오기 전까지는/지난 세월을 어떻게 살았는지 놀라워요/그대는 나의 인생이고 운명입니다…….

나는 안도의 숨을 내쉬며 다시 담배를 피워 물었다. 나는 그녀의 노래가 끝난 후에도 오래도록 한자리에 서 있었다. 그녀가 몸을 조금씩 움직임에 따라 강물이 일렁거리면서 달빛을 받아 사금파리처럼 반짝거렸다. 또한 그녀의 젖은 머리카락에 월광이 쏟아져 삼단 같은 머리발이 빛을 내뿜으며 나를 신성한 감동 속으로 몰입하게 했다.

그녀는 강물 속에서 손을 흔들었다.

「이리 들어오세요」

나는 그녀를 향해 소리쳤다.

「당신에게 〈오, 나의 태양〉을 불러주겠어」

「불러보세요」

나는 달빛을 받으며 그녀가 손을 흔드는 강물 속으로 걸어 들어
가며 〈오, 솔레 미오〉를 불렀다.

……오 맑은 햇빛 너 참 아름답다/폭풍우 지난 후 너 더욱 찬
란해/시원한 바람 솔솔 불어올 때/하늘의 맑은 해는 비친다/나
의 몸에는 사랑스런 나의 햇님뿐 비치인다/오 나의 나의 햇님
…….

내가 천천히 강심으로 이동하면서 〈오, 솔레 미오〉를 다 부르고
나자, 그녀가 박수를 쳤다. 그리고 그녀가 열에 뜬 음성으로 소리
쳤다.

「전 이제 죽을 거예요. 죽어버리고 말 거예요」

나는 허벅지가 완전히 물속에 잠겼다. 강심으로 들어갈수록 물
살이 거세어지는 것 같았다. 내가 그녀 곁으로 조금씩 접근하자 그
녀는 두 팔을 벌려 물을 앞으로 밀어내며 뒤로 서서히 물러났다.

「그래, 죽어. 죽어버리라구」

「그래요, 전 죽을 거예요. 죽어버릴 거예요」

그녀는 달뜬 얼굴로 소리치면서 앞으로 걸어나왔다. 내가 조금
씩 뒤로 물러섰을 때 그녀는 물을 찰박찰박 튀기며 뛰어나왔다. 그
녀는 몸을 벌벌 떨며 내 품에 와락 안겼다. 달빛, 그리고 강물, 두

남녀는 강의 한가운데서 포옹하고 있는 신이다.
　—END—

　4년 후, 나는 혼자서 하회 마을을 찾았다.
　그때 그 자리, 나룻배는 보이지 않았다.
　나는 긴 방죽을 따라 걷다가 백사장으로 내려섰다. 나는 하회 마을을 휘감고 도는 강안을 따라, 백사장을 아래에서 위로, 위에서 아래로 몇 차례씩이나 걸었다. 담배 한 갑을 다 태웠다. 〈오, 나의 태양〉을 부르려고 입술을 달싹거려 보았다. 노래가 나오지 않았다. 소리 없는 노래, 아니면 잃어버린 노래.
　그런 것이 되었을 테지. 갑자기 비현실감이 지배했다. 광변 무대한 우주의 시간대에 애초부터 현실과 비현실의 구분은 없는 것이다. 시작도 없고 끝도 없는 아득함. 변도 없고 양도 없는 아득한 세계. 한없이 긴 시간이 찰나에 불과하고 찰나가 한없이 긴 시간일 수 있는 우주의 한끝에, 나는 서 있는 것이다.
　라라에 대한 기억의 어느 한 자락도 잡히지 않았다. 바람이 불었다. 쓸쓸했다.

　　　　　　*　　　　*　　　　*

　……내가 만일 소설 같은 걸 쓰게 된다면 모든 작품의 시작을 이렇게 할 것이다, 라고 마음먹은 적이 있었다.

——라라다. 나에게 라라의 죽음이 없었더라면
나는 글 같은 것은 쓰지 않았을 것이다.

그러나 나는 결코 그렇게 시작하는 글은 쓰지 않을 것이다. 나에게 어떠한 일이 일어난다 해도. 라라를 떠올리면 모든 생각이 정지되기 때문이다. 라라는 영원히 스물세 살이다. 내가 마흔이 되고 오십이 되어도 그녀는 스물세 살의 처녀일 수밖에 없다. 그녀는 스물세 살에 정지되어 있고 나는 시간의 비행선을 타고 끝없는 가속도 여행을 한다. 나는 어느 날 갑자기 오십이 되고 육십이 되는 것이다. 여전히 라라는 스물셋의 나이에 불과하다. 그녀와 나는 시간이 갈수록 점점 멀어진다. 아니다. 그렇지 않다. 나의 시간 여행은 그녀를 축으로 해서 빙빙, 원운동을 할 뿐이다. 나는 그 궤도를 벗어나지 못한다. 그러므로 나의 불행은 보장되어 있다. 스물셋, 그녀의 죽음, 내 불행의 프렐류드(시작)!

*   *   *

모든 것은 완벽하다. 지금 내 앞에는 성냥과 담배, 그리고 뜨거운 커피가 있다. 나는 잠시 동안 방안에서 서성거린다. 나는 고뇌할 준비가 되어 있다. 지구는 둥글고 언젠가는 아침이 온다. 지구가 세모나 네모라면 아침이 오지 않을지도 모른다.

그러나 지구는 둥글지 않을 수 없었다. 그것은 우주의 질서나 운명인 것이다. 아침이 온다, 분명히. 아침이 오기 전, 나는 잠이

들 것이고, 그 즈음 나의 고뇌는 중단될 것이다. 고뇌란 망령이 나의 잠을 깨우진 못할 것이다. 꿈속에서나마 나는 편안해야 한다. 나는 담배를 입술 사이에 문다. 그리고 성냥을 켠다. 성냥갑 위에는 빨간 풍차와 〈암스테르담 레스터런트, PHONE 945-4500〉이 인쇄되어 있다.

라라의 것이다. 라라는 푸른 물 속에 뛰어들기 전, 담배를 피웠을 것이다. 네 가치, 다섯 가치, 아니면 여섯 가치…… 담배를 입술 사이에 물고 이 성냥으로 지익, 불을 붙여 담배 연기를 깊숙이 빨아들이고 가늘고 길게 내뱉었을 것이다. 그리고 그녀는 무엇인가를 보았을 것이다.

무엇을 보았을까? 시간과 공간, 지구와 우주, 그것을 지탱시켜 주는 어떤 힘, 그도 아니면 진정한 노동자도, 철의 규율로 단련된 조직 인자도 될 수 없다는 낭패감…… 도대체 그녀는 무엇을 보았던 것일까.

3년 전, 바로 이 시간, 지구 위에서 사람 한 명이 사라졌다. 아니, 3년 전 바로 이 시간, 지구 위에서 사라진 사람은 한두 사람이 아닐 것이다. 날개를 달고 하늘로 올라갔든, 팔열 지옥에 떨어졌든, 먼지가 되었든.

나에게 가장 소중한 나의 〈존재 이유〉가 어느 날 갑자기 사라져 버렸다. 아이가 가지고 있던 고무풍선이 갑자기 펑, 터지면 정말 어처구니없는 일이다. 아이가 운다고 해서 고무풍선이 원상태로 회복되는 것은 아니다. 나는 결코 울지 않았다.

52

라라가 죽었다. 라라가 죽자 지구는 좀더 가벼워졌고, 나의 존재감은 좀더 무거워졌다. 그러나 얼마 지나지 않아서 지구는 다른 사람으로 다시 채워졌고, 나의 존재감은 원상태로 다시 가벼워졌다. 나에게는 다른 여자가 생긴 것이다. 라라의 죽음은 라라 개인의 불행일 뿐.

이런 일이 있었다. 어느 추운 겨울날, 내가 살던 동네 대로에서 취객 한 명이 꽁꽁 얼어 죽었다. 아침 열 시쯤 되어서 교통 경찰에게 발견될 때까지, 어느 누구도 그의 죽음에 관심을 두지 않았다. 사람들은 저마다 바쁜 것이다. 공장에 나가야 하고, 학교에 나가야 하고, 어떤 형태로든 몸 팔러 나가야 하는 것이다. 그가 얼어 죽은 것은 이웃 탓이 아니다. 단지 그의 탓일 뿐. 그의 죽음을 이웃의 무관심으로 돌릴 사람은 이제 소수에 불과하다. 사회학자라면 모를까. 만일 사회학자가 계몽주의적인 발언을 한다면, 그에겐 그러한 발언이 단지 그의 밥줄이기 때문일 것이다.

시간이란 참으로 빠르고 인간의 능력이란 참으로 경악할 만한 것이다. 시간 앞에서는 배신과 복수, 사랑과 증오, 그 모든 것이 무화되는 것이다. 그런 것은 바람에 묻혀 시간의 퇴적물이 되는 것이다. 단지 사람들의 기억 속에 딱딱한 찌꺼기로 남을 뿐이다. 딱딱한 찌꺼기, 결코 시간의 바람 앞에서도 쉽게 사라지지 않는 것.

그것은 명치 부분에 유리 파편을 넣고 다니는 것과 같은 아릿한 아픔이다. 산 사람은 살아야 한다. 거기에 〈살아 남은 자의 슬픔〉이 있는 것이다.

살아 남은 자의 슬픔

살아 남는 것이 더러운 타협인 줄을 알면서도 살아 남는 자는 살아 남는다. 더러운 오욕의 역사와 치욕스러운 일상의 나날들만 남아 있다는 것을 알면서도, 혁명의 길은 이미 떠나버린 〈돌아오지 않는 강〉이라는 것을 알면서도, 끝까지 살아서 오욕 앞에서 버티고 혁명가를 자처하며 끝까지 투쟁하는 사람도 있는 것이다.

라라에게서 받은 마지막 편지에는 베르톨트 브레히트의 시가 적혀 있었다.

> 물론 나는 알고 있다. 오직 운이 좋았던 덕택에
> 나는 그 많은 친구들보다 오래 살아 남았다.
> 그러나 지난밤 꿈속에서
> 친구들이 나에 대해서 이야기하는 소리가 들렸다.
> 〈강한 자는 살아 남는다〉
> 그러자 나는 자신이 미워졌다.
> ——「살아 남은 자의 슬픔」에서

아마 라라에게는 살아 남은 자의 슬픔이 너무 컸던 탓일까. 1987년 8월 19일, 라라는 충남대에서 있었던 전대협 결성식 참가를 끝으로 학교를 뛰쳐나왔다. 그리고 오르그가 되었고 섬유공장의 노동자가 되었다. 그러나 끝내 라라는 뛰어난 조직 인자도, 투쟁적인 노동자도 될 수 없었다. 20년 동안 몸에 배인 그녀의 리버럴한 면과 소부르주아 근성이, 팜플렛 몇 권과 몇 달 동안의 단파

라디오 주체사상 강좌로 청산되지는 않았다. 그녀는 조직의 선진
대오에서 이탈되었고 당적을 박탈당했다. 그 후, 그녀는 문학이라
는 나약한 인문주의적 덕성 속에 자신의 모습을 숨기려고 부단히
애를 썼다. 그러나 그녀는 문학판에서도 회의와 갈등의 나날을 보
내야 했다. 그녀가 의식적으로 전취한 노동자계급의 계급성과 당
파성이, 그녀를 한낱 인문주의자로 머물러 있게 하지는 않았다.
그녀의 일차적인 적은 다른 형태의 파시즘이 아니라, 자기 내부의
파시즘이었다. 그녀가 20년 동안 보고 듣고 체험해 왔던 반동적인
사상의식과의 싸움, 그러한 자기 부정의 싸움은 힘겹고 고통스러
웠다. 우선, 라라에게 있어서 일차적인 싸움의 대상은 미국이나
자본가, 반동 군부, 관료배가 아니라, 자신의 내부에 도사리고 있
는 개인주의를 극복하는 일이었다. 그러나 라라는 싸움의 도정에
서 주저앉고 말았다. 그녀에게는 혁명적인 이론과, 올바른 투쟁
전략과 전술을 수립해 주는 조직은 있었지만, 어떠한 고난도 견디
어낼 만한 투쟁성, 그러한 사회주의적 품성은 결여되어 있었던 것
이다. 이론은 부단히 실천을 통해서 검증받는 것이다. 의식화 사
업은 반드시 투쟁으로 연결되어야 하며, 그러한 투쟁은 마침내 조
직화로 귀결되어야만 한다. 그러나 라라에게는 의식이라는 부분과
조직은 있었지만 그 매개 고리인 실천의 미숙으로 인하여 스스로
주저앉고 만 것이다.

　라라가 죽었다.

　견결한 사회주의자가 되겠다는 자신의 욕망과, 결코 될 수 없었

던 자신의 현실 사이에서 갈등하다가…… 그녀는 갔다. 이데올로 기 과잉, 욕망 과잉 시대의 희생자, 그런 것이다.

라라가 죽은 후 나는 많은 것을 버려 왔다. 우선 나는 무엇이 되어야 되겠다, 혹은 나는 지금 무엇을 해야겠다는 욕망을 버리려고 노력했다.

욕망이란, 그것이 설사 장난감 권총을 가지고 싶다는 어린이의 사소한 욕망조차도, 결국에는 세상을 어지럽히기만 할 뿐이다. 내가 진정으로 세상을 사랑한다면 세상을 그냥 내버려두는 것이다. 세상이 칼 포퍼가 진술하는 열린 사회로 나가든, 레닌의 제국주의론이 들어맞아 내일 아침 당장 자본주의가 궤멸하든, 세계를 세계인 채로 그냥 바라보기만 하는 것이다. 세계에 대해서 희망도 갖지 말고, 절망도 갖지 말고, 통속과 초월의 경계도 버리고, 생성과 소멸의 구분도 버리고, 황야에서 나부끼는 이름없는 풀과 같이 스스로 쓸쓸해지는 것이다.

종국에는 고트프리트 벤이 옳았다고, 중얼거릴 수도 있는 것이다. 라라가 죽었다.

라라가 나를 만나지 않았던들, 라라에게 죽음이란 없었을 것이다. 〈만나지 않았던들〉, 물론 이런 가정은 필연성과 우연성이라는 사물 발전법칙의 과학적 범주들을 부정하는 꼴이 되어버린다. 하여튼 나는 라라의 죽음에 전혀 무관계한 것은 아니다. 그러므로 나는 라라의 죽음에서 결코 자유로울 수 없다. 그러나 라라는 죽은 후, 일 년이 지나도록 꿈에서 단 한 번도 나타나지 않았다. 이상한 일이었다. 그럴 리가 없는데…… 그러나 그것은 사실이었다. 비로소 라라가 나를 풀어놓은 것일까. 나는 라라를 잊기 위하여 나름대로 많은 노력을 해보았다. 우선, 라라가 보던 책을 라라가 다니던 대학 도서관에 기증하기로 했다.

22년 6개월의 삶에는 다소 버거웠을 1,200여 권의 책들…… 나는 그녀의 책을 정리하면서 정신이 나가버린 딱딱한 로보트처럼 기계적으로 움직였다. 50여 권씩 책을 세워놓고 끈으로 묶고, 가위로 자르고, 묶은 책덩이를 구석에 차곡차곡 쌓아올려 놓은 후, 담배를 피우고, 차이코프스키의 〈비창〉을 듣고…… 〈비창〉이 끝나면 모차르트의 〈레퀴엠〉을 듣고, 모차르트의 〈레퀴엠〉이 끝나면 라흐마니노프의 교향곡 〈제2번 E단조 작품 27〉을 듣고…… 음악을 들어도 감정 같은 것은 없었다. 다시 〈비창〉이 돌아가고…….

그리고 이삿짐 센터에 전화를 해서 일톤 타이탄 트럭을 불렀다. 22년 6개월, 라라의 존재 무게가 실려 있는 1,200여 권의 책은 일톤 트럭에 가득 찼다. 나는 손을 탁탁 털면서 트럭에 올라탔다. 30분 후, 차는 라라가 다니던 대학의 중앙도서관 앞에 정차했다. 도서관의 수서과 직원들이 나와서 책을 옮겼다. 라라에게 가장 진실한 욕망이 있었다면 〈책읽기〉였을 것이다. 실천보다는 이론이 강했고, 가투(가두투쟁)보다는 사투(사상투쟁)를 좋아했던 여자, 번성한 회색이론 속으로의 망명, 라라는 책 속으로 도망다녔다.

그 미로와도 같은 숲속에서 뛰쳐나왔더라면, 그녀는 훨씬 더 오래 살았을 것이다.

수서과 직원들이 책을 도서관 앞에 다 내려놓자, 나는 트럭 기사에게 운반비를 주었다. 타이탄이 떠나고 수서과 직원들은 책을 수서과 사무실로 옮겼다.

나는 화장실에 들어가서 손을 씻은 후, 수서과로 들어갔다. 나는 도서관장실로 안내되었다. 라라를 가르쳤던 적이 있는 영문과 교수, 도서관장인 그는 나에게 직접 따스한 커피를 타주었다. 나는 시종 입을 다물고 있었다. 그도 특별한 것을 묻지는 않았다. 의례적인 말들이 오갔다.

「매우 참신한 학생이었는데, 어떻게 그런 일이……」

도서관장은 매우 애석해하는 표정을 진정으로 나타내며 혀를 쯧쯧, 찼다.

「재작년이든가 여름방학 때, 학생들을 모두 불러 개별 면담을 한 적이 있었어요. 그 여학생이 면담 날짜를 정한 날 오지 않길래 과대표를 시켜 다시 면담 날짜를 잡았었지요. 다음날이었지, 아마. 조금 늦은 시간에 그 학생이 찾아왔더군. 나는 그 학생에게 이렇게 늦게 와도 되느냐고 꾸중을 했지, 아마」

나는 커피잔을 입에 대었다 떼면서 낮은 목소리로 네에── 하고 고개를 끄덕였다.

그날이라면 나로서도 기억을 한다.

그날 나는 오후 한 시, 동아쇼핑 앞에서 라라를 만났다. 라라와 나는 국세청 뒤에 있는 칼국수 골목에 점심을 먹으러 갔다.

라라는 학교를 그만둘 거라고 말했다.

「이제부터 현장활동을 할 생각이에요」

나는 라라에게 그것이 조직의 결정인가 하고 물었다. 그녀는 고 개를 끄덕거렸다.

나는 라라에게 아직 넌 현장활동할 단계가 아니야, 하고 말했 다. 그녀는 나의 충고에, 그런 식으로 사람의 자존심을 건드리지 말라고 반격했다.

「이건 감정의 문제가 아니야. 라라가 하는 말 한마디 한마디, 사 소한 행동 하나하나에 수많은 사람들의 목숨이 달려 있다는 것을 생각해야 돼」

「이건 당신과 아무런 상관 없는 제 문제예요. 그리고 조직의 문 제지, 당신이 상관할 바는 아니에요」

「조직? 넌 네 스스로 조직의 원칙도 방기하고 있으면서 어떻게 그런 식의 말을 하지. 조직의 결정이라면 보안일 텐데, 왜 나에게 그렇게 쉽게 이야기하지?」

그녀는 얼굴을 일그러뜨리면서 숨을 가쁘게 들이쉬었다. 라라는 흥분해 있었다.

「이제야말로 당신은 당신이 나에게 가장 하고 싶었던 말을 제대 로 하는군요. 당신과 나는 아무런 상관이 없다는 뜻이로군요. 그 래요, 우리는 이제부터 아무것도 아니에요」

나는 라라의 격앙된 감정을 진정시켜야 했다. 그녀와 나는 식당 에서 칼국수 한 그릇씩을 비우고 〈25시〉다방으로 갔다. 다방에서 나는 그녀를 한 시간 동안 설득시켰다. 그렇게 빨리 SM(학생운동)

을 정리하면 안 된다. 우선 공개적인 대중조직에서 많은 투쟁경험을 쌓아야 한다. 경험주의적인 관점인지는 모르겠지만 나는 현장 투신이랍시고 이분야 저분야를 왔다갔다하는 철새들을 많이 봤는데, 그런 태도는 우리의 운동에 아무런 도움을 주지 못한다. 투신이라는 것은 통전(통일전선사업)의 관점을 확실히 세우고 전체운동 속에서 부문운동의 지위와 역할, 통전 건설의 당면과제, 우리 운동 총역량의 분산 배치에 대한 진지한 고민이 있어야 된다, 등등 …… 그렇게 한 시간이 흘렀다.

「그러나 어쨌든 저는 이제 더 이상 학교는 다니지 않을 거예요. 대학문화라는 것이 수많은 노동자들의 희생 위에서 존재하는 것이라면, 저에겐 대학이 더 이상의 의미가 없어요」

「글쎄…… 학교도 활동장이야. 에스엠에서 제대로 투쟁경험을 쌓지 않고서는」

「됐어요, 그만」하고 라라가 내 말을 잘랐다.

「이제 당신의 이야기를 해주세요」

나는 담배 한 개비를 피웠다. 오랜 침묵 끝에 내가 입을 열었다.

「난 출가할지도 몰라」

「왜죠? 종교의 외피를 뒤집어쓰고 활동하겠다는 말인가요?」

「글쎄, 모르지. 나는 내가 운동을 한다고 생각해 본 적은 없어. 그저 난 내 길을 갈 뿐이야. 옳다, 그르다는 판단도 없어. 그냥, 다른 것은 할 게 없으니까, 난 내 일을 할 뿐이야. 욕망도 열정도 감동도, 그 어떤 무엇도 없어」

라라는 팔짱을 끼며 어깨를 한번 으쓱하고는 의심하는 눈빛으로 나를 보았다.

「거짓말이에요. 당신에게 욕망도 열정도 감동도, 그 어떤 무엇도 없다는 것은, 모두 새빨간 거짓말이에요. 당신은 어떤 누구보다도 욕망이 강하다는 것을 당신 스스로가 더 잘 알 테죠. 난 그걸 알 수 있어요」

나는 얼굴 표정을 굳히고 고개를 단호하게 흔들었다.

「아니에요. 당신이 제게 말한 광기는, 저보다 오히려 당신에게 더 많아요. 당신의 광기가 이 사회에서는 제대로 받아들여지지 않죠? 마구 패배당하고 마구 상처당하고, 마구 주리틀리고, 그런 거죠? 그러니까 이제 더 이상 당신이 발을 디딜 곳은 없어진 거죠, 그렇죠? 아무도 당신을 알아주지 않죠? 이 못된 카리스마! 당신은 음흉한 음모가예요. 뒤에서 배후조종이나 하고, 그래서 후배들 감방이나 보내고, 그 성과는 당신이 따먹고, 그래서 당신은 솔방울로 수류탄을 만드시고 가랑잎으로 나룻배를 만들어 두만강을 건너시는 위대한 민족의 태양이 되시고, 당신은 주사(주체사상)를 너무 많이 맞은 거예요. 그런 당신이 욕망이 없다구요? 열정이 없다구요? 당신은 귀신이에요, 귀신!」

라라와 나의 대화는 더 이상 차분하게 진행되지 않았다.

그런 시절이었다.

정파가 다르면 서로 환원론자니, 참주선동가니, 마타도어니, 귀신(김일성주의자)이니, 계급지상주의자니, 멘셰비키니, 학습지상주

의자니, 소부르주아니, 관념적 대기론자니, 심정적으론 레닌주의
자지만 실천적으로는 수정주의자라느니, 좌편향이니, 우편향이니,
실천의 과잉 그러나 지성의 결여라느니, 대중추수주의자라느니,
부르주아를 꿈꾸는 위대한 프롤레타리아 혁명가라느니, 얼치기 트
로츠키주의자라느니, 반독점 강령 없는 반파쇼 혁명론자라느니,
이행기 강령 없는 사회주의 강행전화론자라느니, 돌멩이 하나도
제대로 못 던지는 아카데미스트 혁명가라느니, 분열·분파주의자
라느니, 품성적으로는 탁월하나 혁명적으로는 금치산자인 주사파
라느니, 극좌 모험주의자라느니, 통일 지상주의자라느니, 봉건파
적 편향주의자라느니, 자본파적 편향주의자라느니, 스탈린으로도
만족 못해서 스탈린 복권주의자라느니, 우파 사민주의자라느니,
PD는 남한의 자본주의 발전을 과대평가하는 미제의 프락치라느니,
등등…… 악의에 찬 말들을 갖다 붙이기만 하면 되던 시절이었다.
  하나의 본질에, 거기서 나오는 하나의 현상을 분석하고 바라보
는 데 그렇게 많은 시각차가 존재했으므로, 이 또한 얼마나 형이상
학적인가. 칸트 이래, 이성의 비판능력은 칸트 이전보다 전혀 나
아진 것이 없는 것이다.
  같은 운동을 한다고 하지만 정파가 다르면 운동권의 선배에게 인
사 조차 하지 않는 후배들도 생겨났다. 1987년 12월 16일 대통령
선거 이후 나타난 특이한 현상이었다. NL 주사파에도 남한사회 성
격을 식민지 반봉건사회라 주장하는 NL1 이 있었고, 신식민지 (예
속, 반) 자본주의라고 주장하는 NL2 가 있었다. 반제반독점 강령

을 내세우고 남한을 신식민지 국가독점 자본주의사회라고 분석하
는 PD에도 PD1, PD2, PD3가 있었다. 그리고 남한사회 성격을 신
식민지 국가독점 자본주의사회라고 규정하면서 당면 변혁은 민족
민주혁명이며 그 성격은 부르주아혁명이라고 주장하는 ND가 있었
다. 각 정파마다 읽는 책이 달랐고 사용하는 말투가 달랐다. 부르
짖는 구호가 달랐고 집회장소가 달랐다. 심지어 그들은 차려입은
옷의 분위기가 달랐고 성격마저 다른 것 같았다. 나아가서는 사람
의 가장 본질적인 인간성마저 정파에 따라 다르다고 생각할 지경이
었다. 이러한 불행한 현상은 후배들에게 내려갈수록 심각했다.

일단, 어떤 학우가 주위 친구들로부터 〈넌, 주사파야〉라고 규정
되면 그는 책도 읽지 않고, 머릿속에 든 것도 없고, 김일성 교시를
바이블처럼 떠받들고, 무식하고, 돌멩이 던질 줄밖에 모르는 소부
르주아로 규정되는 것이다. 이제 그는 〈주사〉를 너무 많이 맞아서
망령든 〈주사 귀신〉으로 불려지는 것이다.

또한 누군가 PDR론자라고 낙인 찍히면 사회과학 무크지인 《현
실과 과학》을 도용하여 민폐를 끼치고 혁명에 해악을 끼치는 마타
도어, 실천은 방기하고 입만 산 아카데미주의자들이라고 비난받는
것이다.

라라 역시, 그 시기의 분위기에서 자유로울 수는 없었던 것이다.

서로를 비판하고 매도하는 분위기는 87년 대통령 선거와 88년 4
월 총선 이후, 운동권의 극심한 분열에 원인이 있었다. 심한 경우
에는 정파가 다르면 남녀관계가 끝장(총괄)나기도 했고, 친구 사이

의 우정에 금이 가기도 했다.

이런 식이다.

——당신은 나를 사랑합니까? 여자가 묻는다.

——그렇다. 남자가 대답한다.

——그걸 어떻게 증명하죠? 하고 여자가 다시 묻는다.

——나는 정치적으로 너와 입장을 같이한다.

——됐어요. 그럼, 우리 사이는 진정으로 사랑하는 동지로군요.

서클에서도 마찬가지다. 후배 가운데 서클이 목적의식적으로 내세우는 정파로 입장정리가 되지 않으면 스스로 탈퇴하거나, 눈에 보이지 않는 견딜 수 없는 압력에 고민하다가 제 갈 길을 가는 것이다.

라라 역시, 그 시기의 분위기에 상당히 민감한 편이었다. 라라는 모든 일에 즉흥적이었고 도전적이었다. 라라의 도전성은 말싸움(사상논쟁)에서만 그 진가를 유감없이 발휘했다. 그날, 〈25시〉다방에서의 대화도 우리는 결론을 미리 정해 놓고 서로의 관점을 쏟아놓았던 것이다.

라라와 나는 거의 세 시가 되어서 다방을 나왔다.

「어머, 큰일났어. 세 시에 지도 교수님과 면담하기로 약속이 되어 있는데」

라라는 시계를 들여다보며 말했다. 라라는 택시를 타고 가야겠다고 말하고는 나와 헤어져서 택시 승강장으로 바쁘게 걸어갔다.

　도서관장은 커피를 다 마시고 나서 뒷주머니에서 손수건을 꺼내
어 입을 쓰윽, 닦으며 다시 말을 이었다.
　「그 학생이 대뜸 학교를 더 이상 다니지 않겠다고 하더군요. 나
는 무척 당황했지요. 그래서 내가 왜 그러느냐, 집에 무슨 일이라
도 있느냐, 아니면 운동 때문에 그러느냐, 부모님과 그런 일을 상
의했느냐…… 많은 것을 물었답니다. 그 학생은 별말이 없더군요.
나는 아무래도 짚이는 데가 있어서 학문과 일상적인 삶에 대해서도
이야기를 해봤어요」
　나는 그의 강의를 받는 성실한 학생처럼 그의 눈을 잠시도 떼지
않고 바라보았다. 그는 꼬았던 다리를 풀고 오른손을 뒤로 돌려 목
을 주물렀다. 고혈압 증세가 있는 듯했다. 그는 백 킬로그램을 족
히 넘을 듯한 비만이었다. 그는 뒷주머니에 넣었던 수건을 꺼내어
이마를 몇 번이고 쓱 쓱, 문질렀다.
　「그 학생은 인문대 수석으로 들어오고 해서 전공에 관심을 가져
보는 것은 어떻겠느냐, 젊은 시기의 열정을 조용히 누르고 그것을
내적으로 승화시켜 봐라. 그래야 관념이라는 것도 제대로 무르익
고 성숙하지 않겠느냐는 등, 그 학생의 지도교수 입장에서 나름대
로 세상 이야기를 해주었지요. 그래도 그 학생은 더 이상 학교를
다니는 일은 결코 없을 거라더군요. 내가 최종적으로 물었지요.
도대체 왜 그러느냐? 그 학생이 오랫동안 망설이더니 입을 열더
군」
　도서관장은 이마에 땀을 흘리고 있었다. 여름이었고 무척 더웠

다. 에어컨이 돌았지만 실내온도는 30도가 넘을 듯했다. 그는 손
수건을 아예 손에 쥐고 있었다.
「부끄러워서 학교를 못 다니겠다더군. 그래서 내가 부끄럽다니,
뭐가 부끄럽다는 거지, 하며 물었어요. 그 학생이 브레히트의 시
를 인용하더군. 〈강한 자는 살아 남는다. 그러자 나는 자신이 미
워졌다.〉 자신의 존재가 미워서 견딜 수 없다더군. 자신에게 화가
나고 살아 있다는 것 자체가 부끄러워 견딜 수 없다더군요. 이 땅
에는 양심적으로 살고자 했던 사람들이 수도 없이 죽어가는데 자신
이 왜, 이 짐승의 시대에 살아야 하는지 알 수 없다더군요. 무척
감수성이 예민한가 봐요」
나는 가라앉은 목소리로 네에── 하며 고개를 끄덕거렸다. 그러
자 갑자기 나는 자신이 부끄러워지는 것 같았다. 나는 내가 미워졌
다. 강한 자만이 살아 남는다? 그러면 내가 강한 자란 말인가?
기회주의적이고, 운동의 프로페셔널을 자부하고, 관료주의적인 작
풍에 물들어 있고, 운동의 엘리트주의에 오염되어 있고, 명망가가
되기를 속으로 원하고, 변증법적 유물론자임을 기독교 환자 이상
으로 까밝히고, 운동권이 아닌 학생은 근거 없이 비웃고, 아래로
부터의 건설적인 비판에 패권주의적인 태도를 취하고, 조직 운영
에 있어서는 비민주적이고, 민족 해방·노동 해방·인간 해방·여
성 해방을 떠들면서 자신의 여자에게만은 봉건적이고, 위선적이
고, 독선적이고, 기계적이고, 편향적이고……
무조건 대중문화는 썩어빠진 것이라고 부정하고, 운동선수, 탤

런트, 대중가수, 개그맨 들을 화제에 올리는 후배나 친구가 있으면 〈이런 골 빈 친구〉라고 매도하고, 도대체 내가 언제부터 그렇게 변한 것일까. 비틀즈의 판을 사모으고, 하드 록과 헤비 메탈에 빠졌던 적이 있던 내가, 한때 양키 문화에 취하여 음악다방에서 디스크 자키까지 하던 내가, 과연 나는 진짜인가. 과거와 현재의 내가 불연속적인 내가 진짜란 말인가. 그 불연속이 과연 내 개인사의 레벌루션인가. 양질 전화란 말인가. 인식의 코페르니쿠스적 전환인가. 그런 내가 과연 강한 자란 말인가. 그래서 나도, 죽지 않고 살아 남았는가. 누군가 분신해서 죽으면 우리는 가늘고 길게 오래도록 살자고, 그래서 통일 되면 북한 인민 배우와 결혼해서 금강산으로 신혼여행 가자고, 운동이 수세로 몰려 사업이 안 풀리면 〈이때 누가 분신이라도 한다면〉, 아, 농담이라도 너무 심하지 않았는가.

그래, 결국 이 세상에는 강한 자만이 살아 남는가? 운동판에서조차 교활한 자만이 살아 남는가? 아니다, 그렇지는 않을 것이다. 운동판에서는 분신해서 죽은 자나, 살아 남은 자나, 불쌍한 순교자에 불과하다. 어처구니없는 확신범들. 마르크스의 자본론은 절대적인 교의가 되고, 레닌이나 모택동의 검소한 삶은 그들 행동 규범의 시금석이 된다. 참으로 불쌍한 순교자들. 자신의 죽음 하나로는 혁명의 깃발 하나 올릴 수 없음을 알면서도 스스로 죽다니. 직업 혁명가라고 자처하는 자신들의 지난한 싸움이, 결국 패배할 것을 알면서도 이 목숨 다 바쳐 싸우겠다니. 도대체 이 무슨 욕망의 난장판인가. 확신범의 범법행위란 어느 누구도 말릴 수 없는 것이다. 오호 통재, 목적의식적인 욕망의 순교자들!

그러나 라라의 죽음은 얼마나 비정치적인가. 이 짐승의 시대에 살아 남기가 부끄럽다면서, 그런 정치적인 발언을 했으면서도, 그럼에도 불구하고 그녀는 어떻게 죽었는가.

담배를 몇 대 피웠을 것이다. 소주를 몇 잔이고 끊임없이 마셨을 것이다. 그리고 노래를 불렀을 것이다. 〈그루터기〉를 부르고, 〈더 로우즈〉를 부르고, 〈어머니〉를 부르고, 김남주 작시의 〈노래2〉를 부르고, 그리고 울었을 것이다. 생각보다 많은 눈물을 흘렸을 것이다. 서러웠을 것이다. 분노했을 것이다. 그리고 한 잔, 한 잔, 또 한 잔, 마지막 담배를 입에 물고 빈 담뱃갑을 손에 말아쥐었다가 멀리 던졌을 것이다. 분명히 담배는 맛있었을 것이다. 대마초를 피울 때 느끼는 몽롱함을 느꼈을 것이다. 씨——익—— 하고 한 번 웃었을 것이다. 설핏 나의 얼굴을 떠올리기도 했을 것이다.

그리고, 풍덩!……
……
……

철저히 정치적인 고민을 하다가 철저히 비정치적으로 죽다니…….

완벽한 연기다. 세상이 연극이라는 것을 그녀는 알았던 것일까.

도서관장이 다시 손수건으로 이마에서 흘러내리는 땀을 닦았다. 그 사이 수서과장이 와서 나에게 종이 쪽지를 한 장 주었다. 책을 기증했다는 증명서인 듯했다.

나는 그 쪽지를 주머니에 집어넣었다. 더 이상 자리에 앉아서 도서관장과 죽은 그녀에 대해서 소소한 이야기를 할 필요가 없을 것 같았다. 내가 이제 일어서도 되겠느냐고 묻자, 그는 손수건을 주머니에 집어넣으며 말했다.

「어쨌든 책을 기증해 주셔서 고맙습니다」

나는 「단지 고인의 뜻이었습니다」 하고 짧게 말한 후, 자리에서 일어섰다. 수서과장과 도서관장이 문 앞까지 따라나와서 배웅했다. 내가 반배 합장을 하고 돌아서려고 할 때, 도서관장이 마지막으로 입을 열었다.

「스님, 어디 절에 계십니까?」

*　　　*　　　*

라라도 몇 번인가 고백한 적이 있다.

「진정한 노동자가 될 수 없는 자신이 미워요」

라라는 진정 슬픈 얼굴을 하며 찻잔을 두 손으로 감싸쥐었다. 그녀의 얼굴이 너무 진지했으므로 나는 아무런 말도 할 수 없었다.

「나는 참된 노동자가 될 수 없으므로 이 바닥에서 정치 생명도 끝나 버리겠죠. 하지만 학교로 돌아가지 않겠다는 결심은 변함이 없어요」

전통 찻집 〈산하루〉 실내에는 김영동이 작곡한 〈사랑가〉가 애절하게 흐르고 있었다.

「당신은 내가 왜 학교로 돌아갈 수 없는가를 묻지 않는군요」

그녀는 붉거진 목소리로 말했다.

「이제는 더 이상 조직생활은 하지 않을 거예요. 조직이 나를 버리기 전에 내가 조직을 버리겠어요. 그리고 내가 학교로 다시 돌아갈 수 없는 것은 작업장 동지들에게 배신감을 안겨줄 수 없기 때문이에요」

나는 조용히 눈을 감았다. 불현듯 나는 찻집에 흐르는 음악의 호소력이 깊다는 생각을 했다.

······무서워요. 두려워요. 이 행복이 부서질 것 같아 사라질 것 같아요. 내 몸에 사랑이 깃들 수가 없나요. 꼬옥 붙들어야죠. 달아나지 않도록 내 마음에 깃든 이 큰 사랑······.

「한네의 승천」 중 〈사랑가〉가 계속해서 끊어질 듯, 끊어질 듯 이어지고 있었다.

「당신 지금 제 얘기 듣는 거예요」 하면서 라라가 탁자 밑으로 발을 넣어 내 다리를 툭툭 찼다. 나는 눈을 뜨고 고개를 끄덕거렸다.

「언젠가 당신이 나에게 이야기했죠. 〈우리들은 내일의 죠오다〉라구요. 가난한 권투 선수 죠오, 상처받아도, 쓰러져도, 계속해서 싸우는 젊은 복서의 자세가 활동가들에게는 필요하다구요. 그런데 나는 요즘, 당신의 그 말에 대해서 회의를 하고 있어요. 왜냐구요. 도저히 끝날 것 같지 않은 싸움, 도저히 승리할 수 있을 것 같

70

지 않은 싸움, 왜 우리가 그런 싸움을 계속해야만 하죠? 너무 소
모적이라고 생각하지 않으세요? 체포되고, 투옥되고, 고문당하
고, 형을 받고, 그러면서도, 아니 그만큼 당했기 때문에, 이제는
더 이상 다른 길이 없기 때문에, 자신이 살아왔던 과거를 도저히
부정할 수 없기 때문에, 우리는 어떤 가속도에 떠밀려 우리들의 실
천을 합리화하기 위하여 이론의 정합성을 추구하고, 그 이론을 다
시 증명하기 위하여 더욱 모험적으로 투쟁하고……」

　　라라는 엽차를 한 모금 마신 후, 괴로운 표정을 지으며 다시 입
을 열었다.

　　「나는 요즘 혼란스러워요. 진다는 사실을 뻔히 알면서도 왜 우리
는 계속해서 싸워야 하죠? 그런 자세가 진실하다고 생각하세요?
나는 나름대로 심각하게 자기 부정을 해봤어요. 나는 나를 위해서
싸우는가, 아니면 진실로 민중을 위해서 싸우는가. 내가 나를 위
해서 싸운다면 그것이야말로 천박한 소영웅주의가 아닌가. 그렇다
면 진실로 나는 민중을 위해서 싸우는가. 민중을 염두에 두고 싸운
다면 도대체 무엇으로 그것을 증명할 수 있는가. 민중을 중심에 두
고 사고한다는 자들이 왜 이렇게 서로 찢어져야만 하는가. 우리가
만든 이론이 민중을 위해서 쓰여지는 것이 아니라 자기 정파를 정
당화하기 위해서 쓰여지고 있는 것은 아닌가. 사실 우리는 지금까
지 이론의 정합성을 추구하여 왔고, 그랬기 때문에 우리의 이론은
고도로 세련되어서 점차 현실과 유리된 관념이 되어버린 것은 아닌
가. 〈이론〉은 〈실천〉을 만들고, 그 〈실천〉을 정당화하기 위하여

〈더욱 정교한 이론〉을 필요로 하고, 그런 이론과 실천의 악순환은 되풀이되어 대중은 떨어져 나가고, 운동은 고립되고, 분열되고, 종파주의가 만연하고…… 사실, 이런 것들을 우리는 전혀 부정할 수 없잖아요?」

나는 그녀의 말에 고개를 끄덕거리며 손으로 찻잔을 잡았다. 그리고는 세 모금 정도 마시고 다관에 있는 차를 찻잔에 따랐다. 라라는 다소 혼란스러워하는 얼굴로 내 얼굴을 빤히 쳐다보았다. 나는 손바닥으로 얼굴을 몇 번 문지르고 나서 입을 열었다.

「이봐, 라라. 이론이 어떤 식으로 관념을 향하여 치닫든, 누군가 레닌의 원전을 보라, 무슨 노작을 보라 하며 거들먹거리더라도 우선, 자신이 변화되지 않고서는 혁명이라는 것은 생각할 수가 없어. 우선 라라가 심각하게 자기부정해 보았다는 부분, 그것이 진정하게 실천 속에서의 자기총괄이었는지 고민해 볼 필요성이 있을 거야. 모든 원전이 그릇되다 하더라도, 궁극적으로 모든 물질은 변화 발전한다는 철학적 근본문제에 대한 믿음만 확실하다면, 활동가는 민중과 역사에 대해서 낙관적일 수밖에 없어. 한 시기의 불리한 정세 변화 때문에 패배의식에 젖는다는 것은 자신의 세계관은 혁명적이지도 못하며, 자신은 전혀 변증법적 유물론자가 아니라는 단서밖에 되지 못해. 더구나 민중을 믿지 않는다는 태도는 지금까지 라라가 자신을 위해서 학습을 하고, 자신의 고민을 위해서 지적인 허영을 부린 꼴밖에 되지 않아」

라라는 고개를 약간 앞으로 내밀며 말했다.

「그렇게 말하는 당신은 당신이 가진 사상을 버릴 수 없기 때문에 그렇게 말하는 것이 아니에요?」

나는 라라의 말을 듣고 나서 두 손으로 얼굴을 감싸쥐고 손가락으로 눈동자를 꾹꾹 눌렀다. 도대체 이 피곤함은 어디로부터 오는 것인가. 그래, 나도 모르겠다. 쫓기며, 굶어가며, 고문당하며, 투옥되며, 물에 빠진 사람이 지푸라기 잡듯이 이것만은 놓쳐선 안 돼, 놓쳐선 안 돼, 하며 붙잡은 사상을 단 한순간에 팽개친다는 것은 말도 안 된다. 내가 믿는 사상이 설사 환상에 불과하더라도, 내가 이 시대의 돈키호테가 될 수밖에 없다 하더라도, 종교의 도그마를 위하여 목숨을 버리는 순교자가 될 수밖에 없지 않은가. 이제는 …… 이제 더 이상 그 길이 아니고 어떤 길을 걸을 수 있단 말인가. 차라리 돈키호테가 되겠다. 차라리 순교자가 되겠다. 어쩔 수 없는 일 아닌가. 회의와 갈등이 있다 하더라도 활동가가 그것을 어떻게 나타낼 수 있다는 말인가. 그것은 나 자신의 과거를 전면적으로 부정하는 최악의 길이다. 누군들 따스한 밥과 편안한 잠자리가 그립지 않겠는가. 하지만 자기 사상을 버리고 얻은 따스한 밥과 편안한 잠자리가 과연 얼마만큼 정신적인, 나아가 육체적인 욕구를 채워줄 것인가. 그래, 라라 네 말대로, 내가 말끝마다, 〈인민을 위하여〉라는 꼬리표를 다는 행세식 마르크스주의자라 할지라도, 붉은 금단의 열매를 따먹은 이단자라고 할지라도, 환상 속에서 노는 관념의 유희자라고 할지라도, 나는 기꺼이 환상의 순교자가 되겠다. 나는 내 길을 갈 수밖에 없는 것이다. 그러므로 나는 내 길을 나 스스로 부정할 수는 없는 것이다. 누군가 내가 걷는 길을 부정한다면 그를 물어버리겠다. 악의와 저주에 찬 세상의 말들로 복수할 것이다. 지금 나는 라라 앞에서 내가 흔들리고 좌절하는 모습을 보여줄 수는 없는 일이다. 그래, 나는 흔들리고 좌절하지도 않아. 나는 라라 앞에서 자신 만만하게 웃어야겠다.

그래, 웃어야지. 웃어라, 웃어. 이 빌어먹을 변증법적 유물론자야.

결코 흔들리지 않는 듯한 웃음을 회의주의자에게 보여주란 말이다. 그래서 회의주의자의 기를 꺾고 마르크스와 레닌의 원전은 절대적이라는 것을 보여주어라. 이 염병할 마르크스 · 레닌주의자야. 웃어라, 웃어.

나는 엷은 미소를 띠었다가, 곧바로 활기찬 웃음으로 바꾸며 입을 열었다.

「이봐, 라라. 우리는 절대로 이기지 않는 싸움은 하지 않아. 진다는 사실을 알면서도 싸우지 않으면 안 되는 싸움을 억지로 하는 것은 아니야. 단지 시간이 문제될 뿐이야. 지금은 지지만 내일은 이긴다는 것이지. 혁명적 낙관주의 정신을 가지도록 해봐. 우리 인류의 역사는 자주성이 실현되는 방향으로 끊임없이 전진되어 왔어. 활동가는 패기와 정열이 있어야 돼. 계속 혁신하고, 계속 전진하는 사업 작풍을 가지고 온갖 시련을 견디어내야 해」

라라가 팔짱을 끼며 말했다.

「누구를 위해서요? 자신을 위해서요?」

「이봐, 라라. 당신은 너무 자의식이 강하군. 인간과 인간, 인간
과 역사는 상의 상자 관계에 있는 거야. 호상관계에 있는 거라구」
「됐어요. 그만하세요. 조금도 울림이 없군요. 웬 줄 아세요?
당신은 세상에 대해서 욕망도, 열정도, 감동도 없다면서요. 그런
데 왜 내게 패기니, 정열이니, 혁명적 낙관주의 정신이니, 하는
무리한 말들을 늘어놓는 거죠? 당신은 이율배반적이에요. 그래서
무슨 혁명을 하겠어요. 좀더 솔직해질 수 없나요. 당신은 자신도
모르는 사이에 관료주의가 체질화되었어요. 기계적으로 생각하고
즉자적으로 움직이고, 『국가와 혁명』 몇 페이지를 봐라, 『무엇을
할 것인가』 몇 페이지에 그렇게 되어 있지 않느냐, 그런 것은 『인
간개조이론』 몇 페이지에 나온다. 너는 『고타강령비판』도 읽지 않
았느냐, 당신은 모두가 그런 식이에요. 그런 식의 태도는 게발트
(폭력)예요. 당신은 어떤 사업에나 원전, 원전을 들이미는 교조주
의자예요. 당신에게는 생명이 없어요. 사람이 한번쯤은, 아니, 죽
을 때까지 회의하고 부정하고 방황해야 할 필요가 있지 않을까요.
나는 방황하지 않는 사람은 믿지 않아요. 그들에겐 진실된 인간의
모습을 찾아볼 수가 없어요. 바로 당신, 당신은 이미 딱딱하게 굳
어버린 화석이에요」
　나는 라라의 말을 듣고 깊은 한숨을 들이쉬었다. 도대체 고민하
지 않고, 방황하지 않는 사람이 어디 있다는 말인가. 언제 죽을지
도 모르는 목숨인데, 고민하지 않는다니…… 이 또한 무슨 폭력이
란 말인가. 고작, 화염병 몇 개를 만들 것인가, 구호는 어떤 것으

로 정할 것인가, 하는 소소한 전술적인 문제로 밤을 새우고, 시위를 앞둔 날들은 며칠이고 숨어 다니며 불안에 떨었는데, 방황하지 않았다니. 당장이라도 팽개치고 다른 길로 가고 싶었던 적이 어디 한두 번이었던가. 여우 같은 마누라, 토끼 같은 새끼들이나 데리고, 휴일이면 하다못해 르망, 엑셀이라도 몰고 들로 산으로 놀러 나 다니고, 인형 같은 마누라를 데리고 밖에 나가서 은쟁반의 고기를 썰면서 포도주나 마시고, 그런 쁘띠비지 생활을 얼마나 그리워하였던가. 이것이 아닌데, 이것이 아닌데, 하며 몇 번씩이나 주저앉고, 동지들 앞에서, 후배들 앞에서, 차마 갈등하는 모습을 보여줄 수 없어서 혼자서 술을 마시고 흔들리던 적이 어디 한두 번이었던가. 부모 형제간의 정을 끊어버리는 동지도 보았다. 6, 7년 사귄 애인과 헤어지는 동지도 보았다. 자신은 찬 이슬 걷어차며 감방으로 향하고, 자기 청춘을 바쳐 처절하게 사랑했던 애인은 다른 남자와 웨딩마치를 울리고, 그런데도 갈등이 없었겠는가. 단지 운동을 한다는 이유 때문에, 그 애인이 몇 번씩이나 면회를 가서 이제 그 운동인지 나발인지를 포기할 수는 없느냐고 설득을 할 때, 운동을 포기하지 않으면 딴 남자에게 시집을 가버리겠다고 공갈, 협박을 할 때, 어느 누가 갈등하지 않는다는 말인가.

그래, 우리에게 문제는 어떤 길이 진실되게 사는가 하는 것이었다. 진실이 문제였다.

당통의 말을 빌린다면 문제는 어떤 길이 참된 삶인가 하는 것이었다. 자본가의 떡고물이나 받아먹느냐? 진실로 인간의 자주성을 실현하며 인간답게 사느냐? 하는 것이었다. 그래, 당통이 말한다.
〈진실! 고통스러운 진실!〉
나는 얼굴을 심하게 일그러뜨리며 고개를 숙였다. 라라가 입을
열었다.
「내 말이 심했다면 용서하세요. 어쩌면 그건 나 자신의 이야기였
는지도 모르죠. 하여튼 전 학교로는 돌아가지 않아요. 그리고 지
금 당장은 아무것도 하지 않겠어요. 조금 쉰 후에 여행을 다녀오겠
어요. 그리고 글 같은 것을 쓸지도 모르겠어요. 전 참으로 오랫동
안 고민한 문제였어요. 대학 들어와서 당신을 만났고, 그래서 의
식에 눈을 떴어요. 그 점에 있어서는 늘 당신에게 감사하다고 생각
하고 있어요. 당신을 만나지 않았더라면 저도 지금쯤, 학교나 슬
슬 다니면서, 이 남자, 저 남자들 만나면서 결혼 상대로 이래저래
재어보고, 남자들 따라다니며 밥이나 얻어먹고 술이나 얻어마시는
그런 한심한 여자가 되었을 테죠.
아니, 어쩌면 당신을 만나지 않았다 하더라도 난 그렇게 살지는
않았을 거예요. 다소 철학과 과학은 결여되었다 하더라도 밀실에
칩거하며 글 같은 것을 쓸 수 있었을 거예요. 사실 대학 들어오기
전 나의 꿈은 작가가 되는 것 이외에는 아무것도 없었어요. 그래서
나는 문학서클을 찾아갔고, 거기서 당신을 만난 거예요. 지금 생
각해도 우리의 만남은 운명이었던 것 같아요. 그렇지 않을 수 없었
던 운명 같은 거. 나는 당신에게서 나와 여러 가지의 닮은 모습을
보아왔어요. 음악에 대한 취향, 정서, 느낌, 사물을 바라보는 눈,

그래서 나는 당신을 사랑하기로 했어요. 한데 당신은 나에게 당신의 진실한 모습을 단 한 번도 보여주지 않았어요. 아니, 단 한 번 있었어요. 우리가 처음 만났을 때, 안동 하회 마을에서였죠. 나도 미친 여자였지만 당신도 미친 남자였어요. 당신은 내 앞에서 나보고 죽으라고 그랬죠. 그걸로 우린 통한 거예요. 하나가 된 거예요. 나는 당신의 그 광기가 좋았던 거예요. 그것이 당신의 진실된 모습이에요. 사실, 그 후 당신이 나에게 보여준 운동하는 선배로서의 모습은 훨씬 덜 매력적이었어요. 당신이 제대로 당신의 길을 가려면 문학의 길을 걸어야 하는 거예요」

라라는 말을 마치고 나서 식은 녹차 잔을 입술로 가져갔다.

실내에는 광주 노래패 〈친구〉의 〈함께 가자 우리〉가 고즈넉이 흐르고 있었다.

나는 다관을 달그락거리며 난 글 같은 건 이미 포기했어, 하고 무심한 목소리로 말했다. 라라가 머리카락을 귀 뒤로 넘기며 다시 입을 열었다.

「지금 당신은 당신의 문학할 수 있는 에네르기를 스스로 죽이고 있어요. 그러니까 당신은 지금, 위선적이거나, 위악적인 삶을 살고 있는 거예요. 물론 당신이 문학을 한다면 민중문학 같은 걸 하겠죠. 하지만 자유주의 문학을 하든, 민중문학을 하든, 그것이 무슨 상관이 있어요. 내가 바란 당신은 작가의 길을 걷는 당신이었어요. 그런데 당신이 그 길을 스스로 포기했기 때문에 이제 내가 그 길을 대신해서 가고 싶은 거예요」

나는 라라에게 그런 말은 하는 게 아니라고 말했다.

「네, 미안해요. 내가 말을 잘못했군요. 당신 대신이 아니라 나 자신을 위해서, 나 자신의 구원을 위해서, 그 길을 갈 작정이에요. 난, 당신을 만난 이후, 활동가의 길을 걸음으로써 나 자신의 가짜 모습에 얼마나 환멸스러워하고 부끄러워했는지, 당신은 이해 못할 거예요. 너무나 많이 울었어요. 하지만 당신에게조차 그런 고민은 이야기할 수 없었어요. 당신이 흔들리는 나를 보면, 너무나 아파하고 힘들어할까봐. 난 당신을 사랑했기 때문에 나도 당연히 운동을 해야 한다, 내가 그를 진정으로 사랑한다면 나 역시 그가 걷는 길을 걸어야 한다, 그렇게 생각하고 나는 당신이 걷는 길을 조금의 회의도 없이 걸었던 거예요. 나는 당신의 짐이 되고 싶지 않았어요. 하지만 이게 뭐예요. 시간이 흐를수록 나의 갈등은 깊어 가는 거예요. 멀어져 가는 나의 본질, 내 정신의 고향과도 같은 거, 그런 문학적인 감성을 저는 점점 잃어가고 있었던 거예요. 어느 날 갑자기, 이것이 아닌데, 하는 생각이 들기도 하고, 지금 나는 무언가, 운동하는 나의 모습이 진정한 나라고 할 수 있는가, 나는 멍청하게, 기계적으로 조직에서 시키는 일들을 수행했어요. 당신이 감방에 들어갔을 때는 완전히 미친 여자처럼 행동했어요. 남들이 무모하다고 할 정도로. 테러리스트 같은 행동도 서슴지 않았어요. 하지만 지금 돌이켜보면 그 모든 것이 나의 본모습은 아니었던 것 같아요. 내 속에는 내가 진정으로 바라는 나와, 어쩔 수 없이 끌려가는 나가 공존해 있었어요. 이제야말로 내 속에 있는 진정으로 바라는 나의 모습을 찾고 싶은 거예요. 물론 당신은 지금 제 앞에서, 문화 운동이니, 통전 문예 이론이니, 하는 것들을 이야기하고 싶겠죠. 하지만 자신이 먼저 구원받지 않고서는 아무도 구원할 수 없는 거예요. 나는 우선 나 자신을 구원받고 싶어요. 저는 작가의 길을 구도자의 길과 전혀 다름없다고 생각하고 있어요. 그래서 그 길을 걸으면서 당신과 더불어 사람답게 사는 세상에 대해서 차분히 고민해 보고 싶은 거예요」

라라는 어느 사이 눈물을 흘리고 있었다. 나는 손을 내밀어 라라의 눈물을 닦아주었다. 라라는 전에 같지 않게 약해 보였다. 만지면 곧 부서질 것만 같이 와르르 무너져 내릴 것만 같은 모습이었다. 나는 다관에 있는 뜨거운 차를 라라의 찻잔에 부어주었다.

「뜨거운 차 좀 마셔」

라라의 눈물은 그치지 않았다. 그렇다. 한없이 약하고 부드러운 것이 라라의 참모습인 것이다. 아니, 우리 모두의 모습인 것이다.

아무리 강철 같은 신념을 가진 전사더라도, 그런 전사일수록 눈물이 많은 것이다. 눈물은 우리들의 생명이었다. 우리들의 활력이었다. 증오하고, 분노하고, 사랑하고, 결의하고, 맹세하고, 그리고…… 뜨거운 눈물을 흘렸다. 아니, 밖으로 튀어나올 것만 같은 목젖을 속으로 밀어넣고, 입술을 굳게 깨문 채 뜨거운 눈물을 삼켜야 했다. 학교에서, 거리에서, 공장에서, 매시기의 전선에서, 이제 투쟁이다, 투쟁을 선언하며, 아스팔트 위를 내달리며, 눈물도 함께 뿌렸다. 청춘도 함께 불살랐다. 동지가를 부르며, 투쟁가를 부르며, 하늘이 찢어질 듯, 목젖이 터질 듯, 머리띠를 묶으며, 결사 항전이다, 노동 해방이다, 이 어둡고 어두운, 식민의 밤을, 압제의 밤을, 착취의 밤을 밀어내고자 했던 우리들의 열망이, 우리들의 비장한 각오가, 수배, 체포, 투옥, 고문, 감금, 그 엄청난 시련의 날들이, 어찌 환상이었단 말인가. 뜨거운 눈물, 곱디고운 심성을 가지지 않고, 어떻게 해방의 아침을 향하여 걷는 한 발 한 발의 발걸음이 가능했더란 말인가.

이미 포기해 버린 우리들의 안일한 꿈과 희망들, 그리고 나태한 미래들, 수많은 유혹과 밥그릇들, 그 모든 것을 떨쳐버리고……
푸른 스물의 날들을 채웠다.

푸르른 스물의 나날들을 울분과 좌절과 피와 눈물로 채워 나갔다.

미국을 몰아내고 분단 조국에 통일을 안아 오고, 오직 혁명의 대의를 위하여, 무수한 굶주림과 불면의 밤들을 세웠다. 전선에서 흔들리는 동지들에게 용기를 주고, 대오를 이탈한 동지로 인하여 눈물을 흘리고, 조직을 건설하고, 건설된 조직의 지도부가 투옥되고, 다시 남아 있는 동지들끼리 조직을 재건하고, 자금 조달을 위하여 밥 대신 라면을 먹고, 차비를 아끼기 위하여 발이 부르트도록 걸어야 했던 지난날들이, 모두 위선 내지는 허위일 수는 없다. 그 고통 속에서도 우리가 걷어찬 안일한 꿈과 희망과 미래들, 조금도 아깝지 않았다. 우리는 보다 더 큰 희망과 더불어 사는 미래를 보았기 때문이다.

우리는 고통 속에서 기뻤고, 두려움 속에서 행복했다.

내가 출감하던 날이었다.

내가 생두부를 먹고 나자, 여러 동지들에게 떠밀려 라라가 노래를 불렀다.

〈노래를 찾는 사람들〉이 부른, 한동헌이 작곡한 〈그루터기〉였다.

......천년을 굵어 온 아름 등걸에 한 올로 엉켜엉킨 우리의 한이...... 라라는 주르르 눈물을 흘렸다. 술 좌석이 갑자기 숙연해졌다. ......고달픈 잠 깨우고 살아져 오면 그루터기 가슴엔 회한도 없다...... 라라의 볼을 타고 내린 눈물이 술상으로 뚝뚝 떨어졌다. 나의 친구, 박이 일어나서 라라의 울먹이는 어깨를 잡고 같이 불렀다. ......하늘로 향해 벌린 푸른 가지와 쇠소리로 엉켜붙은 우리의 피가 안타까운 열매를 붉게 익히면...... 모두들 낮은 목소리로 합창을 했다. ......푸르던 날 어느새 단풍 물든다......

라라는 설움에 북받쳐 더 이상 노래를 부르지 못하고 등을 돌린 채 어깨를 떨며 흐느꼈다. 나는 앞에 놓인 술잔을 조용히 비웠다. 나는 일어나서 라라에게 술잔을 쥐어주고 잔을 채워주었다.

〈그루터기〉, 내가 라라와 안동 하회에 내려갔을 때, 그녀에게 가르쳐준 노래.

그녀는 하회에서 버스를 타고 돌아오는 중 내내 〈그루터기〉를 불렀다.

그리고 내가 감옥에 들어갔을 때, 언제나 그 노래를 불렀다고 했다. 〈그루터기〉의 무엇이 그녀를 묶어놓았던 것일까. 라라는 그 〈그루터기〉란 노래의 운명에서 도망칠 수 없었던 것일까. 슬픈 운명이란 다 그렇게 통속적으로 시작되는 것인가.

나는 지금 라라를 위하여 어떤 따뜻한 말들을 해야만 될 것 같았다.

라라는 내가 건네준 손수건으로 눈물을 닦고 살풋 웃었다.

「내가 바보 같죠. 마구 당신을 공격하다가 울다가……」

「아니, 전혀 그렇지 않아. 당신은 좋은 글을 쓸 수 있을 거야. 라라, 난 그렇게 확신해. 사실은 나도 글 같은 것을 쓰고 싶었지. 하지만 난 그것을 감당해 낼 만한 자신이 없었어. 글쓰기란 혁명가의 어떤 강령보다도 치열한 정신을 요구하는 걸 테지. 그것은 출가 남자들이 평생을 짊어지고 가는 화두 같은 거겠지. 그러니 나는 그런 고통스러운 길은 가고 싶지 않았어. 나는 차선의 길을 택했던 거야. 그것이 바로 이 길이야」

라라는 손수건을 돌려주며 내 얼굴을 빤히 쳐다보았다.

「지금 당신이 하고 있는 일에 만족하세요?」

「글쎄, 다른 것은 특별히 할 것이 없으니까. 나는 그냥 내 능력에 맞는 싸움꾼의 길을 가기로 작정한 거지. 그런데 작가가 된다는 것은 한 시대의 싸움꾼뿐만 아니라, 구도자의 역할까지 해야 하는 것은 아닐지……」

「그건 지나친 요구예요」

「글쎄, 시대마다 사람마다 다를 테지. 어쨌든 나는 자신이 없었
어. 한때 문학 청년이었던 걸로 만족하는 거지. 운동이라는 것은
때로 몸으로 때울 수도 있어. 하지만 작가가 된다는 것은 무얼까.
글쓰기의 고통 같은 것은 무얼까. 반항아, 프로메테우스가 자진해
서 받는 고통 같은 것은 아닐까. 태양의 이륜차에서 불을 훔쳐 인
간에게 주고, 그 불로 인하여 인간은 다른 동물보다 월등한 문명을
건설하고, 도구를 만들고, 토지를 경작하고, 예술을 만들고. 그러
나 프로메테우스는 주피터에게 굴복하지 않고, 카우카소스산 위의
바위에 매달려 독수리에게 간을 파먹히고, 파먹힌 간은 다시 생기
고, 그런 고통과 수난에도 끝없이 반항하는 작가가 된다는 것은 그
런 프로메테우스의 길을 간다는 것이 아닐까. 그 길이 두려웠어.
세상에 어설픈 말들을 뱉어놓았다가는 다시 주워담을 수 없는 글쓰
기란, 사악한 길로 한번 빠지기 시작하면 운동의 해악보다도 더욱
심각한 것 아닐까. 무슨 무슨 작가상을 받고, 신문에 이름이 나
고, 출판사가 달라붙고, 평론가가 달라붙고, 책선전이 신문 광고
에 나고, 그러다가 작가는 마치 무슨 브라운관을 타는 연예인처럼
유명해지고, 유명해지면 자본의 노예가 되고…… 이 시대에 과연
누가 자본의 힘으로부터 자유로워질 수 있을 것인가. 프로메테우
스란 이름의 작가가? 그는 자유로울 수 없을 거야. 이 시대 총자
본의 힘이란, 그 엄청난 물리력이란, 그 매머드 같은 광포함이란,
카우카소스산의 쇠사슬하고는 달라. 카우카소스산을 맴도는 독수
리쯤은 아무것도 아니야. 독수리는 그냥 고통만 줄 뿐이지. 이 시

대의 문명화된 자본이란, 마약과 같은 것이어서 때로는 달콤함을 선사했다가, 때로는 고통을 주었다가…… 그러다가 프로메테우스란 이름의 작가는 무기력에 빠지겠지. 그에게는 좌절과 권태, 무력감, 자본이란 이름의 파시즘 앞에 적나라하게 노출되어, 그래, 자본주의여, 내가 졌다, 네 마음대로 회쳐 먹어라, 그러다가 작가 역시 아무것도 아니구나, 단지 말을 가지고 노는 소상품 생산자에 불과하구나, 하는 모멸감에도 사로잡힐 테지. 그래서 나는 그 길을 한번 가보지도 않고 결과부터 두려워했던 거야. 나는 이미 그 길을 포기했어. 그러니 라라, 내가 당부하고 싶은 말은 작가란 산문정신은 가지되, 발표에 대한 욕심에 사로잡혀서는 절대로 안 돼. 그러면 당신은 좋은 글을 쓸 수 있을 거야. 그냥 라라, 당신이 쓰는 글이 라라 자신에 대한, 자신에게로 향한 자기부정이고, 자기검증이고, 자기총괄이고, 자기성찰이기를 바래. 절대로 〈갈아타기〉식의 작업이 되어서는 안 된다고 봐」

라라는 다리를 꼬면서 마치 로댕의 생각하는 사람처럼 자세를 잡고 깊은 생각에 빠졌다. 나는 내가 한 말 중에서 혹시 잘못 한 말이 있었나를 생각해 보았다. 글쓰기에 대해서, 작가에 대해서 다소 주관적이고 일면적인 고찰이 있었던 것도 같았다. 라라는 이미 식어버린 듯한 차를 입으로 가져갔다. 찻잔을 다탁에 가만히 내려놓으면서 라라가 입을 열었다.

「〈갈아타기〉식의 작업이라뇨? 그게 무슨 뜻이죠?」

「일테면 운동을 하다가 운동을 정리하고 글을 쓴다는 건데……

내가 이야기하고 싶은 것은 문학 역시 운동의 연장으로 생각해야
지, 이제 운동은 끝, 하는 청산주의적인 태도는 옳지 않다는 것이
지」

「당신은 한 인간이 창작과 운동 두 가지를 다 잘할 수 있다고 생
각하세요?」

「글쎄, 힘이 들겠지」

「전 그러한 태도는 오히려 과욕이라고 봐요. 사람은 두 가지 일
을 다 잘할 수는 없는 거예요」

나는 라라의 말에 진심으로 고개를 끄덕거렸다.

「그래, 그런 것 같군」

「네, 그렇겠죠?」

「그래, 이제 라라는 글만 열심히 써보도록 해. 나는 라라가 좋은
글을 쓸 수 있으리라고 믿어」

라라와 내가 전통 찻집 〈산하루〉에서 만난 열흘 후, 나는 라라
로부터 한 편의 시가 든, 짤막한 편지를 받았다.

　　매포 강변

　　매포 강변의 철새는 멀리 날지를 못했다
　　강 허리를 넘나들며
　　갈대밭 사이로 유영하는 새떼들,
　　발이 묶이고……

엄동의 강변까지 나와
얼음을 지치는 아이들 어깨에
눈보라가 내려앉고 있었다
눈 속의 겨울을 이토록 아름답게 한 것은 무엇이었을까
그리움이었을까 사랑이었을까
반짝이는 눈의 결정을 밟으며
아이들은 눈싸움을 했다
햇살을 향하여 던진 아이들의 눈뭉치는
회귀할 수 없는 추억의 영상처럼 돌아오지 않았다
땅거미가 내려도 돌아갈 생각을 않는 아이들은
마른 갈대를 꺾어 불을 지폈다
매운 기침 소리와 오랜 동안의 침묵

멀리 보이는 간이 역사에선
완행선이 입김을 토하며 기적을 울렸다
칸칸마다 사람들의 추억을 적재하고
어디로 떠나는 것일까
떠나면 반겨줄 따스한 손이라도 있는 것일까
아이들이 손을 흔들면
열차는 화답의 신호도 없이
눈 속으로 잠겨 가고……
겨울 나무들만 회신의 가지를 흔들며

아득하게 서 있었다
상여처럼 꿈틀거리며 아스라히 사라지는 매포강
그곳은 최후의 장지인가, 안식의 땅인가
매포강의 얼음은 언제 풀리려나

이렇게 쉽게 당신 곁을 떠나올 수 있으리라고는 생각하지 못했
습니다.
경부선 기차를 타는 날, 박선배를 만났습니다.
열아홉 살, 당신이 대학 들어 만났다던 당신의 둘도 없는 친구
이자 동지, 박선배를 만나서 이야기하면 마치 당신을 만나, 당
신의 목소리를 듣고, 당신을 느끼고, 당신의 냄새를 맡는 것 같
아 기뻤습니다.
저는 박선배로부터, 당신에게서조차 들을 수 없었던, 당신의
옛 이야기를 듣고 매우 만족했습니다.
경부선을 타기 전, 박선배와 고전 음악 감상실 〈녹향〉에 들렀
습니다.
당신의 10년, 청춘의 고뇌들이 묻어 있을 〈녹향〉의 낡은 의자
와 탁자, 그리고 음악, 고뇌하는 청춘이 있어서 우리들 미래는
밝은지 모르겠습니다.
저는 박선배와 같이 황병기의 〈비단길〉을 들었습니다.
저를 역사까지 바래다주면서 박선배가 나에게 한 마지막 말은
이렇습니다.

「뜨거운 연대!」

그렇습니다.

저는 지금 당신과 〈뜨거운 연대〉를 나누고자 합니다.

당신의 라라

──통일 염원 44년 12월 (1988년 12월)

나는 다시 며칠 후, 라라로부터 편지를 받았다. 라라로부터 받은 두 번째 편지는 뜨거운 연대의 편지가 아니라 긴 이별의 편지였다.

여자의 마음이란 참으로 알 수 없었다.

……언젠가 당신과 함께 왔던 충청북도 영동, 저는 지금 무섭도록 푸른 초강 앞에서 당신에게 이 편지를 쓰고 있습니다.

제 뒤에는 난계 박연 선생의 사당이 있습니다.

경부선 상행선을 탄 이후, 저는 줄곧 이런 생각을 했습니다.

내가 당신을 위하여 무엇을 할 수 있을까…….

저는 지금까지 당신을 위하여, 당신이 필요로 하는 생활의 어느 한 부분도 충족시켜 주지 못한 것 같습니다.

언제나 나의 고뇌는 열정과 이상에 들떠서 당신이 필요로 하는 생활을 늘 떠나 있었습니다.

저는 잠시, 싸늘한 차창에 기대어 입김을 불어 검지손가락으로 점 하나를 찍어봤습니다. 언어가 필요 없는 아득함······.

지금의 제 심정입니다.

얼마나 오랜 세월 동안 당신을 떠나 바람으로 서성거렸던가.

도대체 어떤 신성함이 있어 나를 세상 밖으로 내몰았고, 어떤 뜨거움이 있어 내 푸른 스물을 태우게 했던가. 과연 당신에게 나는 무엇이었던가?

이런 물음들을 저는 스스로에게 수없이 던져보았습니다.

제가 『황야의 이리』에 나오는 하리 하러라는 인물에 빠져 있을 때, 당신이 제게 권한 책은 고리키, 브레히트, 글라드코프, 이부세 마스지, 챤 던 반, 업톤 싱클레어 등의 소설이나 로자 룩셈부르크나 레닌의 아내 크루프스카야의 전기였습니다. 일단 당신에게 미쳐봐? 그렇게 작정하고서 나는 미치광이가 되었습니다. 나는 당신에게 점점 미쳐가면서, 그 〈미쳐버림〉이 하나의 해방된 여성으로 가는 길임을 깨달았습니다.

우리가 만났던 86년 4월, 그리고 지금 당신께 편지를 쓰고 있는 88년 12월, 벌써 우리에게는 3년이라는 시간이 흘러갔습니다.

그 사이에 무수히 많은 일들이 일어났던 것 같습니다.

5·3인천사태, 그해 10월 28일 건국대에서 있었던 〈전국 반외세, 반독재 애국학생 투쟁연합〉 발족식, 그리고 87년의 〈박종철 열사 고문치사사건〉, 87년 6월 민주화 항쟁, 그리고 7월에 있었던 〈이한열 열사 장례식〉, 저는 그때까지 특별한 정치의식 없이 그냥 당신 곁에서, 당신이 하는 일을 지켜보면서 평범한 여자로

머물러 있었습니다.

이것저것, 책은 읽었지만 운동이라는 것이 두렵고, 특별히 용기 있는 사람들만이 할 수 있는, 힘든 것이라고 생각하고 있었습니다.

머리와 의식은 따라갔지만 행동으로 옮겨지지 않은, 그런 나날들을 보냈습니다. 세상을 호기심어린 눈으로 들여다보기도 했습니다. 여러 남자를 만나기도 했습니다. 남자들과 헤어지면 언제나 당신 곁으로 돌아왔습니다.

당신은 언제나 거기 그 자리에, 제가 찾을 때는 항상 제가 원하는 곳에 있었습니다. 당신에 대한 믿음이 너무 컸으므로, 나는 당신에게 함부로 대하기도 했습니다. 그러나 언제나 당신은 나의 모든 것을 너그럽게 보아주었습니다.

그러던 제가 87년 7, 8월 노동자 투쟁을 겪으면서, 아니 그 이후 당신의 짧은 옥살이를 지켜보면서, 저는 급격하게 변하기 시작했습니다.

학교를 그만두었고, 노동자가 되었고, 조직 인자가 되었고, 실로 짧은 순간들에 몇십 년에 겪을 만한 일들을 치러낸 듯합니다.

………

다시 우리들이 만났던 최초의 날들을 떠올려봅니다.

제가 당신을 처음 본 것은 그해 3월 말이었습니다.

그해 봄, 문학 동아리 〈산하〉는 인문대 앞에서 신입생맞이 시전을 하고 있었습니다. 나는 과 친구 연주를 따라 〈산하〉 시전을 구경했습니다. 저는 수많은 시들 중에서 재미있는 시 한 편을 발견했습니다. 도대체 이건 어떤 테러리스트가 쓴 시일까 하고, 생각하며 연주와 킥킥거리며 웃었던 것입니다.

저는 그 시를 지금도 기억하고 있습니다.

되는 대로 살았다/술과 여자와 주먹/나는 가난했으므로/일찍이 집을 뛰쳐나와/주먹세계에서 꼴리는 대로 살았다/세상을 저주하며 주먹을 휘둘렀고/부모를 증오하며 칼을 휘둘렀다/나는 이 바닥에서 제법 쓸 만한 놈이 되었다/

되는 대로 살았다/판잣집도 때려부수고/깃발 들고 거리질서 어지럽히는 놈들/대가리도 뽀개고/똘만이들 풀어 구사대도 만들어주고/선거 때는 쇠파이프도 휘둘러/자유를 수호하며 반공에 앞장섰다/식칼테러로 대통령 표창받은 나는, /자유대한의 애국자가 되었다/

되는 대로 살았다/나는 겁대가리 없이 놀다가 애꾸가 되었지만/이 주먹에 내 인생을 걸고/오로지 한 길만 걸은 덕분에/출세한 판검사, 시경국장, 의원님을 형님처럼 모시게 되었다/힘있는 놈한텐 아부도 떨었고/약한 놈한테 까라, 까면 통했다/힘있는 놈이 장땡이라는 것/주먹세계에서 배우며/되는 대로 살았다/

술과 여자와 주먹/닥치는 대로 방탕하게 살았지만/주먹으로도 출세할 수 있고/돈벌어 국회의원 되는 길도 보였다/내가 육사만 나왔어도 이 나라 최고 깡패가 되는 건데/학벌 없어 해결사 노릇밖에 못하는 좆같은 세상/더럽기도 했다/하지만 나는 형님들처럼/입으로만 나불대는 애국자가 아니라/온몸으로 조국에 충성하는 근로 보국대, 자유대한의 마지막 보루/

술과 여자와 주먹/협박 공갈 사기 테러 구사대/형님들과 더불어/자유대한의 품에서/되는 대로 살았다/

찬조 작품, 〈애국자〉 중에서

그 시는 10편의 연작으로 계속되고 있었습니다. 연주와 나는 그 시를 읽고는 말의 재미를 아는 사람이구나, 하는 말을 나누다가 시를 쓴 사람이 바로 당신이라는 것을 알았습니다. 〈산하〉 신입회원을 모집한다고 강의실에서 내온 책상 주변에는 서클 사람들이 빙 둘러서서 이야기를 나누고 있었습니다.

연주와 나는 그쪽으로 갔습니다. 연주는 신입회원 등록을 마쳤고 저는 가입하지 않았습니다. 우리가 어떤 선배와 이야기를 나누고 있을 때, 복학생인 듯한 두 사람이 걸어왔습니다. 주위의 사람들이 인사를 하는 걸로 보아서 서클 선배인 모양이구나 하고, 생각했습니다. 그 두 사람이 바로 당신과 박선배였습니다.

살아 남은 자의 슬픔

두 사람 모두 금방 일어난 듯, 머리는 엉망이고 세수도 하지 않은 얼굴이었습니다. 당신이 박선배를 보고 세수를 하러 가자고 했습니다. 박선배는 세수는 무슨, (대)자보문건 만들러 가야 한다고 했습니다. 말하는 투로 보아서 (운동)권 사람인 모양이구나, 싶었습니다. 연주와 저는 그 자리에 조금 더 있었고, 당신과 박선배는 곧장 학생회관 쪽으로 갔습니다. 그리고 당신을 두번째 만난 날은, 인천 5·3사태가 있던 해, 4월 5일 신민당 개헌 현판식이 있던 날이었습니다.

저는 연주를 따라 그날 집회에 순전히 호기심만으로 참석했습니다.

아세아극장 앞은 너무 좁아서 학생과 시민들은 중앙로를 모두 점거한 상태였습니다. 집회가 오후에 들어서자, 신민당 개헌 현판식과는 별도로 시위가 시작되었습니다.

여기저기서 〈신민당은 각성하라!〉는 구호도 터져나왔습니다. 그리고 그날, 십여 개의 메가폰이 있었는데, 놀라워라, 얼마 전에 본 박선배와 당신이 앞에서 메가폰을 잡고 선전 선동을 하고 있었습니다.

당신이 기억하고 있는 우리가 최초로 만난 날은 저로서 당신을 세번째 만나는 날이 되는 셈이었습니다.

훗날, 연주로부터 들은 당신의 이야기는 조금 재미있고, 우습기도 했습니다. 전 당신이 〈산하〉의 선배인 줄로 알고 있었습니다. 그런데 연주의 말은 〈산하〉의 선배가 아니라고 했습니다.

당신은 시간만 나면 〈산하〉 사무실에 와서 잠을 잔다고 하더
군요. 당신이 입학하던 해부터 그 일은 변함없이 계속되었다더
군요. 그래서 〈산하〉 회원은 아니면서 〈산하〉 회원이 아닌 것도
아닌, 뭐 대충, 그렇게 이야기가 되는 듯했습니다.

재미있는 것은, 〈산하〉의 창립 멤버였던 박선배가 당신에게
회원으로 가입하라고 단 한 번도 권유하지 않았다는 사실, 〈산
하〉 시전 때는 늘 찬조 작품을 출품하였다는 사실, 당신을 쫓던
두 명의 형사들과 치고 받고 싸운 〈반월당의 대혈투〉, 어느 새
벽 만취한 (운동)권의 후배가 대기하고 있던 형사들에게 붙들려
갈 때, 당신이 그 장면을 목격하고 어딘가에서 낫을 들고 튀어나
와, 형사들이 후배를 팽개치고 혼비백산해서 도망쳤다는 신화,
경찰서에서도 당신이라면 고개를 쩔레쩔레 흔든다는 소문, 소문
을 통해서 저는 당신에 대한 사전 정보들을 가지고 있었습니다.
시위나 학교 행사가 없는 날은 당신이 기숙사 앞, 저수지에서 낚
시를 한다는 사실도 알았습니다. 당신의 낚시란 것은 낚시도 할
줄 모르면서 그저 물속에 나뭇가지나 툭 꺾어 걸쳐놓는다는 것이
었습니다.

들어보면 당신의 모든 것은 우습잖아요.

평소에는 서클룸에나 들어가 잠이나 자고 무기력해 보이는 사
람이 시위 때는 살아 펄펄 뛰는 것을 보면 미친 사람 같기도 하
고, 더욱이 제가 놀란 것은, 그해, 박선배가 〈민주 복학생 협의
회〉라는 것을 만들어 선진적인 복학생 인자들이 〈산하〉 서클룸

에서 학습을 하던 날이었습니다.

저는 그날 그 시간이 〈민·복〉 학습시간인 줄도 모르고 들어 갔다가 우연히 당신의 목소리와 사회구성체 논쟁을 듣게 되었습니다. 설득하는 듯한 낮은 목소리, 간단 명료함, 논리적인 분석과 비판, 의견이 맞지 않으면 〈긍정적으로 검토해 봅시다〉 혹은 〈연구해 보겠습니다〉 하는 말, 서로간에 오가는 조용하고 소박한 웃음들, 상대방에 대한 한없는 친절함과 너그러움, 의견 주장에 대한 겸손과 상대방 의견에 대한 존중, 아하, 운동의 매력은 바로 이런 것이구나, 어린아이들 같은 심성을 가진 사람들이 이렇게 딱딱한 과학이니, 혁명이니, 사회주의니 하는 것들을 떠드는구나, 하고는 나 스스로 놀랐습니다.

그래서 나는 막연하게나마 당신에게 관심을 가져보기로 했던 것입니다.

....

그러나 슬프게도 지금 나는 당신 곁을 떠나려 하고 있습니다. 이 모든 문제의 핵심은 제가 쥐고 있습니다. 제가 당신 곁을 떠나겠다는 것은 당신 때문이 아니라, 저 자신의 문제 때문입니다. 지금, 당신은 가속도를 더하여 당신이 하고 있는 일들에 점점 깊이 개입하고 있습니다. 그것도 조금의 회의도 없이 잘해 나가는 듯합니다.

당신의 그런 모습을 지켜보고 있으면 저는 견딜 수 없이 작아지고 움츠러들어 버립니다. 나에게는 누가 뭐라고 해도 〈내가〉

가장 중요한 문제입니다.

나! 나는 모든 존재의 출발! 이기 때문입니다.

나는 나 자신의 실존에 대한 고민을 해볼 겨를도 없이 변혁운
동이란 물살에 휩쓸려들어가 버렸습니다.

어느 날 갑자기, 내가 아닌 내가 변혁 운동을 하고 있구나, 하
는 사실에 깜짝 놀랐습니다. 그래서 나는 진지하게 나 자신의 문
제에 대해서 고민해 보기로 했습니다. 누군가 나에게 반동적인
개인주의사상을 청산하지 못한 탓이라고 비난한다 해도 나는 어
쩔 수 없습니다. 돌이켜보면 전 언제나 당신에게 길들여져 왔습
니다.

내가 주체적으로 책을 선택해서 읽은 것이 아니라, 당신이 골
라주는 책만을 읽었습니다. 내가 주체적으로 고민을 했던 것이
아니라, 당신이 옳다고 생각하는 고민만 선택적으로 했습니다.
언제나 당신은 나에게 내가 학습해야 할 도서 목록을 짜주었고,
그와 동시에 내가 생각하고 판단하고 고민해야 될 문제마저도 틀
에 넣어 제시했던 것입니다. 결국 나는 당신이 권하는 이책 저책
사이를 정신나간 여자처럼 탐닉했고, 어느새 마르크스와 레닌을
팔아먹는 거리의 창녀가 되었습니다. 저는 대중을 대상화하여
달콤한 말로 참주 선동하고, 말을 듣지 않으면 온갖 악의에 찬
말들로 매도했습니다.

어쩌면 나는 당신의 위대한(?) 〈욕망 속에 갇혀버린 여자〉였
는지도 모릅니다. 저는 당신의 욕망, 당신의 허영을 채워넣는

하나의 장식에 지나지 않았는지도…… 이제는 당신 속의 내가 아닌, 나 스스로 책도 선택하고, 고민을 선택하는, 나로 서고 싶습니다.

언제나 당신은 나를 리버럴리스트라고 비판했고, 나는 당신을 이념의 과잉, 혹은 스탈린주의자라고 반비판했습니다. 나에 대한 당신의 비판은 너무나 나를 숨막히게 했습니다. 당신의 목소리는 부드러웠지만 보이지 않게 나를 억눌렀고, 당신의 성정은 한없이 깔끔하고 다정했지만, 내 가슴을 꼭꼭 찌르는 칼끝이었습니다.

우리가 〈산하루〉에서 만났던 그날도 마찬가지였습니다.

당신은 겉으로는 나에게 좋은 글을 써보라고 격려했지만, 당신의 진실은 그것이 아닌 것 같았습니다. 당신은 그런 말을 하면서도 나를 연민의 눈으로 바라보았습니다. 모든 것이 뒤틀려 가고 있었습니다.

당신은 기억할 것입니다.

언젠가 당신과 제가 저의 고향으로 내려가 어머니를 뵈었을 때, 당신은 저의 어머니를 한없이 가슴 아프게 해드렸습니다. 저는 그때 진실과 솔직함이 오히려 거짓보다 못할 수도 있다는 것을 알았습니다. 저의 어머니가 당신에게 물었습니다.

「그래, 결혼하면 애하고 어떻게 살 거예요? 무슨 대책이 있어야지」

저는 어머니 옆에 앉아 혹시 당신이 또 엉뚱한 말을 하는 건

아닌가 해서 당신의 표정을 보며 눈을 찡그렸습니다. 당신은 그
날, 저와 미리 입을 맞추어놓은 말을 해야만 했습니다. 그것이
설사 거짓말이라 하더라도……

  그냥 당신은 평범한 소시민의 전형적인 미래를 어머니에게 보
여주기만 하면 되었습니다. 그럼에도 불구하고 당신은 무슨 말
을 했습니까.

  「어머니, 저는 노동자가 될 것입니다」

  놀라워라, 그런 말이 그렇게 서슴없이 나오다니, 당신은 늘상
대중, 대중의 요구에 맞게! 하고 부르짖으면서, 정말 대중의
요구가 무엇인지, 대중의 실정이 어떤 것인지를 파악하지 못했
던 것입니다. 제 어머니의 요구라는 것은 당신이 말하는 식의 노
동자가 아니라는 것입니다.

  어머니는 눈을 휘둥그렇게 뜨고 저의 얼굴을 한번 보더니, 「노
동자?」 하면서 그게 뭐냐는 식으로 당신에게 물었습니다.

  정말 당신은 유창하더군요. 어쩌면 그렇게도 철이 없던가요.

  그때 그 자리는 군중 집회 하는, 당신이 아지·프로(선동·선
전)하는 자리가 아니었습니다. 당신은 엽차를 한 잔 마시고 나서
이렇게 말했습니다.

  「어머니, 너무 걱정하지 마십시오. 누구나 사람은 자신의 노
동력을 팔아먹고 삽니다. 전 세상의 물질적 재부를 창조하는 자
랑스러운 노동자가 되기로 결심했습니다. 이 땅의 노동자는 이
땅의 모든 물질적 재부를 창조하면서도 제대로 대접을 받지 못하

고 예속적인 삶을 살아가고 있습니다. 그래서 저는……」

당신은 말을 마치고 나서 저와 어머니의 눈치를 살폈습니다. 어머니의 걱정스러운 눈빛을 당신은 읽었을 것입니다. 당신의 솔직함은 어머니의 심기를 불편하게 해드렸고 모든 기대를 무너뜨려 버렸습니다.

이 땅의 어떤 어머니가 노동자도 아니고, 노동운동을 하겠다는 사람에게 딸을 주려고 하겠습니까. 어머니가 우리들의 고민에 대해서 이해해야 한다고 요구할 권리까지는 우리에게는 없었던 것입니다. 어머니에게 물질적 재부 창조니 하는 식의 말도 필요 없었습니다.

………

불과 두 시간 전에 기차를 탔습니다. 기차를 탄다는 것이, 아직 제 나이에는 애수를 느끼게 하는 것 같습니다. 저는 찻간에서 원인을 알 수 없는 눈물을 흘렸습니다. 여전히 나는 당신을 사랑하고 있구나, 사랑할 수밖에 없구나, 하는 것을 너무나 잘 알면서도 매번 확인을 하면서도, 당신의 생각으로 온통 하루를 보내면서도, 당신 곁을 떠나리라고 작정한 것입니다.

참으로 황홀한 절망이 내 눈앞에 보이는 듯합니다.

그 신선한 감동 때문에 전 당신 곁을 떠나는 것입니다.

전 앞으로 내 감정의 충동질에 성실할 것입니다. 그리고 원인을 알 수 없는 아픔의 이유에 대해서 많은 고민을 할 것입니다. 당신을 만난, 지난 3년 동안 제 감정의 물기가 말라버리고 내 열정이 소진되었음을 깨달았을 때, 내 눈앞에 나타난 것은…… 문학이라는 것입니다.

그래요. 전 글이라는 화두를 물고, 평생을 씨름할 작정입니다.

이러한 나의 절망적인, 결코 희망이 아닌 음모가 성공할 때, 내가 작가가 되었을 때, 나는 비로소 당신 앞에 나타날 수 있을 것입니다.

당신이 이 시대의 불가해한 폭력과 맞서는 양식이 조직을 꾸리고, 거리로 뛰쳐나가는 직접적인 방식이라면, 내가 하고자 하는 싸움의 양식은, 그야말로 음험하고 악마적이어서, 가장 철저하게 세상의 악들을 저주하고 파괴적으로 무너뜨리는 양식이 아닌가 합니다.

광기어린 세상의 악과 폭력을 저주하고 증오하는 것은 어차피 저같이 패배한 자들의 몫인 것입니다.

세상에는 온갖 기만과 거짓에 찬 언어들이 진실의 탈을 뒤집어쓰고 행세하기에, 나는 세상이란 전쟁터에 내 순결한 언어들을 무장시켜 출정시키기로 했습니다. 출사표! 어쩌면 나는 지금 당신에게 출사표를 쓰고 있는지도 모릅니다.

망할 놈의 세상에는 또한, 그보다 더 망할 놈의 내 언어들이 필요할 것입니다. 나에게는 여기 창이 있고 칼이 있고, 그런 각종의 재래식 병기와 오늘날의 현대 병기인 핵탄두가 있습니다. 그 엄청난 핵에너지는 내 가슴 내부에 있는 것이어서, 나는 도저히 그 넘쳐흐르는 에네르기들을 세상 바깥으로 방출하지 않고서는 배겨내지 못할, 그런 지경에 처해 있습니다. 우리의 육체가 견뎌내기 위하여 빛과 공기와 흙이 필요하다면, 우리의 정신이 살아가기 위하여는 세상의 언어들이 필요한 것입니다. 그러니 그 언어들을 공급하고 끊임없이 생산해 내는 작가들이란, 최일선에 선 노동자인 것입니다. 그리고 우리의 소진된 의식에 살아 펄펄 뛰는 언어들을 공급해 주는 신인 것입니다. 태양과 달과 여명의 아버지인 휘페리온, 미의 신 비너스, 사랑의 신 큐피트, 지혜의 신 미네르바, 행복의 신 페나테스, 이 모든 신의 권능들도 제대로 된 작가의 권능에는 미치지 못하는 것입니다.

나의 이러한 요설이 당신의 가슴을 얼마나 울리게 할지는 모르겠습니다.

하지만 내가 글에 대해서, 글쓰는 일에 대해서, 작가가 된다는 일에 대해서 이렇게 많은 의미를 나 나름대로 부여했던 것은, 그런 의미 부여 없이는 내가 그 길을 도저히 갈 수 없기 때문입니다.

글쓰는 작업에 대한 분에 넘치는 의미 부여는, 당신이 내 앞에 제시한 역사란 프로그램, 그 프로그램의 강령, 그 강령 속의 실천, 실천 가운데서 맛보는 패배의식과 절망, 그런 패배의식과 절망의 원인을 근원적으로 밝혀내고 치유하고 싶다는 나 자신의 욕망 때문이기도 합니다.

내 가열한 청춘은 언제나 오로지 힘만으로 움직이는 역사 앞에서 절망했습니다. 나는 역사에 대한 낙관적인 전망 같은 것은 버리기로 했습니다. 물론 나의 이러한 태도를, 내가 실천의 장에 있지 않기 때문에 그런 패배 의식이 생겨나는 것이라고, 당신은 비판할 것입니다. 하지만 나로선 패배의식에 대한 집요한 물고 늘어짐조차 중요한 것이어서, 사람들 가슴가슴마다에 독버섯처럼 자라나고 있는 불신의 뿌리를 캐기 위하여 온몸을 던져보는 것도 의미 있는 일이어서, 이 길로 분연히 나선 것입니다. 신마저 구원을 포기해 버린 지구라는 아마겟돈(선과 악의 대결장)에서 이야기꾼이 되겠다니, 신의 가당찮은 대역을 하겠다니 참으로 쓸쓸해지는 것 같습니다.

따스한 가슴 하나 제대로 가꾸지 못한 내가 이야기꾼 행세를 하겠다고 작정했으니⋯⋯ 그런 내가 지치고 상처입은 영혼들을 위하여 꿈과 희망을 이야기해 줄 수 있을지, 과연⋯⋯ 하지만 나는 이 길을 갈 것입니다.

당신은 왜냐고 물어봐 주시기 바랍니다. 왜냐구요?

그것은 운명! 저주스러운 운명!

⋯⋯⋯⋯

당신과의 긴 만남을 위하여 짧은 이별을 필요로 합니다.

벌써 땅거미가 지려 하고 있습니다. 초강을 따라 아득하게 서 있는 나무들이 바람의 노래에, 강설의 아우성에, 귀를 기울이고 있습니다.

나는 비로소 모든 자연의 소리에 귀가 열리는 듯합니다.

고구려의 왕산악, 신라의 우륵과 함께 우리나라의 삼대 악성

이었던 난계 박연 사당 앞에, 내가 서 있는 것은 우연의 일치가
아니기를 바랍니다. 나는 세상의 빛에 눈을 뜨고, 세상의 소리
에 귀를 열고, 세상의 향기에 냄새를 맡고, 세상의 맛에 취하는
마성적인 예술가가 되려고 합니다. 이 고통스러운 꿈을 당신께
서는 행여, 탐미주의자의 넋두리라고 비난하지 말기를 바랍니다.
 아무리 사랑이 통속적이라 할지라도, 나 역시 통속적인 말밖
에 할 수 없음을 용서하시기 바랍니다.
 통속! 당신을 사랑합니다. 저를 잊지 마세요. 전 당신이 저
를 사랑하지 않는다는 사실을 알면, 견딜 수 없이 아프니까요.
어떤 왕이 왕비가 사랑했던 정부의 간을 왕비의 식탁에 올려놓
듯, 사랑과 질투는 한가지며, 여전히 사랑은 저에게 있어 충동
적이며 자기만족적이고 파괴적입니다.
 당신이 나를 사랑하지 않으면 나는 당신을 죽여버리겠습니다.
 쓸쓸한 소멸! 이 겨울은 내 고독으로 하여 너무나 아름답습니다.

당신의 라라
통일 염원 44년 12월 (1988년 12월)

라라의 편지는 그렇게 끝을 맺었다. 그리고 맨 뒷장에는 그녀가
여행중에 쓴 한 편의 시가 들어 있었다. 그 뒤로도 나는 하루, 이
틀 간격으로 라라의 편지를 받았다. 편지의 끝에는 금강에서, 변
산반도에서, 동진강에서, 황지에서…… 묵호에서 등 편지를 쓴 장

소가 명기되어 있었다.

나는 그녀의 편지, 〈겨울, 어느 역사에서〉를 마지막으로 받고 출가를 했다.

출가를 하면서 나는 모든 것을 버렸지만, 라라의 편지와 그녀가 쓴 몇 편의 시들은 버리지 못했다. 내가 보던 2,500여 권의 책들은 모두 후배들이나 노동조합 사무실, 지역활동가 단체에 기증했다.

······나는 라라와 이별했다. 누가 뭐라고 해도 그것은 틀림없는 사실이다. 라라가 설사 작가가 되어 내 앞에 나타난다고 해도, 이미 나는 구도자의 길을 걷고 있는 출가 사문인 것이다.

1988년 12월 24일, 라라의 스물두 해째 되는 생일날, 나는 〈절대 자유인〉의 길로 들어선 것이다.

절대 자유인!

내가 말하는 자유라는 것은 영국 혁명이나, 프랑스 혁명과 같은 근대주의적 의미의 자유가 아닌, 샤피로·라스키·밀·토크 빌·하이에크 등의 몇몇 논문에서 거론되는 부르주아적인 의미의 자유가 아닌, 억압된 사회(예토)를 부정하고 해방된 사회(정토)를 건설하는, 사회적 실천(무아행)으로서의 자유인 것이다.

—— 어떤 법을 닦아야 곧 해탈을 얻을 수 있겠습니까?
—— 오직 돈오의 한 문으로만 해탈을 얻을 수 있다.

돈오라는 것은 리프(비약, 레블루션), 곧 인식의 코페르니쿠스적 전환을 의미한다. 변증법에 있어서 점진적인 양적 변화로부터 근본적인 질적 변화로의 이행, 즉 양질 전화의 법칙은 인간의 인식 발전 단계에도 적용되는 것이다.

나는 출가를 앞두고 한동안 법성 스님의 근본불교 철학에 관한 논문, 옥성강사랑, 승우준교, 시천백현, 제등영지랑, 호경중기 등의 불교 학자들이 쓴 논문을 구해서 읽었다. 나는 나름대로 내가 학습해 왔던 마르크스·레닌주의와 모택동주의가 근본불교의 사상에 내포될 수 있다는 결론을 얻었다. 이러한 결론이 비록 성급하다 할지라도, 혜해 스님이 지은 「돈오입도 요문론」을 읽으면서 나의 결정은 출가로 굳어지고 말았다.

「돈오입도 요문론」은 말하고 있다.

　　——어떤 것을 돈오라 합니까?
　　——돈이란 인식의 비약적 전환이요, 오란 얻은 바 없음(무소득)을 말한다.

애초부터 존재하는 우주의 질서 앞에서 유물론이 옳으니, 관념론이 옳으니, 절대 정신이 있다느니, 신이 있다느니 하는 것은 그야말로 무명에 지나지 않는 것이다. 그러므로 과학은 구경각의 경지인 무소득인 것이다.

어쨌든 나는 출가 사문이 되었다.

라라는 그로부터 6개월 후, 지구를 떠났다.

라라는 죽은 것이다.

나는 그 이유를 알지 못한다.

라라가 남긴 유서 속에는 단지 이런 말이 있을 뿐이다.

……나는 이 글을 마치고 바로 자살할 것이다.

아마 나는 신이 되려나 보다.

라라, 나의 창녀이자 성녀, 정말 그녀는 나의 신인지 모르겠다.

* * *

출가 이야기다.

자기 스스로 지구와 인류를 미치도록 사랑한다고 착각한 어떤 사내가 있었다. 그는 참으로 버림받고 고독했었던 모양이다. 그는 헤르만 헤세의 소설에 나오는 싯다르타처럼 세상을 두루 편력했다. 그가 편력한 세상이라고 해봐야 155마일 휴전선 이남의 좁은 땅덩어리가 고작이었다.

그는 자신의 〈떠돎〉을 화엄경 입법계품, 선재 동자의 피나는 구도 행각쯤으로 미화했다. 그는 이 땅을 번뇌무진, 잡초무진의 세상이라고 생각했던 것이다. 물론 그는 허무주의자는 아니다. 또한 불교에서 말하는 번뇌무진이라는 말이 허무주의와는 아무런 인연이 없다는 것쯤은 그도 알았다.

그는 제딴에는 고타마 싯다르타 시대의 원시불교사상이 마르크스 레닌주의를 내포한다고 생각하는, 정치적으로 래디컬한 그런 사내였다.

그는 1980년대를 에지테이션과 프로퍼갠더, 최루탄과 화염병, 바리케이드와 쇠파이프, 함성과 격돌, 그런 불꽃의 시대, 질풍노도의 시대라고 생각하는 사내였다.

그 시대, 그는 〈폭풍 속으로〉 기꺼이 뛰어들었다. 그 시대 그와 어깨를 걸고 스크럼을 짰던 자들 역시 그 시대를, 절망을 뛰어넘는 희망의 디-데이라고 생각했던 것이다.

그 사내가 어느 날 갑자기 출가를 했다.

그리고 그는 자신의 출가를 애국적 사회진출, 혹은 현장투신이라고 생각했다. 그는 자신을 혁명가 김산을 코뮤니즘으로 개종시킨 금강산 유점사의 붉은 승려, 김충창쯤으로 착각했던 것이다.

그 시대 한때, 저술 노동자라는 직업 아닌 직업이 유행했었다. 그들은 몇 개의 이름을 가지고 질 나쁜 논문들을 뽑기도 했다.

〈제3세계와 민족 해방〉〈10월 혁명과 페레스트로이카〉〈한국 사회 변혁운동과 NLPDR〉〈정치적 선진조직론 검토〉 등, 그 역시 그런 질 나쁜 글들을 몇 편 쓰기도 했다. 그런 글들은 사회과학 서적이나 자료 몇 가지를 펴놓고 여기저기서 뽑은 말들을 적당히 주무르고 다듬으면 하룻밤에도 한 편씩을 쓸 수 있는 조악한 것들이었다. 보다 더 강하고 충격적인 이념의 노출에 목말라하던 시기였던 것 같다. 그 시기 젊은 이론가들은 저마다 저술 노동자라는 직함을 걸고 백가쟁명, 백화제방의 사상 논쟁의 싸움판에 뛰어들었던 것이다.

　무슨 론이 있으면 그에 대한 비판이 따르고, 곧이어 반비판이 따르고, 다시 반비판의 파산선고가 따르던, 그런 이념의 노출시대였다.

　저마다 출처를 알 수 없는 이념의 복제판이 대량으로 공급되고, 싼 값으로, 무제한적으로, 팔려나갔다. 인쇄기술과 워드 프로세서, 복사 기계, 온갖 사무 기계의 힘을 빌려 검증받지 않은, 합격 미달의 제품들이 쏟아져 나왔다. 마치 그 현상은 저마다 신디사이저를 들고 나와 관악기, 타악기, 현악기 등을 합친 갖은 요란한 소리를 짖어대는 꼴과 같았다.

　이념의 신디사이저 현상, 그런 시기였다.

　그는 회의했다. 이념의 과잉이 그 자신을 관념적으로 만들어버리는 것을 느꼈던 것이다. 물론 그 자신도 자기 나름대로 어떤 정파를 가졌다. 그는 자신이 가진 정파의 입장이 한없는 사회주의적인 품성과 끝없이 깊은 어머니다운 품성을 요구하는 데 겁을 먹었다. 그에게 늘 부족한 것은 실천의 부족이었다. 그는 자신의 나약함을 늘 증오했다. 어쩌면 그 환멸감을 극복하기 위한 출구가 그에게는 출가였는지도 모른다. 그는 자신을 정리하고 싶은 생각을 가졌던 것이다.

　그, 이것은 나의 이야기다.
　나의 출가를 두고 친구 박은 이렇게 말했다.

자기정리란 실천 속에서 하는 그것만이 가장 바람직스럽다. 그러니 나는 너의 출가를 반대한다.

그래서 나는 출가의 의미를 미화하고 현란하게 분식할 수밖에 없었다.

나는 불교의 사성제와 연기 사상, 그리고 상생 철학에서 사회주의의 현실적 모순과 한계마저 극복할 수 있는 길을 발견했다, 나는 이렇게 자신을 합리화시켰던 것이다. 나는 말끝마다 변증법적 무엇, 무엇, 이라는 말을 즐겨 사용했다.

나는, 출가 역시 변증법적 자기 부정, 변증법적 총괄이라는 레테르를 붙이고 산문으로 들어섰던 것이다.

말의 묘미란 말을 만들어내는 주체자의 수사에 따라서, 비겁함도 용감함으로 바꾸어질 수 있는 모양이다.

그러니까 1988년 12월 하순경, 어느 날이었다.

나는 푸른 스물의 나날들을 활화산처럼 뜨겁게 보낸, 몇몇 동지들과 반월당 염매시장 곡주사라는 술집에서 술을 마셨다. 분위기는 마치 입영 전야와도 같았다. 하지만 입영 전야와는 다른, 무거움과 진지함과 비장한 분위기가 그날의 술 좌석을 지배했다.

비통함이라고나 할까, 술자리를 같이한 동지들은 나의 출가를 모두 못마땅해하는 눈치였다. 나는 많은 비판을 받았다. 하지만 나는 자신의 입장을 어떤 식으로든 이해시키려고 했다. 나는 수배를 받고 있는 상태였다. 나는 그해 가을에 쓴 두 편의 얼치기 글 때문에 모대학교 편집국장이 구속되는 아픔을 겪어야 했다. 나는

자신의 출가가 수배로부터 잠수함을 타려는 것이 아니라, 불교라
는 철학을 틀어쥐고 새로운 장에서의 활동임을 분명히하려고 했
다. 결국 나는 나의 입장을 관철시키고 합리화시키는 데는 성공했
지만 뒷맛이 개운치 않았다. 그래서 나는 노래를 부르자고 제안했
다.

〈임을 위한 행진곡〉부터 노래는 시작되었다.

갑자기 나는 자신이 지나온 현대사, 80년대 싸움의 모든 현장,
현장들이 생동감 있게 되살아나는 듯했다.

80년 광주. 그해 3, 4월. 자고 일어나면 아스팔트 위에 낙엽처럼
뒹굴던 수많은 호외, 호외들. 잦은 개각과 신군부의 음모. 그리고
피, 결국은 피를 불렀다. 나는 인구 230만의 보수적인 도시에서
무기력의 나날을 보내야 했다. 헤아릴 수 없는 통음과 비분강개,
그리고 눈물, 그리고 자책, 그리고 부끄러움, 그것은 그야말로
〈살아 남은 자의 슬픔〉이었다. 그리고 강제 징집, 155마일 휴전
선, 원통 3년의 초병 생활, 잦은 전출, 보안대의 조직 사건 조작,
육군 감호소, 복학 후 성난 파도와도 같이 온몸으로 부딪혔던 치욕
스러운 역사.

……동지는 간 데 없고 깃발만 나부껴…… 나는 막걸리 한 사발
을 단숨에 마셨다…… 새 날이 올 때까지 흔들리지 말자…… 새
날? 새 날이 언제 올까? 흔들리지 말자고? 안 흔들리는 사람도
있는가?…… 세월은 흘러가도 산천은 안다…… 산천이 알 리가 있

나, 산천은 의구한데 인걸은 간 데 없다…… 깨어나서 외치는 끝없
는 함성 앞서서 나가니…… 앞서서 나가니까 안 되지, 앞서서 나가
면 직격탄을 맞아, 쇠파이프에 맞아 죽기밖에 더 하나? 이한열이
를 보면 몰라…… 산 자여 따르라 앞서서 나가니 산 자여 따르라
…… 끄읕, 끝에는 모두 시체만 널렸다네.

시체를 넘고 넘어, 노래는 계속되었다.

〈고백〉을 부르고, 여성 동지는 〈기지촌〉을 부르고, 노동 운동하
는 동지는 〈노동 해방가〉를 부르고, 골수 김주의자는 〈반미 출정
가〉와 〈반전 반핵가〉를 부르고, 또 누구는 〈백두에서 한라, 한라
에서 백두〉를 부르고, 〈잠들지 않는 남도〉를 부르고, 〈지리산〉을
부르고…… 노래의 강물은 넘쳐넘쳐 〈스텐카라친〉을 부르고……
흐느끼는 파도소리, 울음소리, 넘쳐넘쳐 떠밀리고, 다음 노래로
넘어가고, ……술도 가고 시간도 가고.

마지막으로 내가 〈어디로 갈꺼나〉를 부르고, 그래, 어디로 갈꺼
나 어디로 갈꺼나…… 이 강을 건너도 내 쉴 곳은 아니오 저 산을
넘어도 머물 곳은 없어라…… 나는 앞에 놓인 술잔을 들이켰다. 존
재의 삼생이 술 한 잔에 넘어가는 순간이었다. 나는 술잔을 탁, 놓
으며 내뱉었다.

비굴한 리버럴리스트! 개새끼야, 개새끼…….

그 말은 내가 나 자신에게 하는 말임을…… 아무도 몰랐다.

모두들 취해 있었다. 쓸쓸하게, 적막하게…… 힘없이 담배들을
피웠다.

아침이었다.

노동 운동 하는 박의 자취방이었다. 나는 오랜만에 머리를 감았다. 발도 씻고 양치도 했다. 나는 방으로 들어와 다시 드러누웠다.

박이 라디오 카세트에 테이프를 끼웠다. 박과 나는 김영동이 작곡한 〈귀소〉를 들었다. 〈귀소〉가 끝나자 명창 성창순이 부르는 〈슬픈 소리〉를 들었다.

······아 아 으아 아하 아아— 아 아 으아 아하— 으허 으허 하
간다 간다 간다 으하 간다 으 허 간 다 으허 으 허 이
간다— 으 허 으허 이가 안 다 어허 가안 다— 으 허 가 안다
가안다아— 간 다 가 안 다 간 다아— 가아아안다······

가야 된다면 가야지. 그것이 운명이라면.

나는 스물여덟인 것이다. 나는 팔베개를 하고 드러누운 채 지난 삶들을 돌이켜보았다. 나는 삶의 대차대조표를 만들어보았다.

모든 희망의 자산을 차변에, 그 반대편의 가치들을 대변에, 스물여덟 해의 당기 순이익과 손실금, 적립금, 신용출자금, 이월할 수 있는 꿈들, 미처분한 기쁨과 슬픔들, 당좌예금한 남은 청춘들, 그런 것들을 머릿속에서 이쪽저쪽으로 나누어보았다. 미래에 받을 어음은 어떤 것이고 지급할 어음은 어떤 것인가. 고정자산은 기껏해야 녹슨 폐차처럼 덜거덕거리는 왜소한 육체, 그리고 끝없이 상

실되고 감가상각되는 혁명에 대한 열정…… 나는 생각했다.

이 길 위에서 많은 것을 잃었고 많은 것을 얻었다. 많은 것을 가지려고 길 위를 내달렸고, 또 그 길 위에서 많은 것을 잃어버렸다. 나는 끝없이 자신의 내면 풍경을 탐색해 들어갔다. 나는 이런 가정도 해보았다. 출가와 동시에 나는 운동에 대한 열정을 유기시켜 버릴지도 모른다?

모든 것은 유산되고, 그래 누군가의 시처럼 〈불임의 살구나무〉가 되는 것이다? 나는 우울하게 웃었다.

나는 롤랑 바르트식으로 좋아하는 것과 싫어하는 것을 차변과 대변에 기록해 보기로 한다.

좋아하는 것 : 이백·주은래·욱달부·톨리아티·니진스키·호지명·던컨·잉그마르 베르히만·달리·뭉크·레닌·케네스 버커·당근·창란젓갈·보신탕.

싫어하는 것 : 결혼·설탕·결정론자·가족·자식·관청·신화·소설작법·시작법·교련·체육·쇼비니스트·연애시·각종 전집류·조르주 바타이유·카뮈·아나키스트·아우구스티누스·스콜라 철학·교회·학교·군대·감옥·밥·세수·목욕·양치·멜로드라마…….

나는 머리를 흔들었다. 나는 이런 식의 이분법은 아무런 의미 없는 일이라고 생각했다. 이건 불가지론자가 되는 일보다 허무맹랑한 일이다.

나는 더 이상 관념의 꼬리를 물고 늘어졌다가는 세계사와 인류의 지성사를 엉망진창으로 만들 뿐이라고 생각했다.

나는 일어나 앉아 정태춘의 노래를 들으며 담배를 피웠다.

박이 먼저 입을 열었다.

「몇 시에 나갈 거야?」

「글쎄, 몇 시에 나가면 될까?」

「오후 두 시에 교대야. 그때까진 공장에 들어가야 되니까 우선 밥을 먹도록 하자. 내가 널 시외버스 터미널까지 바래다 줄게」

「아직 어디로 갈까 정하지도 않았는데」

「출가할 사람이 발 닿는 대로 가면 되는 거지 뭐」

나는 박의 말에 고개를 끄덕거렸다. 박은 담뱃갑을 만지작거리며 라라한테서는 연락이 없어, 하고 물었다.

「편지를 몇 번 받았어」

「어디 있을까?」

「글쎄, 어디엔가 있을 테지」

「관심이 없는 듯이 이야기하는군. 같이 결혼할 생각 아니었어?」

「결혼? 글쎄, 라라는 자의식이 너무 강한 여자였지. 그녀와 나는 애초부터 결혼 같은 건 생각하지 않았어」

박은 왜, 하고 물었다.

「희생시켜야 될 부분이 너무 많잖아」

「서로가 사랑한다면 굳이 희생이라고 생각할 필요가 없잖아」

「사랑? 사랑을 믿어? 끊임없는 거짓말과 위선을 필요로 하는데도. 어쨌든 라라는 한 남자의 여자가 되기에는 너무 불안하다고 할까. 에네르기가 너무 많다고나 할까, 그런 여자였어. 부권의 타도

를 꿈꾸고 모계 사회의 복귀를 희망하는 여자야. 그런 여자는 어차
피 혼자 살 운명이지」

「라라와 합법적인 결혼은 하지 않더라도 공동으로 누릴 수 있는
것들이 많지 않을까?」

「물론 섹스, 정신생활, 경제적인 영역 등 많은 것이 있겠지. 하
지만 라라는 한 남자에 예속되는 섹스는 원하지 않아」

「푸날루아나 대우혼 시대를 그리워하나 보지?」

「꼭 그렇지는 않을 거야. 라라도 언젠가는 남자들이 만들어놓은
세계와 싸우다 지쳐 스스로 굴복하겠지. 적당한 선에서 타협을 하
든가, 아예 비타협적인 길을 걷든가, 그중 하나일 테지. 라라의
성격으로 보아선 세상과 가짜 화해는 하지 않을 거야」

「화해를 하지 않으면?」

자살할지도 모르지, 하고 나는 말했다.

「설마?」

「이야기했잖아. 자의식, 자존, 라라의 에네르기의 원천은 그것
밖에는 없어」

넌 어때? 너의 존재 근거, 하고 박이 말했다.

나는 담배 한 개비를 입에 물었다.

「이것, 저것, 보시다시피 많았잖아. 많은 것들이 내 몸을 통과
했지. 이념, 사랑, 고시공부, 학문, 시…… 그런데 난 제대로 아
무것도 하지 않았어. 나의 존재 근거? 글쎄 뭘까? 굳이 있다면
패배의식, 상실감, 뭔지 모르게 일방적으로 당하고 있다는 느낌,

나를 패배케 하는 그 실체가 보이는 듯도 하지만 그것이 총자본의 물리력이다라고 단순화시키기에는 뭔가 구체성이 결여된 것 같고 …… 이런 나의 개인적인 피해의식, 혹은 나아가서 집단적인 피해의식 같은 것은 어디서부터 오는 것일까? 그런데 이상한 것은 그런 상실감이 나를 나답게 살아가게 하는 힘이거든」

나는 담배 연기를 한숨과 함께 내뱉었다.

나 역시 그래, 하고 박이 말했다.

「넌 솔직해서 좋아. 어떤 활동가들은 자신의 약한 모습을 보이지 않으려고 많은 거짓말을 하는데」

「그래, 가끔씩은 내 모습이 가짜처럼 보일 때가 있어. 활가(활동가)로서의 생활과 일상인으로서의 생활은 끊임없는 갈등의 지옥 속에 놓인 꼴이거든. 일테면 세상이란 밀림 속에는 돈과 욕망, 일상생활이라는 부비트랩이 도처에 깔려 있는데 활가의 길이란 그것을 재주껏 피해 가야 하는 형국이잖아. 그러니 회의와 상실감 같은 것이 들 수밖에 없지. 유물론자에게도 산다는 것이 희망만은 아닌가봐. 희망이 아니라면 우리가 지금껏 무엇을 보고 여기까지 격렬하게 달려왔을까……」

넌 그래도 잘해 왔잖아, 하고 내가 말했다.

「어쨌든 우린 가장 진실된 모습을 보여주려고 노력해야 할 것 같아. 솔직히 우리들의 현실이란 그렇게 희망스럽지가 않잖아. 언제 우리가 미국과 파시즘과의 싸움에서 이겨본 적이 있어. 그런데 매 시기의 싸움의 총괄에서는 언제나 성과가 있었다거나 승리했다고

이야기하거든. 물론 활가들의 고충은 알지. 그럴 수밖에 없는 것
이지. 하지만 우리 민·민세력들의 싸움의 총괄을 대부분의 민중
문학처럼 언제까지나 가짜 승리나 감상적인 수준의 승리로 끌어낸
다면, 우린 영원히 패배할지도 몰라. 우린 아예 싸울 수 없는 불구
자가 될지도 몰라. 활가들이나 작가들이나 우리들의 패배한 싸움
을 보다 진실하게 드러낼 필요가 있는 거야. 고리키의 『어머니』처
럼 우리들의 어머니가 언제나 자식의 싸움에 동참하고 투쟁의 전사
가 되는 현실은 아니잖아. 오히려 우리들의 현실이란 데모하지 말
라는 어머니의 눈물 한 방울에 좌절하고 자신도 모르게 스르르, 돌
멩이를 놓는단 말이야.

민중문학의 희망적인 결말들은 오히려 우리들의 판단을 흐려놓
고 있는 거야. 지금 우리에게 보다 중요한 것은 가짜 희망을 만들
어주는 것이 아니라, 현실을 그대로 해부해 주는 것이라고 생각
해. 물론 내 말에도 문제는 많지만 지금까지 활가들이나 작가들에
게서 느낀 불만들이야. 그들의 이야기를 들으면 너무 재미있거든.
마치 내일이라도 당장 노동 해방 세상이 올 것 같단 말이야」

「우리 모두의 고충일 테지. 우리가 안고 있는 모순이 너무나 심
각하기 때문에 일정 정도의 과욕은 불가피했을 거야. 작가나 활가
들의 오류를 일방적으로 매도할 수 없는 우리의 형편이잖아…… 난
가끔씩 우리가 난지도에 살고 있는 것은 아닐까 하는 생각이 들어.
지구상의 가장 큰 쓰레기장이면서 마지막의 땅, 바로 우리가 살고
있는 남한이 아닌가 하는 생각 말이야. 이념 대립, 제국주의의 가

장 저질스런 문화, 가짜 욕망, 천민 자본주의, 그야말로 누군가의
말마따나 똥바다가 바로 이곳인지도 모르지」

모순이 중첩된 곳에서 모순은 해결되겠지, 하고 박이 말했다.

「넌 나와 지금까지 기껏 우울하고 전망이 부재한 이야기들만 해
놓고 결론은 낙관적으로 끝내는구나」

활동가의 체질이잖아, 하며 박이 웃었다.

「모순이 중첩된 곳에서 모순이 지양된다? 그런 것을 불교에서는
유전 연기와 환멸 연기로 설명하지」 하고 내가 말했다.

박은 어디 가서 우선 밥이나 먹도록 하자, 하며 갑자기 화제를
바꾸었다.

박과 나는 자취방에서 나왔다. 강남약국을 지나 칠성시장까지
걸어 올라갔다. 우리는 보리밥집에서 막걸리 한 사발씩과 보리밥
을 먹었다. 우리는 뉴욕회관 앞에서 버스를 탔다.

나는 이제 내가 성장한 도시를 떠나는 것이다. 내가 실연의 한
때, 비애의 한때, 전투적인 격정의 한때를 보낸, 그 도시를 떠나
는 것이다.

우리는 동부 시외버스 터미널에서 내렸다.

어디로 갈 거야, 하고 박이 물었다.

글쎄, 어디로 갈까, 하고 내가 말했다.

너도 참, 그런 식으로 살면 정말 편하겠다, 하고 박이 말했다.

말만 편할 뿐이지, 하고 내가 말했다.

그래, 알아, 하고 박이 고개를 끄덕거렸다. 박은 구내 매점에

가서 캔맥주 두 개와 오징어 한 마리를 사왔다. 서로간에는 얼마인가의 침묵과 얼마인가의 의례적인 말들이 오고 갔다. 박이 차표를 끊어주었다. 나는 선 채로 캔맥주 한 개를 마셨다. 캔맥주를 마시고 정확히 5분 후 버스가 왔다.

참으로 오랜만에 이 도시를 떠나는구나. 군입대 때 떠나고 이번이 처음인 것 같은데, 하고 내가 말했다.

대전 교도소로 이감갈 때도 떠났잖아, 하고 박이 말했다.

그랬었나, 하며 나는 쓸쓸하게 웃었다. 먼저 들어가. 공장에 늦겠어, 하고 나는 박의 등을 떠밀었다.

괜찮아, 하고 박이 말했다.

「등을 보이고 싶지 않아서 그래」

「왜지?」

「강해 보이고 싶거든. 우린 강해야 하기 때문이지」

박은 알겠다는 듯이 짧게 웃고는 돌아섰다.

나는 직행버스에 올라탔다. 나는 차창 커튼을 치고 눈을 감았다.

그로부터 6개월 후, 라라가 죽었다. 만 22년 6개월.

그녀는 22년 6개월 동안 정들었던 지구를 떠났다.

이제는 어느 별에서 헤매고 있을지, 그것은 아무도 모른다. 안드로메다계가 아닌 다른 곳일 수도 있을 테지. 그러나…… 그건 아니었다.

라라는 자신의 죽음을 내 가슴속에 묻어둔 것이다. 보잘것없는 나의 별 속에.

나는 새벽 두 시 반에 일어나 후원에서 얼음을 깨어 세수를 한 후, 천수경을 읊으며 도량을 돌았다. 언제나의 반복된 생활.

정구업진언 수리 수리 마하 수리 수수리 사바하
　　　　　　수리 수리 마하 수리 수수리 사바하
오방내외 안위제신 진언 나무 사만다 못다남 옴 도로도로 지미
사바하……

차가운 새벽공기, 하얀 입김, 코끝에 매달리는 싸늘한 물방울
……목탁소리와 독경소리는 적요한 산의 어둠을 뒤흔들었다.
이윽고 대종이 울린다.
데에에에에…… 애…… 대종은 파르르 온몸을 떤다.
데에에에에…… 앵…… 대종은 온갖 중생의 무명을 일깨운다.
데에에에에…… 앵…… 대종은 온갖 중생을 제도한다.

문종성 번뇌단(聞鍾聲 煩惱斷)
지혜장 보리생(智慧藏 菩提生)
이지옥 출삼계(離地獄 出三界)
원성불 도중생(願成佛 度衆生)
파지옥진언(破地獄眞言) 옴가라지야 사바하

이윽고 법고와 목어와 운판이 운다. 새벽 예불을 알리는 쇳종이
온갖 중생의 고통을 저 혼자 앓듯이 몸을 떤다.

데 데 데 데 데 데 데 데 데 데 뎅……

새벽 예불 후 곧장 아침 공양 준비를 한다. 저녁에 삶아둔 시래
기는 언제나 꽁꽁 얼어 있었다. 나는 부지갱이로 공양간 땅바닥을
두드리며 경을 외웠다.

　　무상심심 미묘법(無上甚深 微妙法)
　　백천만겁 난조우(百千萬劫 難遭遇)
　　아금문견 득수지(我今聞見 得受持)
　　원해여래 진실의(願解如來 眞實義)

그렇게 시간은 갔다. 눈이 왔다. 몸서리치는 눈이었다. 눈은 쌓
이고 쌓여 헐벗은 잔나뭇가지를 뚝, 뚝, 부러뜨렸다.

아뿔싸, 호흡지간에 삶과 죽음이 뒤바뀌는 순간이었다. 눈은 쌓
이고 쌓여 산과 강, 논과 밭, 인간의 모든 흔적을 지워버렸다.

아침 공양을 마치면 넉가래와 싸리 빗자루를 들고 대웅전과 요사
채 앞, 경내를 돌며 간밤에 쌓인 눈을 치우는 것이다. 그렇게 시간
은 갔다.

적막강산, 산사의 밤은 하루 종일 눈을 치우다 보면 찾아오는 것
이다.

달빛을 받은 소나무 그림자가 창호지에 어른거리는 것을 보며,

나는 몸을 뒤척거렸다. 귀기울이면 눈 무너지는 소리가 짐승의 울음 소리마냥 크르릉거리며 온 산자락을 누비고 다녔다. 자하골에서 눈사태가 일어나면 연하골에도 눈사태가 일어나는 것이다. 그것은 연하골에서 미담골, 미담골에서 용추골, 용추골에서 운부암, 눈사태는 마치 물결의 파문처럼 번지며 온 산을 뒤흔드는 것이다. 또한 먼 곳의 강으로부터 쩌엉──쩌엉── 얼음 갈라지는 소리가 가슴을 찢어놓곤 했다.

하아──나무 아미타아──부울── 나는 잠을 이루지 못하고 온몸을 뒤척거리며 뜬눈으로 밤을 새우곤 했다.

라라의 죽음, 천불능개 지불능개(天不能蓋 地不能蓋), 하늘이 덮지 못하고 땅이 덮지 못하는, 그런 슬픔인 것이다.

그렇게 겨울이 갔고 봄이 왔다. 봄을 밀어내고 여름이 들어서면 어느새 가을이 저쯤에서 기다리고 있었다. 가을, 나는 범어사 단일 계단에서 백여 명의 수행자들과 수계식을 가졌다.

불살생(不殺生)
불투도(不偸盜)
불사음(不邪淫)
불망어(不妄語)
불음주(不飮酒)

계사 스님이 한 대목씩 풀이하고 물을 때마다, 능지! 능지! 하고 능히 지킬 것을 맹세했다.

그리고 동안거, 나는 일의 일발, 옷 한 벌, 바루 하나를 걸망에 집어넣고 수행생활을 한 산문을 내려왔다. 내려오는 길에 몇 번이고 고개를 돌려 산사를 돌아보았다. 산에서는 산을 바라보는 것마저 죄업을 쌓는 일이다. 감히 눈 맑지 않은 자가 어찌 저 푸르도록 시린, 얼음조각을 깎아 세운 듯한 투명 속을 바라볼 수 있다는 말인가. 나는 산문을 나서며 곧장 의성 고운사로 향했다.

아무런 잡념 없이 무욕의 상태에서 결제 45일이 지났다.

동짓달 그믐이었다. 동지가 끝나고부터 해도 길어지고 날씨가 조금씩 풀렸다. 결제 때의 팽팽하던 화두의 고삐도 느슨해지고 산방생활에 여유가 돌았다. 아침 공양을 마치면 여러 수좌들은 무리지어 고운사 경내를 거닐거나 산을 오르내렸다. 그러나 나는 반결제날이 지나서도 무자 화두를 틀어쥐고 고뇌의 심연 속으로 깊이 빠져만 갔다.

「불교 활동을 제대로 하려면 엉덩이에 제대로 장판 때가 묻어야 한다. 현 불교의 관념성을 타파하기 위해서는 관념 속으로 뛰쳐 들어가야 한다」

스승의 말이었다. 나는 스승의 충고대로 무자 화두를 틀어쥐고 관념 속으로 뛰어들려고 애를 썼다. 그러나 나의 세계관을 철저하게 지배하는 유물론과 왜곡된 불교의 형해화된 선이라는 관념이 만나 무의미한 싸움을 계속하고 있는 자신을 발견하곤 했다. 해제를 일주일 앞두고 나는 코피를 흘렸다. 부질없는 관념과의 싸움이었다. 똥 오줌에도 피가 섞여 나왔다. 단식으로 남은 기간을 채웠다. 나는 몸이 가벼워졌다. 무라는 감각조차 느껴지지 않았다. 나는 환희심이 일어났다. 나는 의식을 통해서 유물론과 선이라는 관념이 만나 새로운 출구가 보이는 것을 보았다. 나는 학습으로만 접근하던 노동선이라는 나름대로의 실체를 그려볼 수 있었다. 마침내 나는 눈물을 주르르 흘렸다.

개에게도 불성이 있는가? 없다. 또한 없는 것도 없다. 모든 언어나 사물 속에는 대립적인, 길항관계적인 모순을 가지고 있다. 그들은 서로 싸운다. 없다는 말은 있음을 전제로 한다. 그러니 없으면서도 또한 없는 것도 아니다.

겨울 안거는 끝나고 해제날이 왔다. 선방 앞, 묵은 남새밭에는 눈이 무릎 높이만치 쌓여 있었다. 자고 일어나면 푸른 납자들은 하나 둘씩 서둘러 어디론가 떠났다. 같이 동안거 한철을 보낸 도반들은 말 한마디 없이 어디론가 슬그머니 사라지곤 했다. 아, 아, 말의 부질없음이여!

아침 공양을 들고 나면 몇 개인가의 바랑이 없어졌고, 점심 공양을 마치면 또다시 몇 개인가의 바랑이 슬그머니 사라졌다. 그것은 바람과도 같았다. 푸른 납자들은 눈 속에 깊은 발 빠트리며 떠났고, 눈은 다시 내려 발자국들을 지웠다. 오호! 삶의 참다운 모습이여!

생종하 처래　사향하처거(生從何處來 死向何處去)

살아 남은 자의 슬픔

생야일편부운기 사야일편부운멸 (生也一片浮雲起 死也一片浮雲滅)
부운자체본무실 생사거래역여연 (浮雲自體本無實 生死去來亦如然)

어디서 와서 어디로 가는가
태어남은 한 조각 구름이 일어남이고
죽음은 그 구름이 스러짐이네
뜬구름, 그것은 본래 없는 것이나
나고 죽음, 오고 감이 또한 이와 같아라.

나는 마지막 수좌가 떠날 때까지 선방에 틀어박혀 소식의 한시를
읽었다. 소식의 시에는 존재에 대한 깊이 있는 통찰과 물음이 있었
다. 존재는 무엇이고, 어떤 의의가 있으며, 그것의 초월은 과연
가능한가. 소식의 시는 장이며 선이었다. 대립을 타파하고 물아를
비게 하며 주와 객, 삶과 죽음의 분리를 없애는 시였다.

인생도처지하사 (人生到處知何似)
응사비홍답설니 (應似飛鴻踏雪泥)
니상우연유지조 (泥上偶然留指爪)
홍비나부계동서 (鴻飛那復計東西)……

인생이 이르는 곳, 무엇과 같은지 알겠는가
마치 날아가는 기러기가 눈 녹은 진창을 밟은 듯하다

진흙 위에 우연히 발자국이 남았으니
기러기 어디로 날아갈지 어찌 다시 헤아리리……

출가 남자들은 서로에게 잘 있으라는 말 한마디 없이 어디론가
처처로 떠났다. 그것뿐이었다. 눈은 다시 내렸고, 바람은 눈을 몰
고 산의 등골을 때렸다. 나는 마지막까지 남아 있던 수좌가 떠나는
것을 보고 걸망을 챙겼다. 적막에 휩싸인 의성 고운사를 뒤로 하고
산문을 내려 왔다. 한 고개를 꺾을 때마다 뒤를 돌아보았다. 고운
사는 돌부처처럼 무거운 침묵에 휩싸인 채, 퍼붓는 눈발에 묻혀 가
고 있었다.

사라지는 것들의 아름다움, 혹은 소멸의 쓸쓸함…… 어느 것이
어도 좋다. 존재자의 삼생…… 참으로 적막한 것이다.

나는 비로소 액티브한 어떤 승려 시인이 쓴 시를 이해할 것 같았
다. 나는 누가 무슨 말을 한다 해도 그 시는 존재론적인 시일 수밖
에 없다고 생각했다.

……푸른 산 빛을 깨치고 단풍나무 숲을 향하여 난 적은 길을
걸어서, 참어 떨치고 갔습니다……

*   *   *

다시, 라라 이야기다. 모든 기억은 알콜병 속에 표본된 생물처
럼 썩지 않는다.

눈을 감으면 그 생물은 언제나 살아서 움직인다. 나는 그 모든 기억을 언제나 몸속에 지닌 채 살아가는 것이다. 시간은 저쪽으로 사라져 가도 라라는 사라지지 않는다.

옥포에 가면 용련사라는 절이 있다. 절은 울울창창한 송림에 둘러싸여 있다. 동쪽에 적멸보궁이 있고 적멸보궁에는 붓다의 진신 사리가 모셔져 있다. 적멸보궁의 추녀 밑에서 아래로 눈길을 돌리면 무섭도록 맑고 깊은 저수지가 있다. 십 척 안도 훤히 들여다보이는 푸른 물이다. 그 앞에 서면 숨이 턱, 막힐 정도로 저수지는 깊고 푸르다. 저수지는 적막하고…… 저수지를 둘러싸고 있는 소나무숲은 우우, 소리를 내면서 음산하게 운다.

그 저수지로 아무도 가지 않는다.

그 저수지에 가는 사람이 가끔씩은…… 있다. 그 사람은 반드시 죽는다.

많은 사람이 좁은 방죽을 따라 저수지로 들어갔다. 나온 사람은 아무도 없다.

솔바람 소리만 좌 아—— 불면서…… 그리고 조용하다.

어느 날, 그 저수지 방죽 위에 빈 소주병과 새우깡 한 봉지가 바람을 맞으며 처연하게 누워 있었다.

브레히트 시집 『살아 남은 자의 슬픔』, 요제프 브로드스키 시집 『소리 없는 노래』, 그리고 랜드로바 신발 한 짝과 핸드백 등이 발견되었다.

솔바람 소리만 좌 아—— 소름끼치게 울었다. 시퍼런 저수지의 잔물결이 살랑거리며 파문을 만든다.

……라라는 그 바람 속으로, 파문 속으로 사라졌다.

변한 것은 아무것도 없다.

해마다 6월 11일이 되면 나는 그 저수지를 찾는다.

소주 한 병과 새우깡 한 봉지.

*

「당신은 쉬운 시가 좋다고 하셨죠. 전 브레히트의 시가 너무 좋아요」 언젠가 라라의 말이었다.

〈살아 남은 자의 슬픔〉만이 남는다.

*

    오늘 밤, 나는 창문을 내다보며
    생각한다
    우리는 길을 잃고 어디를 방황했던가를
    우리는 너무나 먼 곳까지 와버렸다
    우리는 그토록 멀리 어디서부터 왔을까
    ………

        ——요제프 브로드스키의 「황야의 정거장」에서

  라라의 마지막 편지였다. 그때 나는 순천 송광사, 월출산 도갑사, 해남 대흥사 등을 야승처럼 떠돌고 있었다. 내가 광주 문빈정사에 돌아왔을 때, 라라의 편지는 『금강경오가해』 책 위에 놓여 있었다. 7월이었고 우체국 소인은 6월 11일 날짜가 찍혀 있었다.

그녀의 마지막 편지는 〈소리 없는 노래〉가 되었다.

존재한다는 것은 슬픈 사건이며, 사람들은 누구나 〈황야의 정거장〉에서 서성거린다.

*

노동을 사랑했고 노동자가 되었다. 시보다는 소설을 잘 썼고, 여자보다는 주체적인 인간이 되기를 원했다. 더할 것도 덜할 것도 없다.

죽음만이 항상, 의문으로 남는다.

*

그녀가 사랑했던 인물 ; 전태일 · 시몬느 베이유 · 자수리치 · 클라라 체트킨 · 버어지니아 울프 · 브론테 자매 · 마더 존스……

그녀가 경멸했던 인물 ; 로날드 레이건 · 조시 부시 · 헐리우드의 배우들 · 대중 가수 · 탤런트…… 어쩌면 자본주의 사회의 모든 인물을 거론해야 될지 모를 일이다. 그렇다면 지구는 혼란에 빠지고 만다.

어째서 이런 일이 일어났을까?

그녀가 살았던 시대, 존재를 묻었던 땅, 그 모두가 불행한 탓이다.

*

〈……나는 지금 불행하다……〉
그녀가 남긴 일기장 곳곳에서 발견된다.

*

라라가 살았을 때, 나의 내부에는 핵원자로 같은 것이 있어서 언제나 뜨거웠고, 모든 일에 열정적이었다. 일테면 나는 혁명적 낭만주의 정신을 가진 활동가가 되기를 꿈꾸었다.
라라가 죽고 나의 내부의 모든 코드와 회로에 일대 혼란이 일어났다. 갑자기 퓨즈가 뚝 끊어진 것이다.
일시에 건망증이 생활을 지배한다. 현실과 비현실의 구분이 전혀 서질 않는다. 환각상태 같은 것이다. 그러나…… 살아야 한다.

*   *   *

이것으로서 라라의 이야기는 미완성인 형태로 마무리하려 한다.
라라에 대한 나의 레퀴엠(진혼곡)은 끝났다.
마흔여섯에 자살한 나의 어머니, 스물셋의 푸른 나이에 삶을 마감한 나의 라라. 그리고 어느 날 헌책방에서 발견한 프랑스 여류작가 아니 에르노, 이 세 여인은 내 글쓰기의 기원인 것이다.
이 세 여인이 없었더라면 나는 결코 글 같은 것은 쓰지 않았을 것이다.

지금 나는 살아 있다. 라라는 죽었다. 그런데 도대체 무엇이 〈나의 살아 있음〉과 〈라라의 죽음〉을 증명할 수 있다는 말인가.

나는 나의 어머니가 죽었을 때, 눈물 한 방울 흘리지 않았다. 내가 뭐, 『이방인』의 뫼르소 같은 인물이어서 그런 것은 아니다. 눈물을 흘리지 않은 것은 단지 나의 형식이다. 라라가 죽었을 때도 나는 눈물 한 방울 흘리지 않았다.

새벽 두 시 반에 일어나 도량을 돌며 천수경을 독송했고, 대종과 법고와 목어와 운판을 치고, 꼬박꼬박 새벽 예불에 참석했다. 모든 것이 고요해지고, 모든 것이 사라지고, 모든 것이 소멸되는, 그런 적막 속에서 수행의 나날을 보냈다.

〈비구여, 절대 자유란 무엇인가?〉

그것은 욕심을 버리고, 미워함과 사랑함을 버리고, 어리석음과 안다는 분별력을 버리는 것이리라. 모든 탐욕이 멸한 상태, 이것이 절대 자유다. 생사에 물들지 않고 자유자재로 오고 감, 이것이 절대 자유일 것이다.

그렇다면 나는 절대 자유를 얻었는가? 내가 절대 자유를 얻었다면 과연 나는 무엇으로부터 자유로워졌는가. 절대 자유! 석가 세존이 얻은 절대 자유! 이것은 고통, 고뇌, 아픔을 함께함, 연대, 그리고 나눔, 그 모든 것의 다른 이름일 것이다. 그러므로 불교의 절대 자유는 계몽주의적인 자유와는 아무런 인연이 없는 것이다.

그래, 나는 자유롭다. 라라의 죽음을 내적으로만 끙끙 앓기 때문에, 진정 나는 자유로운 것이다. 그 끙끙 앓음을 이렇게 나 자신을 가장 혹사하는 방식으로, 나를 가혹하게 고문하는 최악의 형식으로 글을 쓰고 있으니, 진정…… 나는 자유로운 것이다.

나의 어머니, 나의 라라, 나는 그들에게 구속감을 느끼면서, 그 구속감은 내가 자유로워지는 길임을 확인하면서, 비로소 나는 내가 가고자 하는 길로 들어섰다.

길고 긴 어둠이었다.

이제 다시 새로운 어둠의 시작이다.

라라의 이야기를 거치지 않고선 나는 결코 디디의 세계로 진입할 수 없었다.

참으로 많은 시간이 걸렸다. 내가 무의미하게 부순 시간들, 담배와 커피, 마구 혹사한 나의 창자들, 이 엉터리 같은 글을 쓰는 동안 내 머릿속을 왔다갔다한 작가와 작품들, 그리고 팔힘을 키우기 위하여 매달렸던 경북대학교 도서관 앞의 철봉과 평행봉, 쓴 원고를 틈틈이 카피하러 갔던 계명대학교 앞의 〈우리복사집〉, 신간 서적을 보러 종종 들렀던 〈마가책방〉〈일청담〉〈남도책방〉, 새벽이라도 달려가 갈증을 풀었던 술집 〈곡주사〉〈감천식당〉 그리고 음악 감상실 〈녹향〉〈필하모니〉〈하이마트〉, 글이 되지 않는 날은 한밤중이건 새벽이건 무작정 걸어다녔던 신천교, 칠성시장, 대구역, 그리고 내 팔을 잡은 늙은 창녀들……

시민회관 앞, 인구표지판에는 43563261이라고 찍혀 있었다. 며칠 지난 후에는 43601725라고 찍혀 있었다. 그 사이 얼마가 사라지고 또 누구인가 빈자리를 채웠다.

이 글을 쓰면서 보잘것없는 두 편의 단편을 뽑고, 다시 세 편의 단편을 미완성인 채로 덮어놓았다. 신경안정제를 먹었고, 근 두 달을 팬티 세 장으로 버티었다. 비위생적인 나의 육체에서 맑고 깨끗한 언어를 뽑아놓고야 말겠다는 내 애초의 계획은, 이미 포기했다.

언어란 세계로 점점 깊이 들어갈수록, 나는 마치 무변무량의 새까만 우주 속을 헤매는 듯하다. 좌표 없는 나날들이다. 지금 우리는 어디로 가고 있는가.

박종철, 이한열, 이철규, 강경대, 박승희, 김영균, 천세용, 박창수 위원장, 김기설, 윤용하, 고등학생 김철수, 김귀정, 손석용 ·······.

실로 많은 사람이 죽고 많은 사람이 거리로 뛰쳐나가 그 죽음을 알렸다. 그리고 아무런 일도 일어나지 않았다. 아스팔트 위에는 선전 삐라만 분분히 날리고 있었다.

다음날 아침, 그 아스팔트 위로 자동차들이 클랙슨을 울리며 질주했다. 사람들은 코를 막거나 재채기를 하며 바삐 오갔다. 그냥 그뿐이었다.

불감의 나날, 무감의 나날들.

라라의 죽음. 학생 운동을 정리하고 노동 현장으로 뛰어들어갔다. 견결한 노동자가 되지 못했다. 그 시대 대부분이 그랬다. 누구나 자랑스러운 노동자가 되기를 원했다. 그러나 대부분은 노동

자가 되지 못했다. 라라는 문학을 택했다. 그러나 이 시대는 문학
의 날카로운 언어에도 귀를 기울이지 않는 불감의 시대라는 것을,
라라는 미리 알았던 것일까.

이 불감증의 시대에. 무감각, 무감동, 무지몽매, 무고하고 무뢰
한 이 무서운 시대에.

이제 우리는 어디로 갈 것인가?

또한 나는 어디로 갈 것인가?

어디로 달아날 것인가?

과연 출구는 있는가?

들어올 때 비상구를 미리 봐둘걸.

어쩌면 달아날 수 있는 출구가 보이는 듯도 하다. 마치 터널 속
에 들어온 것처럼 아주 아득한 곳에서, 칠흑의 어둠 가운데 조그만
빛이 보이는 듯도 하다.

....

디디다.

제 2 부
길의 노래

1990년 그해, 그 도시에는 아무나하고 자는 여자가 있었다.

1990년 그해, 그 도시에서 아무하고나 자는 여자는 한둘이 아니었을 것이다.

1990년 그해, 단지 내가 아는 여자로서 아무하고나 자는 여자는 단 한 명밖에 없었다. 그러므로 아무하고나 자는 여자에 대한 나의 이야기는 한결 쉬워진다. 그 여자에게는 점심시간이 되면 점심을 사주고, 저녁시간이 되면 저녁을 사주는 그런 남자들이 많았다. 저녁시간이 지나면 술을 사주는 남자도 나타날 수가 있다. 어쨌든 그 여자는 그날 자신이 만난 제일 마지막의 남자와 잠을 잔다. 그녀와 같이 잠을 잔 남자는 그녀와 같이 잠을 잤다는 이유 때문에, 그녀가 요구하는 생활비의 일부분을 충당해 주어야 한다. 그녀가 요구하는 생활비란 대단한 것이 아니다. 그녀가 원할 때, 밥을 사주고, 담배와 책을 사주고, 술을 사주면 되는 것이다. 나는 그녀의 서재를 본 적이 있다. 그녀가 소유한 책장은 600권 정도가 들어가는 보루네오 가구였다. 그녀에게는 그런 책장이 세 개나 있었다. 언젠가 나는 그녀에게 이렇게 물은 적이 있다.

「이게 모두 같이 잔 남자들이 사준 책이냐?」

「그런 셈이죠, 뭐」

그런 셈이죠, 뭐. 그녀의 대답은 간단했다. 세상에! 천팔백여명 남자와 잤을 리는 없을 것이고. 대단한 여자다.

그녀는 파트너에게 턱없는 요구는 절대로 하지 않는다. 그녀는 한없이 다정하고 친절하고 뒷맛이 개운하고 깨끗하다. 너절하지 않고, 지저분하지 않고, 불쾌하지 않고, 이기적이지 않다. 그것은 그녀와 자보면 안다. 아니 그녀와 이야기를 나누고, 같이 식사를 해보고, 같이 산책을 해보면, 그녀가 육체적으로나 정신적으로나 얼마나 세련된 여자인지를 안다. 그녀는 파트너가 가진 모든 것을 즐긴다. 그녀의 파트너도 그것을 즐긴다. 적어도 그녀는 돈 쓰는 재미를 안다고나 할까.

「돈요? 돈에 대한 관점을 묻는 거죠? 나는 돈에 인색한 남자는 싫어해요. 돈은 쓰라고 만든 거 아니에요? 돈은 끊임없이 돌게, 끊임없이 써야죠」

그녀의 이 말을 오해해서 들으면 안 된다. 그녀는 절대로 돈을 밝히는 여자가 아니기 때문이다.

「나는 사람을 평가할 때, 그가 돈에 대해서 어떤 관점을 가졌느냐를 보는 거죠」

「어떤 식의 관점?」

「그가 돈에 대해서 자본주의적인 관점을 가졌느냐, 아니면 사회
주의적인 관점을 가졌느냐, 하는 것」

그렇다. 그녀는 돈에 대해서 자본주의적인 관점을 가진 사람을
싫어한다. 경멸한다. 그녀는 돈의 노예이기를 거부하고, 돈의 노
예를 싫어한다.

나는 조금 전에 그녀를 아무하고나 자는 여자라고 말했는데, 그
것은 상당한 과장을 보탠 것이다. 그녀에게는 그녀 나름대로의 규
범이 있다. 그녀는 생존을 위하여 거리로 내몰린 창녀가 아니기 때
문이다.

언젠가 그녀에게서 들은 적이 있다.

「글쎄, 그 자식이 나하고 실컷 그것을 잘하고 나서는 날더러 창
녀라 그러잖아요」

「그래서?」

「그래서 그랬죠. 이 개자식아, 나는 너한테 돈을 받고 자지는 않
았어. 네가 나를 창녀로 생각한 이상 나는 너한테 돈을 받아야 되
겠어, 하고 말했죠」

나는 고개를 끄덕거렸다.

「그래서 돈은 받았어?」

「당연히」

「왜지?」

「그 자식은 개니까」

그녀에게 접근하는 대부분의 남자는 그녀를 진정으로 사랑하고

싫어한다. 왜냐하면 그녀는 대단히 매력이 있기 때문이다. 원래 자연의 악조건과 싸우며 들판에서 사냥을 하던 아담의 후예들이란, 때로는 고삐풀린 망아지처럼 뛰노는 여자에게서, 왠지 모를 향수 같은 걸 느끼기 때문이다. 그래서 그녀에게 진지하게 접근한 남자들은 비애감과 배신감을 느끼며 현실에 눈을 뜬다.

「남자를 그런 식으로 차버리다니 너무하지 않아?」

「아뇨, 철없는 사내들에게 인생이 뭔지를 가르쳐주고 사랑에 눈 뜨게 해주잖아요」

「당신 세계관이 의심스럽군」

「제 세계관요? 제 세계관이 어때서요? 제 성관념이 문란하다고 생각하세요? 문란한 것과 자유로운 것은 구별되어야 하잖아요? 자기 성을 자기 자유의사로 행사하는 것과 성을 충동적인 놀이로 생각하는 것과는 구분되어야 되잖아요? 단지 나는 내 육체와 내 정신의 주인으로서, 내 자유의사대로 행사하는 거예요. 내 시스템이 기존 가치질서에 꼭 들어맞아야 될 필요는 없잖아요. 성생활의 이니셔티브를 꼭히 남자가 쥐어야 한다는 법은 없잖아요?」

「그 말, 정말 우아하군」

「우아? 우아하다구요? 그 말 정말 멋져요」

언젠가 나는 그녀와 이런 식의 말을 나누었다. 그녀는 나에게 자신을 공공연하게 쿨섹스주의자라고 이야기했다. 섹스는 부끄럽거나 수치스러운 것이 아닌 냉정한 것이며, 일상생활의 한 부분으로 일반화시켜 받아들여야 한다는 것이었다. 번식만이 성의 목적이 아니라, 쾌락과 커뮤니케이션이 성의 중심이 되어야 한다는 것이다.

어쨌던 분명한 사실은 그녀와 관계를 가진다는 것이 어렵지 않다는 것이다.

백 원을 넣고 자판기를 누르면 커피가 조르르륵 나온다. 불량주화를 넣으면 나오지 않는다. 이런 이치와 똑같다. 자판기의 시스템을 갖춘, 그런 여자다.

그녀와 자기를 원하는 남자는 그녀를 찾아가서 자신의 모든 지식과 경험을 그녀 앞에서 쉴 새 없이 털어놓으면 된다. 그녀는 이야기를 좋아하는 여자다. 그녀 또한, 누군가에게 쉴 새 없이 지껄이는 것을 좋아하는 여자다.

그녀는 한번 이야기 보따리를 풀어놓으면, 끊임없이, 숨 쉴 틈 없이 말을 한다. 이 주제에서 저 주제로, 이 인물에서 저 인물로, 이 책에서 저 책으로, 밑도 끝도 없이 숨가쁘게 이야기들을 마구 쏟아놓는다.

듣고 싶은 욕망, 말하고 싶은 욕망, 타인에게 자신을 알리고 싶은 욕망, 벗고 싶은 욕망, 그런 것들 때문에 존재하는 것 같은, 그런 여자다.

그녀에게 접근하는 남자는 특별한 재능이 없어도, 지극히 희소가치가 있는 경험이나 지식을 가지고 있으면 된다.

키가 작은 파트너, 키가 큰 파트너, 머리가 좋은 파트너, 머리가 나쁜 파트너, 그런 것은 그녀에게 아무런 상관이 없다. 단, 그녀는 뚱뚱한 파트너는 질색이다. 나로서는 그 이유를 알 수가 없

다. 어쩌면 그것은 그녀의 한시적인, 장난스러운 취미인지도 모른
다. 그녀에게는 실제 그런 적이 있었다.

이런 이야기를 그녀로부터 들은 적이 있다.

봄에는 이씨 성을 가진 남자와만 잤고, 여름에는 박씨 성을 가진
남자와만 잤고, 가을에는 끝자가 〈수〉자로 끝나는 남자와만 잤다
고 했다.

아마, 우연의 일치겠지.

지금 나는 조금 전에도 이야기했지만 그녀로부터 들은 실제상황
이야기를 해볼까 한다. 이런 이야기다.

서양화를 전공하는 그녀의 파트너가 아침에 일어나더니 갑자기
그녀의 처녀에 대해서 추궁하더라는 것이다.

「난 네게 실망이 크다. 너만은 그렇지 않으리라고 생각했었는데
……」

「그게 무슨 말이지?」

「넌 처녀가 아니잖아」

이 대목에서 그녀는 남자의 그런 말을 듣고 까르르륵, 웃었다고
했다.

「그래서?」

「그래서라니? 처녀도 아닌 주제에, 넌 부끄럽지도 않아?」

이 말을 듣고 그녀는 실실 웃으며 일단, 담배 한 가치를 피워 물
고는 말했다.

「유치한 자식, 넌 공정한 게임을 할 줄 모르는 비겁한 놈이야.

이 세상은 너 같은 새끼들 때문에, 너같이 페어 플레이 정신이 없
는 놈들 때문에 남북통일이 안 된다, 응. 너는 총각이야? 정신차
려라. 이 쓰레기보다 못한 놈아!」

　사태가 이쯤 되면 남자 쪽에서도 가만히 듣고 있지 않는다.

　그녀의 말에 의하면 처녀성을 고집하는 남자들일수록 폭력을 잘
행사한다는 것이다. 객관적인 입장에서 봐도 치사한 일이 아닐 수
없다. 어쨌든, 그녀의 말이 끝나자마자 서양화를 전공한다는 그
남자는 그녀에게 뺨을 거칠게 올려붙였다. 그녀로서는 여자로 태
어난 것도 억울한데, 죄도 없이 뺨까지 맞았으니 분통터지는 일이
었다.

「이, 개—새—끼이—」

　마치 필름을 천천히 돌리는 영화 장면처럼, 그녀는 슬로우 슬로
우 모션으로 일어나서 옆에 나뒹구는 맥주병을 들었다. 그러자 남
자가 재빠르게 그녀의 손에서 맥주병을 빼앗고, 그 남자는 다시 그
녀의 하복부와 얼굴을 구타했다. 그녀는 맞고만 있을 이유가 전혀
없었으므로, 여관방이 찢어지도록 소리를 지르고, 창문으로 뛰어
내리려는 연극을 하기도 하고, 그녀 핸드백에 있는 손톱 소제용 나
이프로 필사적인 저항을 했다.

　이쯤 되면 여관 주인이 달려오고, 여관 주인은 경찰을 부르고,
그 남자는 그녀에게 질려버리는 것이다.

　사태는 이런 식으로 해결된다. 이런 파트너와는 다시는 잠자리
를 하지 않는다. 그런 여자다.

「부끄러움을 모르는 인간들이란 역겨워요. 특히 딸에게 순결을 강조하는 어머니들이란 진절머리나」

그녀의 말이다.

그녀는 폭력을 쓰는 남자에 대해서 연구를 해보았다고 한다. 「뭐, 연구라고 할 것까지는 없지만」 이 말은 그녀가 단 전제인데, 이런 것이다.

플레이 보이들일수록 여자의 육체에 대한 소유욕이 강하며, 그것은 거의 동물적인 본능과 하등 다를 바 없고, 또한 처녀성——그녀는 〈질막〉이라는 표현을 썼지만——에 대한 욕망이 강하다는 것이다. 반면에 지적인 파트너들은 친절하고, 아량이 넓으며, 인내심이 강하고, 정신적인 심퍼시, 공감대를 느낀다고 했다. 또한 놀라운 것은 그들은 성을 진정으로 즐길 줄 알았고, 관계하는 시간이 오래가며 친절하더라는 것이다. 그녀의 결론적인 말은 이런 것이었다.

「성욕과 지식에 대한 욕망은 별개가 아닌 것 같더라구요. 모르긴 모르되 마르크스나 레닌, 모택동, 카스트로, 호지명, 롤랑 바르트, 사르트르, 미셸 푸코, 이런 사람들은 성욕이 상당히 강할 거라는 생각이 들더라구요. 이런 얘기도 있잖아요. 지적으로 뛰어난 사람, 상상력과 창의력이 뛰어난 사람들일수록 베리에이션(변태)을 좋아한다 그러잖아요. 변태란 없는 거죠. 그런 독창적인 섹스 행위를 변태라고 한다면, 변태야말로 진정한 섹스죠」

그런데, 그럼에도 불구하고, 지적인 파트너들일수록 그녀로 인해서 상처를 크게 입는다는 것이다. 그래서 그녀의 말은 이렇다.

「당연하죠. 생각이 깊은 만큼 고통이 클 게 아니겠어요. 그러니 지식이란 사람들에게 참으로 많은 고통을 주는 것 같아. 한없이 비탄에 젖게 하고, 상실감을 느끼게 하고, 자신을 초라하게 하고 …… 오, 저주받을 지식!」

그녀는 〈오, 저주받을 지식〉, 이런 투의 변사조의 말을 자주 쓴다.

시 같은 것을 워낙 좋아해서 그런 모양인데, 밥을 먹다가도 가끔씩, 섹스를 하다가도 가끔씩, 무엇을 하든 감정이 고조되고 흥분되면, 활동사진의 입을 맞추는 변사가 되는 것이다.

그녀는 남자들 위에 올라가서 한껏 엑스터시를 느낄 때쯤이면, 〈런던 브릿지가 무너진다. 런던 브릿지가 무너진다. 무너진다. 무너진다. 아, 아, 아…… 런던, 런던……〉 하는 것이다.

그 순간 엘리어트의 시가 왜 나와야 하는지 나는 알 수 없다.

이런 여자가 많지는 않다. 그 도시에서 교육대학교를 제외하고는 유일한 국립대학교에서, 이런 여자는 유일한 여자일지도 모른다. 아니, 이 지구상에서 섹스를 하면서 담배를 피우거나, 껌을 씹거나, 신문을 보는 여자는 있어도, 시를 읊는 여자는 아무도 없을 것이다. 그런데 이 지구상에서 섹스를 하면서 시를 읊는 여자가 있다. 그것도 유일하게. 단 한 명.

그녀의 이름은, 디디다.

나는 디디에 대한 이야기를 좀더 해야겠다.

조금의 과장을 보탠다면, 그녀에게 점심과 저녁을 사주는 파트너는 날마다 바뀌는 셈인데, 그녀는 주위 친구들로부터 전혀 비난을 받지 않는다. 그녀는 주위의 친구들로부터 헤픈 년이라느니, 바람둥이라느니, 화냥기가 있다느니 하는 식의 비난이나 시기, 질투 같은 것은 그녀가 4년 동안 학부생활을 해오면서, 단 한 번도 받지 않았다는 것이다. 그 이유가 그리 대단한 것은 아니다.

그녀는 강의를 제외하고는 대부분의 시간을 학교 도서관에서 보낸다. 원래 사람이란 제 얼굴값은 하고 사는 법이어서, 도서관에서 밤 늦도록 책을 펴놓고 공부하는 미녀들이란 잘 없는 것이다. 제딴에 잘난 여자들이란, 그 시간에 레스토랑 같은 데 앉아서 분위기를 잡아 가며, 남자 앞에서 포도주나 홀짝거리고, 고기나 썰면서, 그것도 반 정도는 남기고, 어떤 식으로든 내숭을 떨고 있는 것이다. 그런데 디디는, 그 학교에서 가장 눈에 띄는 미인임에도 불구하고, 한쪽 구석에 처박혀 앉아서, 밤 열한 시가 되어 도서관 문을 닫을 때까지, 책을 잡고 있는 것이다.

그런데도 남자가 접근하면 마다하지 않는다. 막말로 하면 도서관에서 공부하는 학생들은 모두 그녀에게 눈독을 들이고 있는 것이다.

어쨌든 그녀는 도서관에서 공부를 열심히 한다. 그리고 그녀가 주위 친구들로부터 비난을 받지 않는 이유는, 그녀는 인간성이 좋다는 것이다.

그녀는 남자들에게든, 여자들에게든, 선배든, 후배든, 누구에게나 친절하고 세심하다. 남자친구에게는 누나처럼 푸근하게 대하고, 여자 친구에게는 언니처럼 다정하게 대한다. 그녀의 말에 의하면 이렇다.

「우리과 남자애들은 너무 어려요. 그건 여자애들도 마찬가지고. 애들 앞에서 도대체 무슨 말을 못해. 성에 대한 이야기를 하면 여자애들은 내숭이나 떨고, 남자애들은 마치 대단한 것처럼 떠벌리고. 일상적이고 자연스러운 것들을, 왜 부끄러워하고 터부시하는가 알 수가 없어. 아마, 문화 수준이 천박해서일 테죠. 그러니까 섹스에 대한 이야기에 지성이라곤 찾아볼 수가 없고 음담패설로 흐르지. 이 나라에선 예술이 외설이 되고, 질 좋은 영화 작품을 무지한 관리들은 가위질이나 하고. 모두가 천박하고 유치해. 어떤 식으로든 성은 해방되어야 한다고 생각하지 않으세요? 성 관념에 대한 해방 없이 무슨 인간 해방이냐구요」

디디, 그녀는 심지어 자신이 속한 고고인류학과에서 존경받기까지 한다.

단과대 체육대회에서 그녀가 과 대표로 출전하면, 고고인류학과는 무슨 경기에서든 이기는 것이다. 배구든, 육상이든, 탁구든, 소프트 볼이든, 그녀는 운동에 만능이다. 어린 시절, 그녀는 육상 선수와 핸드볼 선수를 했다.

그녀의 체형에 대해선 이야기하지 않겠다.

있는 것은 있고 없는 것은 없다. 갖추어야 할 것은 다 갖추었고, 불필요한 것들이란 완전하게 없다. 그녀의 몸매는 마더릿이 아니고, 팬테스틱이다. 완벽하다.

그녀는 2학년 여름방학 때, D백화점에서 모델을 했다. 나는 그녀가 모델이 되어 찍은 사진을 본 적이 있다.

비키니 수영복을 입고 찍은 사진 한 장, 한복을 입고 찍은 사진 한 장, 〈허리는 날씬하게〉 〈히프는 탄력 있게〉라는 커머셜 문구가 있는 D백화점 자체 브랜드의 에스라인 거들을 입고 찍은 사진 몇 장, 첨단 신소재로 만들었다는 라피아 슬립을 은은하게 입고 침대 위에서 모로 누워 뇌쇄적으로 웃는 사진 한 장, 카피 문구는 〈움직일 때 느껴지는 이 차이──정전기가 없어 매끄럽게 흘러내려요〉였다.

과연 누군가의 손이 닿으면 매끄럽게 흘러내릴 듯한, 그런 몸매다. 그러나 그런 이유 때문에 그녀가 주위 친구들로부터 존경받는 것은 결코 아니다.

좀전에도 이야기했듯이 그녀는 강의를 듣거나 남자와 잠을 자거나 하는 시간 외에는, 모든 시간을 도서관에서 보낸다. 거기서 그녀는 케르너의 『위대한 음악가의 죽음』을 읽고 살바도르 달리나 뭉크, 마그리트의 그림을 본다. 『맨발의 이사도라』를 읽고 『카프카의 연인, 밀레나』를 읽는다. 리히트 하임의 『사회주의 운동사』를 읽고 마크 게인의 『해방과 미군정』을 읽는다. 그리고 앙리 페이르의 『저주받은 시인들, 랭보, 베를레느 평전』을 읽고 『화하 미학』을 읽는다. 『라신느 비극연구』를 읽고 『해방 전후사 1. 2. 3. 4』를 읽는다.

그녀가 어떤 책을 읽는가 하는 식의, 이런 언급은 그녀를 이해하는 데 조금도 도움이 되지 못한다. 차라리 어떤 범위를 설정하여 여기에서 여기까지 두루 섭렵한다, 하는 식의 이야기가 그녀를 설명하는 데 훨씬 효과적일 것이다.

일테면 이런 이야기다.

그녀는 키취 문화에서 고급 문화, 민중 문화에 이르기까지 차별을 두지 않는다. 그녀는 딥 퍼플의 〈차일드 인 타임〉을 듣는가 하면, 고 김기수 선생의 〈영산회상〉을 듣기도 한다. 오마르 카이얌의 「루바이야트」를 외우는가 하면, 조기천의 「백두산」의 몇몇 구절을 외우기도 한다. 그녀의 특별한 재능은 그렇게 외운 시들을 일상 생활에 써먹는다는 데 있다. 그녀는 아침에 일어나서 발가벗은 몸으로 창가로 걸어가서 커튼을 걷으며 이렇게 노래한다.

> 그대 잠을 깨라, 먼동이 트자 태양은
> 밤의 들판에서 별들을 흩날린 후
> 밤마저 하늘에서 깨끗이 몰아내고
> 이제 술탄의 성탑에 햇살을 비춘다
> ······
> 사원의 예배 준비가 끝났거늘
> 어찌하여 그대는 졸고만 있는가
> 꼬끼오, 닭이 울자
> 주막 앞에서 사람들이 외치네
> 그러니 그대, 눈을 떠라
> 우리들이 머무른 시간은 짧디짧고

한 번 떠나면 돌아오지 못하는 길
……

그리고 그녀가 술을 마실 땐 잔을 높이 들며 이렇게 노래한다.

나, 물처럼 왔다가 바람처럼 가노라
어찌하여 태어났나 어디서 왔나
세상에 나타난 인생, 물처럼 절로 흐른다
사막의 바람처럼 세상을 하직하고
어디론지 속절없이 가고만 있네
어디서 왔는가 어디로 가는가?
부질없는 물음인데 해답이 있을 건가
한 잔, 한 잔, 또 한 잔
기울이자 금단의 술
덧없는 인생을 잊게 해주리
……다윗의 입술 닫혀 있으나
쩽쩽 울리는 팔래비어의 노래,
포도주를, 포도주를, 붉은 포도주를 다오

아마 그녀의 머릿속에는 오마르 카이얌의 시가 모두 들어 있는
듯했다. 그녀는 시의 행을 바꾸거나 단어를 넣었다 뺐다 하면서 자
유자재로 읊었다. 철학에 대해서 말한다면, 고대 이오니아 자연학

과 피타고라스 신비주의에서 독일의 현대 철학, 영미 분석철학,
프랑스 철학의 모든 것이 머릿속에 내장되어 있는, 그런 여자다.
그녀는 남자를 만나는 데 있어서 최우선으로 생각하는 것은 커뮤니
케이션이다. 그녀와 커뮤니케이션이 성립되면 일단, 그녀와 사랑
을 나누는 데 크게 염려하지 않아도 된다.

「커뮤니케이션요? 중요하잖아요. 의사소통도 되지 않는데 어떻
게 육체를 나눈다는 거예요」

그녀의 말에 의하면 그녀를 만나는 데 있어서는 의식이 가장 중
요한 것 같다. 그러므로 그녀는 결단코 헤픈 여자가 아닌, 성에 있
어서 그녀 나름대로의 캐넌(규범)을 가진 여자다. 언젠가 나는 그
녀에게 비즈니스의 원칙 같은 것을 물어본 적이 있다.

「내 비즈니스의 원칙요? 나는요, 일단 편견과 독선을 가진 사람
은 내 비즈니스의 파트너로서 제외하고 있어요. 나는 계급지상주
의자도 싫어하지만 세계관 없는 자유주의자도 싫어해요. 가장 기
본적으로 사람은 자기와 세계와의 관계를 인식하는 능력은 있어야
할 거 아니에요. 세계관도 없는 정신적인 미숙아들하고 기나긴 밤
을 보낼 순 없잖아요. 그런 애들은 피곤해요」

「그렇다면 파트너의 대상이 지극히 한정되잖아?」

「당신이 생각하는 것만큼 세상 사람들이 멍청하지 않아요. 사람
들은 자기 나름대로는 다 세계관이 있고 똑똑하죠」

「그 다양한 세계관을 가진 사람들 중에서 파트너를 선택한다는
것은 쉬운 일이 아니겠군」

「마이 패이브릿 비즈니스! 그런 노우 하우까지 내가 당신에게
가르쳐줄 필요는 없잖아요」

어쨌든 그녀에게 중요한 사실은 의사소통이 우선이고, 그 다음
으로는 상대방이 얼마나 참신한 지식과 정보를 가지고 와서 그녀
앞에서 늘어놓느냐에 달려 있다. 미리 여기에서 분명히 하고 넘어
가고 싶은 사항이 있다.

경비에 관계되는 문제인데, 그녀에게 접근하는 데 돈에 대해서
신경 쓸 필요는 전혀 없다는 것이다. 돈이라면 그녀에게도 얼마든
지 있다. 그녀에게 접근하는 데는 학교 도서관 지하 식당에서 파는
200원짜리 우동 하나면 충분히 족하다.

돈 문제는 본질이 아니라 부차적인 것이다.

「다시 하는 이야기지만 돈에 걸신들린 사내들, 나는 경멸한다구
요. 돈 때문에 움츠러들고, 돈 때문에 허세부리고, 돈 때문에 지
식을 팔고, 돈 때문에 허리를 굽신거리는 인간들이란, 세상을 더
럽게만 할 뿐이에요」

「그건 자본주의의 불가피한 산물이잖아」

「불가피한 산물? 그렇죠, 자주성이 없는 불가피한 산물이죠.
그러니까 그런 인간들은 인간이 아니죠」

이제 나는 그해, 내가 만난 디디의 이야기를 본격적으로 해야 할
것 같다.

1990년, 여름

디디의 이야기다.

*   *   *

　나는 그녀가 어떤 경로를 통해서 싸구려 여인숙으로 흘러들어왔
는지는 모른다. 내가 달세 6만 원에 방을 얻은 여인숙은 이미, 여
인숙의 기능을 상실한, 인근 일용 노동자들에게 달세를 주는 집으
로 기능이 변한 곳이었다. 여인숙이라는 붉은 글씨의 아크릴 간판
도 허옇게 색이 바랜, 방이 20개나 되는 집이었다. 그 집에는 대
부분 일용 노동자, 집도 절도 없는 행상객들, 삼류 룸살롱에 나가
는 술집 여자 몇 명, 칠성천변 봉제 공장에 나가는 여공 몇 명, 그
리고 나, 그렇게 방들을 차지하고 살았다. 칠성천변에서 가파른
꼭대기를 오르다 보면 중턱에 그 여인숙이 있다. 비가 오면 빗물이
뚜덕, 뚜덕, 천장으로부터 떨어지고, 바람이 불면 플라스틱 서까
래가 요란스럽게 두들겨대는 집이었다.
　여름이었다. 비가 왔다. 나는 도서관에 가서 7월 3일자《마이니
찌 신문》을 복사해 와서 읽고 있었다. 7월 3일자《마이니찌 신문》
에는 제28차 소련 공산당 대회에서 고르비가 행한 기조 보고 요지
가 게재되어 있었다. 고르비는 기조 연설에서 당 관료주의와 페레
스트로이카를 반대하는 당내 세력과 힘을 다해 싸우겠다는 뜻을 비
쳤다. 그는 농업 문제와 민족 문제, 그리고 외교군사 문제와 당의
역할과 조직에 대해서 언급했다. 그는 공산당에 대한 원칙적인 문
제에선 조금도 양보하지 않았다. 러시아 공화국의 공산당원의 의
사는 소련 공산당의 강화에 협력하는 것이 되어야 한다고 주장했

다. 어느 누구도 당이 와해되기를 바라지 않는다고 천명했다. 그러나 고르비가 언급하는 경제 문제에 있어서 소련은 심각하게 흔들리고 있었다. 물론 고르비가 고수하고자 한 공산당은 28차 소련 공산당 대회가 있고 나서 얼마 지나지 않아 와해되었다.

나는 내가 가진 어떤 이데올로기적인 신념이 흔들리지 않기 위하여 외부에서 흘러나오는 문건에서라도 〈나는 잘못된 길을 가고 있는 것이 아니다〉는 것을 확인하고 싶었다. 그러나 나는 그 복사물을 다 읽고 나서 여전히 나는 나 자신에게마저 해독적인 행위를 하고 있다는 것을 발견했다. 슬픈 현실인 것이다. 자신의 신념을 믿지 않고, 자신이 혁명적으로 변화되지 않고. 도대체 무엇을 믿고, 무엇에 의지하겠다는 말인가.

나는 방문을 열었다. 여름이었지만 일주일 내내 비가 내린 관계로 싸늘한 바람이 방안으로 들어왔다. 나는 가슴이 답답했다. 나는 비라도 맞으며 아무 곳이나 걷고 싶었다. 나는 검정고무신을 질질 끌고 밖으로 나왔다.

비를 맞으면서 칠성천변까지 걸어 내려갔다.

신천의 물이 불어 있었다. 새까만 흙탕물이었다. 비닐봉지나 깡통, 카톤 팩 같은 것들이 둥둥 떠내려왔다. 어느새 내 팔에서는 닭살이 솟았다. 나는 한기를 느꼈다.

나는 제2신천교까지 올라갔다. 건너편에 있는 칠성시장이 한눈에 들어왔다. 거기서 나는 왔던 길을 다시 되짚어 내려갔다. 가는 길에 경부선이 통과하는 철둑 근처에서 여자를 만났다. 여자는 우산을 접은 채, 망연히 신천의 똥물을 내려다보고 있었다. 나는 여자 옆으로 지나갔다.

여자가 고개를 돌렸다.

여자가 안녕하세요, 하고 말했다.

나는 고개를 돌렸다. 여자의 머리는 비에 촉촉히 젖어 있었다. 나는 여자에게 가벼운 목례를 했다.

왜 우산을 받치지 않으세요, 하고 나는 여자에게 물었다.

여자는 그저요, 하면서 슬핏, 웃었다. 참 지루한 비군요, 하고 여자가 말했다.

네에—— 하고 나는 담배를 입에 물었다. 나는 주머니에서 성냥을 꺼냈다.

담배에 불을 붙이려고 몇 번인가 성냥을 그었으나 불이 붙질 않았다.

여자가 자신의 주머니에서 라이터를 꺼내주었다. 여자는 다시 고개를 돌려 신천의 똥물을 내려다보았다. 나는 담배에 불을 붙이고 라이터를 여자에게 돌려주었다.

담배 한 대 주시겠어요, 하고 여자가 말했다.

나는 담배 한 개비를 꺼내어 여자에게 건네주었다.

여자는 담배를 입에 물고 익숙하게 라이터를 켰다. 여자는 담배 연기를 깊숙이 들여마셨다가 가늘고 길게, 천천히 내뱉었다. 아름다웠다.

빗방울이 담뱃불에 간간이 떨어져 피식, 피식, 소리를 내며 수
증기가 되어 눅눅한 공기 속으로 흩어졌다. 담배는 맛있었다. 홀
로 된 싸늘한 밤에 시간을 침전시키듯 마시는 커피맛 같다고나 할
까, 비유가 잘못되었더라도 어쨌든, 맛있는 담배였다.
　여자는 고개를 들어 하늘을 올려다보았다. 빗방울이 여자의 얼
굴에 떨어졌다.
　여자가 말했다. 춤 좋아하세요?
　나는 고무신으로 길바닥의 돌을 문지르면서 여자의 얼굴을 바라
보았다.
　여자는 손을 내밀어 이게 비죠? 하고 말했다.
　여자의 손바닥에는 빗방울이 떨어졌다.
　네, 비로군요, 하고 내가 말했다.
　여자는 피우던 담배를 땅바닥에 던졌다.
　저는 자연의 변화에 민감한 편이에요, 하고 여자가 말했다.
　나는 잠자코 있다가 이해할 수 있습니다, 하고 말했다.
　그녀는 내 쪽으로 고개를 돌렸다. 이목구비가 선명한 얼굴이었다.
　여자는 이해한다는 나의 말을 의심하는 듯한 눈빛을 던졌다.
　학생이세요? 하고 그녀는 나에게 물었다. 그녀는 나의 대답을
기다리지 않고 다시 말문을 열었다.
　바그너 음악이 가끔씩 흘러나오더군요.
　나는 여자에게 무언가를 말해 주고 싶었다. 그러나 나는 입을 열
지 않았다.

여자가 다시 입을 열었다. 전 스트리퍼예요, 하고 여자는 희미
하게 웃었다. 나는 감동 없는 얼굴로 그녀를 바라보았다.
　가끔씩 나는 누운 채 당신의 방 쪽으로 귀를 기울여보곤 하죠.
여러 가지 음악이 흘러나오더군요.
　나는 담배 꽁초를 비가 오는 천변으로 던졌다.
　여자가 입을 열었다.
　〈사랑의 죽음〉〈지크프리트의 목가〉〈탄호이저〉〈로엔그린〉〈트
리스탄과 이졸데〉〈제신의 영혼〉〈파르지팔〉〈발퀴레〉〈라인의 황
금〉 등등 바그너의 판은 다 가지고 계신 것 같더군요.
　우연하게 가지게 되었습니다, 하고 나는 여자에게 말해 주었다.
　여자는 내 얼굴을 찬찬히 들여다보았다. 나는 다시 입을 열었다.
　제게 후배가 있었습니다. 지금 제가 가지고 있는 판은 원래 그의
것이었습니다.
　그 후배는 아주 광적인 사람이었던 것 같군요, 하고 여자가 말했
다.
　나는 고개를 조금 끄덕거렸다.
　춥지 않으세요? 하고 여자가 물었다.
　네, 조금, 하고 내가 말했다.
　먼저 들어가세요, 하고 여자가 말했다.
　제가 방해가 된 거로군요? 하고 내가 물었다.
　여자가 머리를 가볍게 흔들었다.
　그런 건 아니에요.

여자는 손을 올려 촉촉히 젖은 자신의 머리카락을 매만졌다.

나는 여자와 가볍게 인사를 나누고 내 방으로 들어왔다.

나는 마른 수건으로 비에 젖은 머리카락과 얼굴을 닦았다. 나는 전기 주전자의 플러그를 콘센트에 꽂았다. 온몸이 떨렸다. 따뜻한 커피를 마셔야 할 것 같았다. 프리마는 바닥이 나 있었다. 프림을 사기 위해서 밖으로 나가기가 귀찮았다.

나는 쓴 커피를 마시기로 했다. 나는 이찌이 사부로의 『역사와 진보』를 펴고 몇 장을 넘겼다. 물이 끓었다. 나는 손잡이가 달린 비커를 방바닥에 내려놓았다. 거기다가 커피 두 스푼을 떠넣었다. 플러그를 뽑고 비커에 끓인 물을 부었다. 나는 뜨거운 커피를 입으로 훅 훅, 불며 마셨다. 식도로 뜨거운 커피가 흘러들어갔다. 나는 뜨거운 입김을 가늘게 뱉었다. 나는 일어나서 형광등을 껐다. 불을 끄자 날씨가 흐린 탓으로 방이 어두워졌다. 나는 나머지 커피를 다 마셨다. 요를 깔고 이불을 뒤집어썼다. 그렇게 얼마인가의 시간이 흘렀다. 가끔씩 선잠이 들기도 했다. 나는 다시 일어났다. 밤이었다. 방안은 캄캄했다. 비가 추적추적 계속해서 내리고 있었다. 서까래에 비가 떨어지는 소리 외에는 아무런 소리도 들리지 않았다. 나는 웅크린 채, 벽에 등을 기대고 오래도록 앉아 있었다. 나는 시계를 찾았다. 여덟 시였다. 나는 어둠 속에서 책상 앞으로 다가갔다. 손을 더듬어 스프링 노트와 만년필을 찾았다. 나는 문을 열고 밖으로 나갔다. 더 약해지지도 않고, 더 거세어지지도 않은 빗줄기였다. 검정고무신은 빗물로 질척거렸다. 나는 고무신을 끌고 좁은 골목으로 내려섰다. 나는 다시 천변으로 걸어갔다. 천변 건너편, 빌딩들에서 쏟아지는 불빛이 신천을 흐르는 똥물에 반사되고 있었다. 나는 철둑까지 걸어갔다.

나는 철둑 밑으로 들어가서 비를 피했다. 철둑 밑에는 콘크리트 하수관이 무리지어 쌓여 있었다. 나는 그 위에 걸터앉아 스프링 노트를 폈다.

빗소리 외에는 아무것도 들리지 않았다. 가끔씩 철둑 위로 경부선 상행선과 하행선이 지나갔다. 그럴 때는 지축이 흔들리는 것 같았다.

나는 담배를 한 개비 피워 물었다. 어둠 속에서 되는 대로 몇 개의 낱말들을 끼적거려 보았다.

명사와 조사, 그리고 동사와 형용사들이 따로따로 놀았다. 낱말과 낱말들의 연결이 되지 않았다. 몇 가지의 개념어들과 몇 개의 관념들이 의식 속에서 제멋대로 놀았다. 그것들은 의식 속에서 전혀 연결되지 않은 채 떠돌았다.

머릿속에 내장한 회로에 일대 혼란이 일어난 것 같았다. 어디서부터 논리 회로와 감정의 회로가 끊겨버린 것일까. 어디서부터 수습해야 된단 말인가.

나는 비 오는 신천을 오랫동안 바라보기로 했다.

신천을 흐르는 검은 폐수는 추한 온몸을 뒤채며 쉴 사이 없이 흘러갔다. 신천은 도시의 욕망을 안고, 인간들이 내다 부은 욕망의 찌꺼기들을 끌어안고, 몸살을 치며 밀려가는 듯했다. 또 어떤 약

삭빠른 자본가가 비 오는 날에 폐수를 내다 붓는 모양이다. 어디선
가 역한 냄새가 코를 찔렀다.

 신천은 비가 오는 밤이면 더욱 더러운 물로 중병을 앓았다. 비가
오는 날에는 물이 더욱 더러워지고 악취가 진동했다. 이런 신천을
두고 이 도시에 사는 몇몇 문학 청년들은 신천의 부활을 노래했다.

 이 도시에 사는 문학 청년들은 똥물의 쓸쓸함을, 똥물의 생성
을, 똥물의 희망을, 똥물의 황홀한 부활을 노래하기도 했다.

 그러니 아 아, 신천 너는 아름다움뿐이라고 노래하면서 자본가
의 패륜을 찬양하는 꼴이 되고 말았다. 그렇게 쓴 시는 더러 신춘
문예에 당선되기도 했다. 그렇게 해서 시인이 된 자들은 상당히 인
내심이 강한 자들임이 분명할 것이다. 더러운 똥물 속에서 역사와
희망을 이야기하다니, 하긴 희망과 절망의 뿌리는 동일하지 않겠
는가.

 나는 도저히 시 한 편을 만들 수 없을 것 같았다. 비 오는 날,
어둠 속에서 시를 쓰겠다니? 나는 우울하게 웃었다.

 나는 스프링 노트에서 종이를 찢어 꾸겼다. 나는 자리를 털고 일
어섰다. ·

 꾸긴 종이를 밤의 폐수 위에 던졌다. 나는 더러운 똥물 앞에 서
서 담배 한 개비를 입술에 물었다. 주머니에서 성냥을 꺼냈다. 나
는 담뱃불을 붙이려고 성냥을 켰다. 불이 붙질 않았다. 성냥개비
는 피시식, 연기만 내고 이내 꺼졌다. 거듭된 되풀이였다. 나는
한자리에서 선 채로 삼십 몇 개인가의 성냥개비를 발밑에 떨어뜨렸

다. 모든 것이 눅눅하다. 날씨 탓일 거다.

나는 혹시 버려진 성냥갑이 없나 싶어 허리를 굽히고 철둑 밑을 살폈다.

나는 마치 포복이라도 하듯이 성냥을 찾았으나 결국 허탕만 치고 말았다.

나는 철둑 밑에서 걸어나왔다. 밤이 깊어지면서 빗방울이 조금씩 굵어지는 듯했다. 나는 철둑에서 제2신천교 쪽으로 걸어 올라 갔다. 비가 오는 어둠 속에서 누군가 아래로 내려오고 있었다. 나는 눈을 가늘게 뜨고 앞을 바라보았다. 우연 때문에 앞에서 다가오는 사람의 형체를 분명하게 확인할 수가 없었다. 나는 비가 오는 어둠 속으로 얼마인가를 더 걸어갔다. 여름 남방은 이내 비로 축축이 젖었다. 이쪽으로 걸어오던 사람이 몇 발짝 앞에서 갑자기 걸음을 멈추었다.

여자였다.

여태 안 들어가셨군요? 하고 내가 여자에게 말했다.

여자는 몇 발짝 걸어와서 나에게 우산을 받쳐주었다.

고맙습니다.

춥지 않으세요? 하고 여자가 물었다.

나는 고개를 저었다.

여자는 내 옆으로 바싹 붙었다. 여자의 살냄새가 은근히 코에 다가 왔다. 갑자기 에로틱한 감정을 느꼈다.

술 한잔 하시겠어요? 하고 여자가 말했다. 여자의 그 말에는 왠지 모르게 자신의 욕망을 관철시키려는 의도가 들어 있는 듯했다.
나는 무의식중에 그녀의 말에 고개를 끄덕거렸다. 그녀와 나는 우
산을 받쳐 들고 천변 위로 올라갔다. 그녀와 나는 좁은 도로를 건
너서 조그만 구멍가게로 들어갔다. 그녀는 이홉들이 소주 두 병과
오징어 한 마리를 집었다.

나는 구멍가게의 주인인 노파에게 계산을 했다. 노파는 왼쪽 턱
에 옥수수만한 혹을 두 개씩이나 주렁주렁 달고 있었다. 노파의 얼
굴은 마구 찌그러뜨린 캔맥주의 깡통처럼 구겨져 있었다. 그로테
스크한 얼굴이었다.

그녀와 나는 밖으로 나왔다.

그녀는 우산 속에서 입을 열었다.

노파의 얼굴이 매우 종교적이군요. 경이적이에요. 자연의 모습
을 닮았어요. 경건해요. 섬찟해요.

여자의 말은 메트로놈처럼 규칙적으로 딱딱 끊기는 맛이 있었다.

여자와 나는 철둑 밑으로 들어갔다.

여자와 나는 둥근 콘크리트 하수관 위에 걸터앉았다.

여자가 우산을 접었다. 여자는 우산을 아래위로 흔들며 빗물을
홱, 홱, 뿌렸다. 나는 봉투에서 소주를 꺼내놓았다. 여자는 이빨
로 소주병을 깠다. 여자는 소주를 일회용 플라스틱 컵에 부어 나에
게 건네주었다.

나는 단숨에 한 잔을 비우고 컵을 그녀에게 건네주려고 했다.

여자가 말했다. 전 그냥 나발 불겠어요.

나는 가볍게 웃었다. 여자는 소주병 주둥이를 입 속에 박고 고개를 젖혀 몇 모금인가 꿀꺽꿀꺽 삼켰다.

철둑 위로 경부선 상행선이 콰르릉거리며 지나갔다. 여자는 술병을 내려놓으며 갑자기 오한을 떨었다.

오징어 좀 주세요, 하고 여자가 말했다. 나는 그녀에게 오징어를 주었다.

그녀는 주머니에서 라이터를 꺼내어 오징어를 구웠다. 철둑 위를 지나가는 기차소리만 아니라면 무척 조용한 밤일 것 같았다. 나는 환하게 치솟은 라이터 불을 통하여 여자의 얼굴을 세밀하게 살필 수 있었다. 그녀의 눈은 서늘하게 깊었으나, 불꽃처럼 광기로 일렁이는 듯했다. 그녀의 얼굴은 아무것도 두려워하지 않는, 비록 많은 나이는 아니었지만, 삶과 죽음에 대해서 초월한 듯한 표정을 담고 있었다.

그녀는 라이터 불을 끄고 오징어를 나에게 건네주었다. 오징어는 따뜻하고 말랑말랑했다. 나는 오징어를 찢어 그녀에게 주었다.

그녀는 내 잔을 채워주었다.

당신은 왠지 자신에게 연민을 느끼고 있는 것 같은 얼굴을 하고 있군요, 하고 여자가 말했다.

나는 암울한 시선을 여자에게 던졌다.

여자가 다시 입을 열었다.

자기 연민, 그것도 따스한 마음의 소유자가 할 수 있는 일 아니겠어요.

여자는 다시 술병을 거꾸로 세우고는 소주를 마셨다.

줄곧 비를 맞고 있었나요? 하고 내가 여자에게 물었다.

여자는 고개를 끄덕거렸다.

낮에 스트리퍼라고 제게 말했는데…… 하고 나는 말꼬리를 얼버무렸다.

여자는 젖은 머리를 한번 흔들면서 말했다.

사람이라면 뭐든 다 겪어보는 게 좋잖아요.

여자의 그 말은 단호했다. 그 말은 마치 나에게 자신이 가진 직업의 정당함을 선언하는 것 같았다. 여자가 다시 입을 열었다.

경험을 위해서라면 창녀질이라도 못 할 것 없잖아요.

그녀의 이 말은 자신이 앞서 한 말을 보충 설명하는 것 같았다. 그녀는 낮게 쿡쿡거리며 웃었다. 나는 그녀에게 라이터를 좀 달라고 했다.

나는 담배를 한 개비 피워 물었다.

저도 한 대 주세요, 하고 여자가 말했다.

낮과 같은 되풀이였다.

춤 한번 보여주세요, 하고 내가 여자에게 말했다. 나의 그 말은 여자와 나 사이의 오랜 침묵을 깨고 나온 소리였다. 그녀는 깜짝 놀란 듯이 눈을 크게 떴다.

놀라셨나요? 하고 내가 여자에게 물었다.

여자는 고개를 흔들며 일어섰다. 그녀는 얼마 남지 않은 소주를 입 속에 털어넣고는 빈 술병을 신천의 똥물을 향하여 던졌다. 여자는 일어서서 자신의 긴 머리카락을 매만졌다.

난 당신이 제게 그런 말 할 줄 알았어요, 하고 여자가 말했다.

싫으세요? 하고 내가 여자에게 물었다.

아뇨, 그 반대예요, 하고 여자가 말했다.

술이 들어가니까 몸이 좀 풀리는 것 같네요, 하고 여자가 다시 말했다.

여자가 자리에서 일어섰다. 바람이 불었다. 여자의 플레어 치마가 펄럭거렸다. 바람에는 비냄새가 묻어 있었다. 나는 나머지 한 병의 소주를 깠다. 여자가 말했다.

당신이 들고 있는 노트를 찢을 수 있나요? 그 노트를 찢을 수 있으면 라이터로 불을 붙여서 여기저기 피워놓으세요.

여자는 내 앞에서 왔다갔다하면서 신들린 듯이 말을 늘어놓았다.

지금 나는 춤을 추고 싶어요. 그런데 당신이 내 춤을 이해할 수 있을지 모르겠군요. 하지만 당신의 얼굴을 보니까 내 춤을 이해할 수 있을 것 같군요. 당신은 눈이 맑아요. 당신은 눈이 혼탁하지가 않아요. 세상의 더러움과 깨끗함을 꿰뚫어볼 수 있을 것 같군요.

나는 소주를 몇 모금인가 마셨다. 여자의 머리카락이 바람에 날렸다. 여자는 손을 머리 뒤로 돌려 머리카락을 매만졌다. 여자가 말했다.

내가 춤을 추려면 무대가 필요할 거예요. 저기 신천의 똥물, 저것이 내가 춤을 추는 배경이자 무대가 되는 거예요. 그리고 이 어둠, 또한 무대가 되는 거죠. 그리고 이 빗소리, 그리고 가끔씩 철둑 위를 내달리는 경부선 상행선과 하행선의 울렁거림, 이것들은 이펙트가 되는 거예요. 그리고 조명, 밤의 어두움이 있으면 또한 밝음이 있어야겠죠? 그래서 당신이 노트를 찢어 불을 만들어주세요. 그러면 내가 춤을 출 수 있는 완벽한 무대가 마련되는 거예요.

여자는 내 앞을 왔다갔다하면서 자신의 말에 자기 스스로 빨려들어가는 듯했다. 여자가 내 쪽으로 걸어왔다.

자, 일단 노트를 찢어 이 어둠을 태울 빛을 만들어보세요. 빛과 어둠의 변증법적인 춤을 추겠어요.

여자는 내 무릎 위에 얹혀진 노트를 가져가서는 훌 훌 훌 훌, 뒤로 넘겼다. 이게 뭐예요? 하고 여자가 말했다. 여자는 라이터로 불을 켜고는 노트를 비춰보았다. 여자는 갑자기 고개를 돌리더니 속삭이듯이 말을 했다.

당신 시를 쓰는군요. 이건 시잖아요?

그녀의 말은 속삭이는 듯이 나직했지만, 감정이 절정에 달한 듯 목소리가 희열로 들떠 있었다.

나는 손은 내저으며 그건 시가 아니라고 말해 주었다.

아녜요, 이건 시예요, 하고 여자가 격정적인 목소리로 말했다.

아녜요, 그건 시가 아니라 단지 잡문에 불과한 겁니다, 하고 나는 마음속에서 우러나는 목소리로 그녀에게 말했다.

정말이에요, 그건 시가 아니에요. 당신의 춤을 위해서라면 그런 잡문 정도는 태워도 전혀 아깝지 않아요, 하고 나는 그녀에게 나의 진실을 거듭 말했다.

그녀는 망설이는 듯한 표정을 했다. 나는 콘크리트 하수관 위에서 일어나 그녀에게서 노트를 빼앗아 들었다. 그리고는 노트를 북북 찢었다.

중요한 것은 시를 쓰는 것이 아니라 시처럼 사는 거겠죠? 하고 나는 그녀에게 말하며 노트를 전부 찢었다. 나는 조금 취한 것이다. 나는 찢은 종이를 한장 한장 꾸겨서 세 군데로 모아놓은 후, 그녀에게서 라이터를 받아 불을 질렀다. 불은 내 얼굴을 잡아먹을 듯이 활활 타올랐다. 그녀는 등뒤에서 말했다.

나는 이럴 생각까진 없었어요.

나는 고개를 돌려 그녀를 보았다. 그녀는 나에게 고통스러운 눈길을 주었다.

이건 아무것도 아니에요. 나는 지금 당신의 춤을 보고 싶을 따름이에요, 난 그걸로 족해요, 하고 나는 그녀에게 말해 주었다.

불꽃이 너울거리며 어둠을 태워 먹었다. 불꽃은 나와 그녀의 모습을 환하게 비쳐주었다. 그녀는 불길을 바라보았다. 그녀의 눈이 신비로운 광기를 띠고 이글거렸다. 나는 그녀에게 춤을 추기를 재촉했다.

그녀는 불 앞에서 선 채로 다리를 사뿐히 내리고 가볍게 손을 어둠의 허공 속으로 뻗었다. 불길이었다. 그녀는 속삭이듯이 말했다. 그 소리는 빗소리로 잘 들리지는 않았지만, 그녀의 말과 춤사위는, 하나로 어우러지는 완벽한 커뮤니케이션이었다.

이 춤은 삶과 죽음의 변증법, 혹은 존재와 무의 변증법, 빛과 어

둠의 변증법, 죽임과 살림의 변증법, 그리고 부활의 춤, 부활의
노래예요.
　그녀는 어둠 속에서 허공을 향하여 마치 선언이라도 하듯 한동작
한동작에 말을 곁들이며 몸을 가볍게 움직였다. 내 가슴이 울렁거
렸다. 나는 젖은 목소리로 조용히 노래를 불렀다.

　　……서럽다 뉘 말하는가 흐르는 강물을 꿈이라 뉘 말하는가 되
살아오는 세월에 가슴에 맺힌 한들이 일어나 하늘을 보네 빛나는
그 눈 속에 순결한 눈물 흐르고 가네 가네 서러운 넋들이 가네
가네 가네 한많은 세월이 가네 마른 잎 다시 살아나 푸르른 하늘
을 보네 마른 잎 다시 살아나 이 강산은 푸르리…….

　나는 불길 속에 종이를 한장 한장 집어넣으며 낮게 낮게 노래를
불렀다. 나는 시를 태우는 것이다. 여자의 출렁거리는 머리카락은
마치 불꽃처럼 허공에서 나부꼈다.
　나는 무명에 대해서 말하련다, 하고 그녀는 안개처럼 속삭이며
두 팔로 그녀의 얼굴을 가렸다.
　나는 이제 빛을 발견했다. 아, 그래, 어쩌면 나는 불의 딸이 될
는지도 모르겠다, 하는 말을 하면서 그녀는 얼굴을 가린 두 팔을
천천히 열면서 너울거리는 불길 속으로 뛰어들어갔다.
　나는 이제 불을 발견했다. 여기에 물질이 있다. 나는 이제 우주
를 발견했다. 거기에는 어둠이라는 물질과 빛이라는 물질이 있다.

어둠을 에네르기로 빚은 더욱 빛난다. 빛이 있음으로 어둠은 더욱 거룩하다.

그녀는 전후 좌우로 두 다리를 짚고 다녔다. 불길이 치솟을 땐, 그녀의 춤사위도 격렬했고 불길이 약할 땐, 그녀의 춤사위도 죽어 갔다. 나는 술병을 손에 쥔 채, 넋이 빠진 듯 불꽃 속의 그녀를 바라보았다. 그녀는 또 하나의 불꽃이었다.

불꽃이 죽으면 나도 죽는 거예요. 불꽃이 죽으면 내 몸에 술을 뿌려 주세요. 부활을 위한 에너지가 필요해요, 하고 그녀는 말하면서 불꽃처럼 너울거렸다. 나는 자신도 모르게 소주를 벌컥벌컥 마셨다.

　　나의 사상은 불 속에서 사라졌다
　　그것으로 하여 내가 알게 된 껍질
　　그것들은 화재 속에서 타버렸다
　　내가 종자이며 영양분이기도 한 화재 속에서
　　그렇지만 나는 더 이상 존재하지 않는다
　　나는 내부다 불꽃의 축이다
　　………
　　그렇지만 나는 이미 없다

그녀는 장 드 보셰르의 시를 읊으며 몸을 점점 낮추며, 종국에는 땅바닥에 허물어졌다. 불길도 가물거리다가는 갑자기 꺼져버렸다.

바람이 불었다. 바람은 종이재를 날렸다. 바람은 시를 날렸다. 나
는 그녀의 몸 위에 남은 소주를 뿌려주었다. 그녀는 흐느끼며 울었
다. 경부선 하행선이 찢어지는 듯한 경적을 울리며 철둑 위로 지나
갔다. 그녀의 흐느끼는 소리가 들리지 않았다. 기차가 지나가자
주위는 폭풍우가 휩쓸고 지나간 듯 일시에 정적이 감돌았다. 그녀
의 어깨가 가늘게 떨렸다. 어디선가 부활의 노랫소리가 분노를 삭
이며 낮게 낮게 들려오는 듯했다.

　　……서럽다 뉘 말하는가 흐르는 강물을 꿈이라 뉘 말하는가 되
살아오는 세월에 가슴에 맺힌 한들이 일어나 하늘을 보네 빛나는
그 눈 속에 순결한 눈물 흐르고 가네 가네 서러운 넋들이 가네
가네 가네 한많은 세월이 가네 마른 잎 다시 살아나 푸르른 하늘
을 보네 마른 잎 다시 살아나 이 강산은 푸르리…….

＊　　　＊　　　＊

나는 여자에 대해서 생각했다.
「우리가 서로를 사랑하지 않고는 진정 무엇인가를 이해했다고 이
야기할 수 없어요」
　여자의 말이었다.
　내가 여인숙으로 자취방을 옮긴 처음 얼마간, 옆방에 사는 여자
와는 몇 번인가 얼굴이 마주쳤지만 인사 같은 것은 나누지 않았다.
나는 여자에게, 여자는 나에게, 아무런 관심 없이 그렇게 한 달이

흘렀다. 여자와 나는 천변에서 서로의 눈길이 마주치기도 했다. 여자는 대부분의 낮시간을 천변에서 보냈다. 그녀는 도시의 심장을 흐르는 똥물을 오래도록 바라보곤 했다. 때로는 담배를 입에 물고 있었고, 때로는 커피가 든 종이컵을 들고 서 있었다. 그녀의 겨드랑이에는 언제나 한두 권의 책과 노트가 끼여 있었다. 멀리서 보면 그녀는 한없이 나약해 보이는 모습으로 긴 머리를 바람에 날리면서 서 있었다. 그러나 그런 그녀를 조금만 더 주의 깊게 관찰한다면 그녀는 결코 나약하지 않은, 천변 앞에서 저항적이고 공격적인 모습으로 서 있다는 것을 알게 된다. 나는 그녀의 강렬한 모습을 그날, 최초로 본 것이다.

몇 시간 동안이나 빗속에서 비를 맞으며, 비에 저항하고 있는 모습이란, 자연적이거나 어떤 인위적인 물리력 앞에서도 버팅기겠다는 그녀의 강인한 생명력을 말하는 것이었다. 그날 나는 그녀에게서 그것을 분명히 확인했다.

확실히 그녀에게는 싱싱한 생명력이 있었다. 그녀의 그런 힘은 그녀의 자제력 속에 늘 감추어져 있었다. 그러나 그 자제력이 어떤 계기를 맞아 폭발해 버리면 그녀는 마치 신들린 듯이 그녀의 에네르기를 여지없이 쏟아놓았다. 그녀에게는 모든 사물을 대할 때, 어떤 우월감, 자존심, 빈정거림, 혐오감 같은 감정들을 숨기지 않았다. 그녀는 사람이 할 수 있는 한, 성격의 극단을 치닫고 있는 여자임이 분명했다. 그녀는 상황에 따라서 엄숙주의와 감정의 폭발 사이를 하루에도 몇 차례씩 넘나들었다. 그녀는 언제나 세상의 위험에 노출된 상태로 자신의 삶을 버티어 나가고 있었다.

나는 여자가 뭔가를 감추고 있다고 생각했다.

나는 여자가 자신을 스트리퍼라고 한 말을 믿을 수 없었다. 그러나 나는 그녀가 직업적인 스트리퍼임을 며칠 뒤에 확인할 수 있었다. 그녀는 나에게 자신이 몇 달 계약으로 출연하고 있는 뉴욕회관에 와서 그녀의 춤을 봐도 괜찮다는 말을 했다. 그래서 나는 그녀의 스트립쇼를 직접 확인할 수 있었다.

「먹고 살려면 어쩔 수 없잖아요. 혼이 없는 춤이라도 춰야죠. 스트립쇼를 할 땐 아예 나 자신의 혼을 달아나게 한 상태에서 추는 춤이니까, 나로선 그 춤에 대한 예술적인 책임을 질 필요가 없는 거예요」

그녀는 춤을 따로 배운 적은 없다고 했다. 그녀는 자신의 몸에는 타고난 리듬감이 있는 것 같다고 말했다. 그래서 그녀는 특별한 훈련 없이 거울 앞에서 그녀 스스로 실험적인 스트립쇼를 만들어냈던 것이다. 그녀는 독립적으로 회관의 사장을 만나 춤을 보여주고 계약을 했다.

나는 그전에는 그녀가 무엇을 했는지는 알 길이 없었다.

비 오는 날, 그러니까 내가 그녀와 같이 철둑 밑에서 술을 마시고 며칠 지난 후였다.

수요일 오후였을 것이다.

나는 그녀와 인문관 복사실에서 우연히 마주쳤다.

나는 뜻밖의 목소리로 「여긴 웬일이에요?」 하고 그녀에게 물었다.

그녀는 태연하게 손에 들고 있던 책을 보여주며 말했다.

「책을 복사하려구요」

그녀의 손엔 《*CRITICAL INQUIRY*》와 《*POETICS TODAY*》지가 들려 있었다.

나는 판단의 평형을 상실하고 그녀의 눈을 들여다보았다. 그녀의 눈은 자신의 연극과 속임수가 제대로 성공했다는 듯한 장난기로, 생글거리며 웃고 있었다. 나는 생각에 잠긴 표정을 잠시 짓다가 당신은 나를 속였군요, 하고 말했다.

그녀는 뭐가요, 제가 뭘 속여요, 라고 재빠르게 말했다.

우리는 복사를 마치고 학교 후문 쪽으로 걸어나갔다. 후문 앞, 〈베아트리체〉에서 그녀와 나는 술을 마셨다.

그녀는 자신이 지난 학기에 휴학했다는 이야기를 했다. 그리고는 제 삶을 이해할 수 있겠어요? 하면서 나에게 단도직입적으로 물었다.

나는 그녀 앞에서 제법 진지하게 고개를 끄덕거렸다.

「거짓말이에요」

그녀는 표독스럽게 보일 만치 성을 내며 소리를 질렀다. 그리고 나서 그녀는 사랑을 하지 않으면, 특히 육체적인 관계를 나누지 않고서는 이해란 불가능하다고 말했다. 그녀는 제법 술에 취해 있었다.

「그 말은 무슨 암시 같군요」

「암시? 후 훗…… 제 말 틀렸어요?」

「아뇨, 완전히 틀린 말은 아니죠」

그녀는 나를 시험하기 위해서 여러 개의 주사위를 던졌다. 자신이 늘어놓은 말들이 얼마나 나의 인식 회로에 접수되는지를 시험했던 것이다.

그녀는 제임스 조이스와 로렌스를 비판했다. 특히 로렌스의 관점, 여성은 남성에 의해서 성에 눈을 뜨며 한 인간으로 된다는 로렌스의 작가적 관점을 비판했다. 그녀는 라캉을 줄줄 이야기하다가 갑자기 바흐친으로 넘어갔고, 줄리아 크리스테바에서 조나단 컬러, 엘레인 쇼왈터를 줄줄 늘어놓았다.

이야기 중간중간에 간간이 웃기도 하고, 속삭이는 듯한 목소리를 내면서, 그녀는 앞에 앉은 상대방을 시험하고 있지 않다는 것을 애써 나타내려고 했다. 나는 그녀의 매력적인 웃음소리와 목소리에 완전히 도취되어 있었다.

그녀의 목소리는 모차르트의 클라리넷 5중주곡 A장조처럼 감미로웠다. 스테인드 글라스의 창문 빛깔처럼 다채롭고, 화려하고, 맑으면서, 사람을 감싸안는 듯한 목소리였다. 거기에 가끔씩 허스키한 목소리를 집어넣으면서 나로 하여금 에로틱한 감정을 솟아나게 했다. 다섯 병인가의 맥주를 마셨을 때, 나는 그녀에게 물었다.

「왜 무용학과에 가지 않았죠?」

「학력고사 성적이 너무 아까웠죠」 그녀는 무감동한 표정으로 다시 입을 열었다.

「우리나라의 교육 현실이잖아요」
「하필 왜 고고인류학을?」
「모험 때문이죠」
「모험?」
「난 모험하기 위해서 이 지구에 나타났어요」
「정신적인 모험? 아니면 고비 사막, 그린랜드, 아프리카 탐험 같은 거?」
「둘 다. 삶은 모험이잖아요」
「모험에는 고통이라는 대가를 지불해야 합니다」
「고통은 삶에 재산이잖아요」 그녀는 허스키한 저음으로 다시 말을 이었다.
「광대한 우주, 무한한 시간, 이 태양계에 내려와서 지구라는 행성도 제대로 관찰하지 않고 간다는 것은 억울한 일이잖아요. 전 아프리카를 편력해 볼 작정이에요」
「유·에프·오 이야기 듣는 것 같군요」
「네, 그래요」
언제나 그녀의 대답은 명쾌하다. 질문도 마찬가지다.
그녀는 여덟 시가 되어서 일하러 나가야 된다면서 자리에서 일어섰다. 나는 그녀가 나간 후, 맥주 두 병을 더 마시고 밖으로 나왔다. 나는 천변을 따라 걸었다. 태성물산 자판기 앞에서 두 잔, 세 잔인가의 커피를 뽑아 마셨다. 발밑으로는 악취나는 똥물이 흐르고 있었다. 나는 축대에 기대어 한 개비, 두 개비, 세 개비…… 끝

없이 담배를 피웠다. 신천 건너편, 영비천과 현대 자동차의 광고
판이 눈에 들어왔다. 스포츠카, 스.쿠.프.

스 자가 지워지면 쿠 자가 나타나고, 쿠 자가 지워지면 프 자가
나타난다. 그리고 스.쿠.프.

이윽고 물찬 제비 같은 차가 글자를 순식간에 지워내며 등장한
다. 머릿속에 떠오르는 관념들을 끊임없이 밀어내며 자동차가 머
릿속을 질주한다. 나는 머리를 흔들어 커머셜의 이미지들을 털어
냈다.

이건 악귀야, 악귀.

나는 빈 담뱃갑을 주머니에 구겨넣으며 신천교 건너 뉴욕회관의
번쩍거리는 네온사인을 바라보았다. 나는 발을 옮겨 방둑 아래쪽
으로 내려갔다.

나는 똥물의 악취를 바로 곁에서 맡으며 소멸의 쓸쓸함에 대해서
생각했다. 소멸 속에 또한 생성의 몸부림이 있을 것이다. 소멸이
쓸쓸한 일이라면 생성 또한 쓸쓸한 것이리라. 나는 갑자기 불안해
졌다. 이건 서른이 갓 넘은 자의 불안인지도 모른다. 이제 푸른 스
물의 이데아는 사라지고 밥을 먹어야 하는 현실만 남는다?

이제 이데아를 밥으로 바꾸어야 한다? 그러나 나에게는 이데올
로기가 있지 않은가. 밥 안 되는 좌파 이데올로기 말이다. 나는 쓸
쓸하게 웃었다. 그렇다. 나의 불안은 이데올로기의 불안이다. 내
가 푸른 스물에 택한 좌파 이데올로기의 밥상에 언제 따끈한 밥과
국이 올라올 것인가? 나는 두 손으로 눈두덩을 꾹꾹 누르며 머리

를 흔들었다. 나는 커피 한 잔을 더 뽑아 마신 후, 자취방으로 돌아왔다.

전화벨이 집요하게 울었다. 한 번, 두 번, 세 번…… 나는 열다섯 번인가를 헤아리고 수화기를 내려놓았다. 수화기 저쪽에서는 끝없이 여보세요, 여보세요 하는 소리가 들렸다. 나는 전화기 코드를 빼놓을 작정으로 몸을 일으켰다. 술을 마신 탓으로 몸은 한없이 무거웠다. 납덩어리로 뼈를 심어놓은 기분이었다. 나는 코드를 뽑으려다가 수화기를 들었다. 여자였다. 자정이 넘어서고 있었다. 나는 옷을 갈아입었다. 나는 숙취한 몸으로 여자와 약속한 장소로 나갔다.

아침이었다.
나는 눈을 떴다. 장미 무늬의 천장이 눈에 들어왔다. 나는 고개를 돌렸다.
화장대 옆에 TV가 있고 전화가 있고 그리고 작은 옷장이 있다. 방바닥에는 구겨진 면수건 두 장과 일회용 면도기, 치약, 칫솔, 스타킹, 담배, 재떨이, 맥주병, 오프너, 땅콩껍질, 오징어 다리…… 그리고 여자의 얇은 슬립과 까만 브래지어.
나는 누운 채, 담배를 피웠다. 그리고는 하나, 둘, 셋, 넷, 다섯…… 이백까지 헤아렸다. 무의미한 짓이야. 나는 담배 연기를 길게 내 뱉었다. 무미건조하고 딱딱하고, 한껏 쿨하고 드라이하다. 언제부터 이렇게 삭막해졌을까. 나는 고개를 돌려 여자의 얼굴을 들여다보았다. 친절하고 다정하면서 때론 한없이 거친 여자다. 나는 담배를 비벼 껐다. 나는 바지주머니에서 종이와 연필을 꺼냈다. 나는 연필을 끼적거렸다.

……서른, 불안한 나이다. 길고도 어두운 터널을 기어와서 나는 이제 서른 살이 되었다. 나는 시궁쥐처럼 살았다. 겁 많고 비굴하고 힘들었고 고통스러웠다.

나는 너무 늙어버렸다.

나는 아무런 의식의 연결고리 없이 마르쿠제, 알튀세르 등의 이름을 종이에 적었다. 여자와 술 몇 잔을 건네고 여자와 잔다. 모든 일들은 쉽게 풀린다. 이렇게만 풀린다면 내 삶도 어둡지만은 않은 것인가? 칼 포퍼라면 이런 현상을 보고 나에게 무슨 말을 할까. 자네 개방사회로 가는 티켓을 사지 않겠나, 하고 말할지도 모른다. 마르쿠제라면 무슨 말을 할 수 있을까.

자네들의 리버럴한 쿨 섹스, 해방된 본능! 생의 본능! 그것은 역사와의 연대로 나갈 수 있는 에네르기라네. 과연 마르쿠제가 그런 말을 할까.

왜 나에게는 엉터리 같은 사회주의적 품성이라는 기계적인 도덕의 잣대가 나의 일거수 일투족의 모든 행동에 따라붙는가.

나는 팔굽으로 기어올라가서 담배 한 대를 입에 물었다. 담배에 불을 붙이고 이불 속으로 기어들어오자, 여자가 눈을 떴다.

「지금 몇 시예요?」

　나는 일어나서 TV를 켰다. 5분 건강 프로그램이 나오고 브라운
관 오른편에 6 : 45라고 적혀 있었다.
　6시 45분이야. 여자는 이불을 끌어당기며 내게로 고개를 돌렸다.
「잠이 부족하지 않아요?」
　아니, 충분해. 나는 이불 속으로 기어들어가 여자를 안아주었다.
「당신은 친절하군요」
　글쎄, 하고 내가 말했다.
「다른 여자에게도 그렇게 친절하게 대하세요?」
　처음이었어, 하고 내가 말했다.
「설마?」 여자는 머리를 오른팔로 괴며 나에게 바싹 다가붙었다.
「당신은 좀 특별한 남자인 것 같아요」
「왜지?」
「굉장히 성실하잖아요」
「테크닉이겠지」
「전 테크닉과 성실은 구분할 줄 알아요」
「몇 명의 남자와 자봤어?」
「일개 소대 병력쯤」
「많이 고독했었어?」
「당신은 고독하면 섹스를 생각하나요?」
「때론 살아 있다는 사실로부터 도망가고 싶을 때가 있어」
「그럴 땐 어떻게 해요?」
「참는 거지, 뭐. 별수 없잖아」

「그래요? 난 욕망에 솔직한 편이에요. 책을 읽거나 누군가와 자거나, 그러다 보면 욕망이란 자연히 해소되는 거죠」

그녀는 팔을 뻗어 내 머리카락을 쓸어주며 다시 말을 이었다.

「자기 성을 학대할 필요는 없잖아요. 성을 억압하는 기제가 해방되지 않고서는 인간다운 삶이란 없는 거예요. 왜 자신의 아름다운 육체를 감금하려고 하죠?」

「감금?」

「그래요. 전 감금의 역사와 대항해서 싸운 자랑스러운 여성들, 남자들의 이데올로기와 대항해서 싸워 온 여성들을 존경해요. 그들 역시 성에서 개방적이었고」

그녀는 이불에서 몸을 빼내며 담배를 한 개비 피워 물고는 다시 입을 열었다.

「밀레나 예센스카, 로자 룩셈부르크, 시몬느 베이유, 이사도라 던컨, 루 살로메, 소련 당내 관료주의를 비판하다가 남자들에게 쫓겨난 알렉산드라 콜론타이, 마더 존스 등등, 난 이런 여자들을 존경해요」

*

모든 것은 다시 원점으로 돌아갔다. 변한 것은 없다. 여자와 나누어 가진 것이 무엇이었을까? 사랑? 고독? 습관? 그래, 습관인지도 모른다. 여자와 첫 관계를 가진 후 그 뒤에 일어나는 일들은 반복된 일상이다.

〈Abba〉나 〈Bee Gees〉의 테이프를 끼워넣고 볼륨을 높인다. 그리고 습관화된 작업. 모든 소리는 〈Saturday Night Fever〉의 광란적인 음악 속에 파묻힌다. 그리고 〈Can't stop the Music〉, 그리고 〈Last Dance〉……

육체와 영혼은 끝없이 고갈된다. 마지막은 너무나 깊고 어두운 수렁이다. 여자가 일어난다. 음악을 끈다. 무거운 침묵. 그리고 정적. 마치 귀에 뒤집어쓴 헤드폰을 벗겨낸 멍멍한 기분이다. 여자가 요를 걷어낸다. 이불 위에는 여자의 긴 머리카락이 널브러져 있다. 나는 여자의 머리카락을 손으로 모은다. 나는 그것을 어쩔 줄 몰라 손 안에 오래도록 쥐고 있다. 그러면 여자가 슬머시 손을 내밀어 머리카락을 가져간다. 그리고는 무표정하게 쓰레기통에 집어넣는다. 얼마인가의 침묵이 흐른다.

슬퍼 보여, 여자가 말한다.

아니, 나는 고개를 젓는다.

다시 깊은 침묵, 마치 블랙 홀 같은……

*

나는 책 몇 권을 끼고 천변을 따라 걸었다.

며칠 동안 계속된 건조한 날씨 탓으로 포장되지 않은 길은 먼지가 풀썩거렸다. 나는 자동차가 지날 때마다 코를 막은 채, 먼지를 뒤집어써야 했다. 방금 세수한 얼굴이 이내 푸석푸석하게 거칠어졌다. 나는 손수건으로 이마에 흐르는 땀을 닦았다. 구름 한 점 없는 하늘에는 뜨거운 태양이 이글거리고 있었다. 동네 개들이 헥헥거리며 그늘진 담벼락 밑에서 혓바닥을 길게 늘어뜨린 채 침을 흘리고 있었다.

　나는 천변 쓰레깃더미 앞에서 종이를 꺼내어 몇 개인가의 낱말을 적었다.

　녹슨 깡통, 골판지 상자, 담배 꽁초, 스포츠 신문, 라면 봉지, 스티로폴, 못, 유리 조각, 전선줄, 일회용 컵, 껌종이, 생리대, 카톤 팩, 유리병, 세척제, 플라스틱통, 호일, 연탄재……

　도대체 이런 낱말들을 조립해서 무슨 시를 쓸 수 있단 말인가. 나는 쓰레깃더미에 버려진 물건들의 낱말을 적는 일을 멈추었다. 고도 산업시대의 쓰레기로 서정시를 쓰겠다니, 이 시대에 서정시를 쓴다는 일이 과연 가능할까. 나는 지난 세월 동안 편향된 문학적 기호를 누려 왔다는 것을 생각했다. 나는 김남주와 박노해, 백무산 등의 시집만 읽어오지 않았던가. 하지만 그건 나로서도 어쩔 수 없었다. 존재론적이고 관념적인 시들이 이 시대, 이 땅에서 어떻게 가능하단 말인가. 시로서는 뭔가 이 시대에 대한 해명이 불가능하지 않은가, 하고 나는 스스로에게 물었다. 그럼 도대체 내가 무엇을 써야 한다는 말인가. 소설? 소설 같은 것을 내가 써야 한다는 말인가?…… 하지만 두렵다. 라라가 가던 길을 결코 가진 않을 것이다.

　언젠가 나는 라라에게 말했다.

　「소설? 당신이 소설을 쓰겠다고? 삶을 그렇게 방탕하게 살면서 소설을 쓰겠다고?」

　그때 라라는 나에게 말했다.

　「당신이 노동자가 되겠다구요? 당신은 결코 노동자가 될 수 없어요. 한번 두고 보세요. 당신이 될 수 있는 것과 당신이 되고 싶은 것은 다르다는 것을 모르는군요. 당신은 노동자가 되고 싶어하지만 노동자는 결코 못 될 거예요. 당신은 쁘띠비지 그 이상도, 그 이하의 길도 걸을 수 없는 사람이에요」

　그 시절, 나는 진정 노동자가 되려고 했다. 하지만 몇 번의 해고 끝에 결국 내가 돌아온 곳은, 나를 기다리고 있는 세계는, 먹는 것이 해결된 소시민이라는 기회주의적인 계층이었다. 라라가 옳았다. 도대체 라라의 어떤 시각이 나를 제대로 파악하게 했던가? 지금 나는 출가 사문이라 하지만, 라라의 말대로 학교나 왔다갔다하고, 약간의 도덕적이고 양심적인 고민을 하는 체하는, 소시민에 불과한 삶을 누리고 있다. 도대체 나의 무엇이 치열하고, 나의 무엇이 가열하다는 말인가. 그래, 라라가 옳았다. 그렇다면 무엇이 라라의 정확한 통찰을 끌어내게 했던가? 라라의 산문 정신? 소설적 화두를 끈질기게 물고 늘어지는 차열한 산문 정신이 라라로 하여금 그런 말을 하게 했는가.

　나는 손에 들고 있던 노트를 옆구리에 끼었다. 얼굴에 똥파리들이 성가시게 달라붙었다. 나는 발걸음을 옮겨 큰길이 있는 신도극장 쪽으로 걸어나갔다.

날씨가 너무 더운 탓에 도시는 텅텅 비어 있었다. 역한 아스팔트 냄새가 났다. 포장한 지 얼마 되지 않은 소방도로는 찐득찐득한 아스팔트가 휘휘 늘어져 녹아내릴 정도였다. 오후 두 시였다. 봉제공장 여공들이 쏟아져 나오기 시작했다. 근무를 교대하고 퇴근하는 여공들은 인도를 메웠다. 그들은 버스를 타기 위해 횡단보도를 재빠르게 건넜다.

나는 도서관 2열람실에 자리를 잡고 앉았다. 나는 며칠 전에 복사한 논문들을 펼쳐놓았다. 나는 우선 소장학자가 쓴 「의회의 거부권 법리」를 읽어 나갔다. 한 시간 후, 나는 「공소 사실」이라는 논문으로 넘어갔다. 다시 한 시간 후, 「사시 2차 예상문제선」을 펴놓고 읽었다. 머릿속을 잘 넘어가는 간단간단한 단답식 문제였다. 물권적 청구권, 점유권의 승계, 권리의 남용, 법정 지상권, 공유물의 분할…… 나는 밖으로 나가 담배 한 개비를 피우고 커피 한 잔을 뽑아 마셨다. 저녁이 되었다. 지하 식당으로 내려가 600원짜리 짠밥을 사먹었다.

나는 다시 몇 개비인가의 담배를 피우고 커피를 뽑아 마셨다. 열람실로 올라오는 길에 〈법학 연구소〉에서 공부하는 후배를 만났다.
「형도 서른이 넘었으면 빵을 구해야죠」
브로트 비셴샤프트, 빵을 위한 학문?

나는 심한 모멸감을 느꼈다. 나는 자신에게 화가 났다. 화가 날수록 나는 화를 내게 한 것들에 집착했다. 나는 삶은 자기와의 싸움이라 생각하고, 때로는 자신과는 전혀 맞지 않는다고 생각하는 길을 가끔씩 걸어왔던 것이다.

사람이 못할 게 뭐가 있느냐, 하는 식이었다. 나는 담배 한 대를 더 피우고 열람실로 들어왔다. 나는 다시 사시 기출 문제들을 읽기 시작했다.

한시법, 결과적 가중범, 구성요건적 착오, 부진정부작위범, 미필적 고의와 인식 있는 과실, 기대 가능성, 합동범, 공범과 신분······.

나는 밖으로 나와 몇 개비인가의 담배를 피웠다. 그리고 질 나쁜 커피를 뽑아 마셨다. 나는 다시 열람실로 들어갔다. 나는 민사소송법을 잡았다.

민사소송에 있어서 신의성실의 원칙, 소송의 이송, 제3자의 소송 담당, 당사자의 교체 및 추가, 장래이행의소, 확인의 이익, 청구의 예비적 병합, 책문권, 소송상의 합의······ 시간이 흘렀다. 밤 열한 시가 되어 열람실의 종료를 알리는 음악이 실내 방송을 타고 흘러나왔다.

그리그의 〈페르귄트 제2조곡〉이 흘렀다. 이 무더운 여름밤에 페르귄트라니, 나는 음악이 계절과 어울리지 않는다고 생각했다. 나는 별을 보며 도서관을 나섰다.

내가 〈희망 여인숙〉으로 들어섰을 때, 여자는 수돗가에서 빨래를 하고 있었다.

오늘은 가지 않아? 하고 내가 물었다.

여자가 고개를 돌리며 이젠 더 이상 나가지 않을 거예요, 했다.

나는 쪽마루에 걸터앉아 운동화와 양말을 벗었다. 그리고 남방을 벗어던지고 바지를 걷어 올렸다. 나는 수돗가로 가서 세숫대야에 물을 받았다.

앞으로 어떻게 할 건데? 하고 내가 물었다.

여자는 빨래판을 문지르면서 복학 준비 해야죠, 했다.

복학? 하고 나는 고개를 여자 쪽으로 돌렸다.

이 학기만 마치면 졸업이에요, 하고 여자가 말했다.

나는 세수를 마치고 방안에 들어와 알튀세르의 『자본론 독해』를 잡고 방바닥에 드러누웠다. 지역활동가들과의 지난 모임에서 사적 유물론의 기본개념까지 학습을 했었다. 그들은 동구 공산권이 무너지는 마당에 『자본론』을 다시 읽으며 책을 통하여 혁명에 대한 향수를 느끼고자 했다. 나는 에티엔 발리바르의 논문 「발전과 대체」까지를 읽다가 책을 덮었다. 눈이 아팠다. 여자가 방문을 두드렸다.

술 한잔 하지 않을래요, 하고 여자가 밖에서 말했다.

나는 문을 열어주며 그러자고 말했다. 여자가 맥주와 안줏거리를 들고 방으로 들어왔다. 나는 선풍기를 틀었다. 나는 벗어던진 남방을 걸치고 방 가운데 조그만 식탁을 놓았다. 여자가 식탁 위에 술병과 안주들을 늘어놓았다.

「왠지 갈증이 나더군요」 여자가 오프너를 손에 쥐고 술병 마개를 땄다.

나는 오징어를 찢어 식탁 위에 늘어놓았다. 여자가 다시 입을 열었다.

「방문을 꼭꼭 닫고 있으면 덥지 않아요?」

「별로」 하고 나는 고개를 저었다.

여자는 주위를 둘러보며 답답해요, 창문 좀 열어놓아요, 했다.

나는 일어나서 천변 쪽으로 난 좁은 창문을 열어놓았다.

「이 방에서 글을 쓴다면 『지하 생활자의 수기』 같은 작품이 나오겠군요」

이 방이 그렇게 진절머리나, 하고 내가 웃으며 말했다.

여자는 맥주병을 들고 내 잔을 채워주었다.

「조금 음산하고 답답해요」

나와 여자는 술컵을 부딪치며 첫 잔을 비웠다. 맥주는 목이 얼얼할 정도로 차고 시원했다. 여자는 빈 잔에 다시 술을 채워넣었다.

「술에 걸신들린 여자 같죠?」 여자의 얼굴에 알 수 없는 비애감이 스쳤다.

글쎄, 하고 나는 담배를 피웠다.

여자가 다시 내 잔에 술을 따랐다. 나는 다시 두번째 잔을 거침없이 마셨다.

난 술은 제법하는 편이에요, 하면서 여자가 나직이 말했다. 여자는 다시 자신의 술잔을 맥주로 채워넣었다.

오늘 하루 종일 술 생각밖에 안 났어요, 하고 여자는 말하면서 잔을 치켜들었다. 나와 그녀는 다시 잔을 비웠다.

「당신 데모해 본 적 있어요?」하고 여자가 갑작스럽게 말했다. 그녀는 마치 그 말을 꺼내기 위해 연거푸 술잔을 들이켰다는 식이었다.

가끔씩 했었지, 하고 내가 말했다.

여자는 식탁 위에 놓인 담뱃갑을 쥐고 한 개비를 꺼냈다. 여자는 담배의 끝을 몇 번이고 매만졌다. 여자는 말을 해야 할지 말아야 할지 망설이는 것 같았다. 내가 성냥을 손에 들었다. 여자는 담배를 입술에 물었다. 내가 성냥에 불을 붙여 여자의 담배에 불을 붙여주었다. 여자는 담배 연기를 길게 빨아들이고 내뱉고 하는 동작을 몇 번이고 반복했다. 여자가 나에게 침통한 눈빛을 던지며 입을 열었다.

「당신은 데모하면서 물리적이든 정신적이든 피해를 입었다거나, 이유 없이 당했다는 기분을 가져본 적이 없어요?」

글쎄, 하고 나는 생각에 잠긴 표정을 지었다.

여자는 피우던 담배를 왼손으로 옮기더니 다시 술잔을 들이켰다. 여자는 자신의 술잔을 비우고 나서, 자신이 비운 잔을 나에게 돌렸다. 내가 여자의 잔을 받으며 말했다.

「이 시대에는 누구에게나 피해 의식이라는 것은 있잖아」

누구에게나요? 하고 여자는 말하면서 담배를 빡빡 빨면서 시니

컬하게 웃었다. 난 말이죠, 하고 여자는 말하면서 담배를 재떨이에 신경질적으로 비벼 껐다.

그녀는 두 손을 벌리면서 호소하는 듯이 말했다.

「난 이 우주를 산산이 부숴뜨려 다시 만들고 싶은 거예요」

여자는 갑자기 격렬해졌고 나는 우울해졌다. 나는 여자에게 물었다.

「교도소 다녀온 적 있어?」

「아뇨, 하지만 면회 간 적은 있어요. 내가 존경하던 선배였죠. 오월대 대장하던 선배였어요. 내가 겪은 경험이라고는 87년 6월 대항쟁 때, 닭장차에 실려 구치소에 갔다 온 것밖에 없어요」

힘들지 않았어? 하고 내가 술잔의 가장자리를 천천히 돌리며 물었다.

「조금…… 지금 생각하면 쓸쓸하기도 하고…… 치욕스럽기도 하고」 여자는 세차게 고개를 흔들다가 다시 단호하게 말했다.

「한마디로 설명한다는 것은 곤란해요」

나는 벽에서 등을 떼며 식탁으로 몸을 기울여 담배 한 대를 뽑아 물었다. 나는 성냥불을 켜서 담배에 불을 붙인 후, 여자가 했던 것처럼 몇 번씩이고 연기를 빨아들였다가는 내뱉는 동작을 반복했다.

「닭장차에 개 돼지처럼 던져져서 씨발년 소리를 들으면서 전경들 군홧발에 마구 밟혔죠」

나는 연민의 눈빛을 띠면서 그래서, 하고 그녀에게 말했다.

「그 순간은 차라리 인간의 소리를 들을 수 없는 개 돼지가 되고

싫었어요. 차라리 그들이 핥으라면 핥고 짖으라면 짖고 그러고 싶었어요」

여자는 진절머리를 치면서 빈 술잔을 당겨 맥주로 채워넣었다. 그리고는 벌컥벌컥 마신 후, 담배 한 개비를 뽑아 물었다.

「군홧발로 차고 밟고 하는 폭력보다 더욱 견딜 수 없었던 것은, 그들의 입에서 마구 튀어나오는 욕설이었어요. 전경들에게 무슨 말을 들었는 줄 아세요?」

그녀는 식탁의 가장자리를 한 손으로 잡으며 나를 도전적으로 쾡하게 바라보았다. 그리고 고개를 푹 꺾고는 마녀 같은, 알 수 없는 웃음을 흘렸다. 그녀는 물건을 서서히 발기하듯, 고개를 조용히 올리며 절망적으로 말했다.

「씨발년들, 모두 북한에 보내줄 테니 김일성 좆이나 빨아라, 하더군요」

나는 손을 움직여 식탁을 잡고 있는 그녀의 왼쪽 손을 부드럽게 쓰다듬어 주었다. 그녀가 손을 빼며 다시 입을 열었다.

「구치소 안에 여학생들만 200여 명이 수용되어 있었는데, 모두 울고, 토하고, 머리를 쥐어뜯고, 발작하고…… 까무러친 여학우들도 있었죠」

나는 그 장면을 눈앞에 그려보며 혐오감을 느끼는 듯한 표정을 지으며 당신은? 하고 그녀에게 물었다.

그녀는 후 후 훗, 하는 바람 빠지는 소리를 내며 웃고는 이야기 더 할까요? 하고 말했다. 나는 고개를 끄덕거렸다.

「나는 임신 삼 개월째였어요」

그녀는 눈을 똑바로 뜨고는, 도저히 당신에게는 설명할 수 없다는 표정을 지었다. 나와 그녀는 오랫동안 서로를 바라보았다.

이해할 수 있어, 하고 나는 조용히 말했다. 그녀는 담배를 몇 모금 연속적으로 빨고는 회의하는 듯한 눈빛을 거두어들이고 다시 입을 열었다.

「자연 유산이 되었던 거예요. 나는 그 선배와 결혼하려고 마음먹고 있었어요. 한데 그게……」

그녀는 눈물을 글썽이며 다시 술잔을 잡았다. 나는 그녀의 술잔을 채워주었다. 그녀는 손등으로 눈가로 흘러내리는 눈물을 닦았다. 그리고는 고즈넉이 술잔을 들어 입 속에 맥주를 흘려넣었다.

「그 후, 두 달에 한 번, 때로는 육 개월에 한 번, 그런 식이었어요. 멘스가 불규칙적이었어요. 그건 나만이 그랬던 것은 아니에요」

그녀는 내가 내미는 손수건으로 물기 젖은 눈두덩이를 닦으며 말했다.

「믿을 수 있겠어요?」

무얼? 하고 내가 물었다.

자연 유산, 멘스, 하고 그녀가 말하며 다시 울음을 터뜨렸다.

*　　　*　　　*

다시 비가 왔다. 이틀이고 사흘이고, 비는 계속해서 내렸다. 나

는 부서진 전화통과 음반, 값싼 대우 AMC-500오디오, 그리고 선
풍기와 재떨이, 맥주병, 식탁 들을 방구석으로 밀쳐놓았다. 나는
빗자루로 부서진 것들을 쓸어모으다가 술병 조각에 발바닥을 베었
다. 왼쪽 발바닥 밑이 시집만한 두께로 4센티나 찢어졌다. 내가
발을 뗄 때마다 피가 장미꽃 무늬처럼 장판 위에 찍혔다.

나는 발바닥에 치약을 발라넣고 흰 러닝을 찢어 발바닥을 감고,
몇 시간을 버티었다. 그러나 피는 치약을 밀어내고 러닝 바깥으로
스며 나왔다. 나는 몇 차례씩 지혈을 해보려고 했으나 발목만 푸르
덩덩하게 아플 뿐이었다. 나는 여자의 도움을 받아 좁은 골목을 간
신히 걸어나온 후, 택시를 잡아 탔다. 여자는 택시 속에서 말이 없
었다.

택시 운전수가, 어디로 갈까요? 하고 물었다.

택시의 와이퍼는 박절기처럼 규칙적으로 움직이며 쏟아지는 빗
방울을 걷어냈다. 엄청난 비였다. 앞이 잘 보이지 않아 택시 기사
가 투덜거렸다. 택시는 울퉁불퉁한 비포장 도로를 빠른 속도로 달
렸다. 택시가 심하게 흔들릴 때마다 나와 그녀의 어깨가 부딪쳤
다.

지독한 비야, 하고 택시 기사는 입을 열면서 담배를 피웠다.

나와 그녀는 동대구 정형외과에서 내렸다. 여자가 우산을 받쳐
들고 내 왼쪽 겨드랑이에 팔을 끼웠다. 내가 수술대 위에 올라갔을
때, 젊은 여의사가 발에 감긴 러닝 조각을 풀면서 야릇한 웃음을
흘렸다.

치약과 붉은 피가 한데 배합되어 마치 유화물감처럼 러닝 천과 발바닥에 붙어 있었다. 나는 여섯 바늘을 꿰매고 다시 여자의 부축을 받으며 병원을 나섰다.

며칠째 계속해서 비가 내렸다. 비는 가늘어지는 듯하더니 저녁이 되면 다시 거세어졌다. 나는 방 한쪽 구석에 밀쳐둔 부서진 물건들을 들고 천변으로 나갔다. 나는 대우 오디오를 버렸다. 전화통과 부서진 식탁도 버렸다. 그것들은 천변 쓰레깃더미 위에 내던져져 몇 번인가 구르더니 어디쯤에선가 쿡, 처박혔다. 빗방울이 그 위에 거칠게 달려들었다.

나는 부서진 음반들을 손에 들고 오래도록 바라보았다.

바그너, 말러, 모차르트, 차이코프스키, 바르톡, 거쉰…… 우연의 일치겠지…… 부서진 판들은 대부분 라라가 남긴 것이었다. 나는 자켓에서 부서진 판들을 한장 한장 꺼내어 손으로 쓰다듬었다.

……부질없는 짓이야.

나는 판을 다시 자켓에 넣으며 한장 한장 퍼붓는 빗속으로 내던졌다. 자켓은 굵은 빗방울을 맞으며 둔탁한 소리를 내면서 나의 귀를 아프게 때렸다. 나는 우산을 접고 비를 맞았다. 빗방울이 순식간에 머리를 적셨다.

얼굴을 타고 흘러내린 비는 목줄기로 타고 들어가 가슴께에 이르렀다.

나는 젖은 감청색 남방에서 담배를 한 개비 꺼내어 입에 물었다.

나는 담배를 입에 물고 일회용 라이터로 불을 붙였다. 나는 천변을 따라 밑으로 걸어 내려왔다. 축대 옆에서 여자가 우산을 받치고 서 있었다. 우산 속에 가려 여자의 모습이 흐릿하게 드러났다. 나는 다리를 절뚝거리며 여자 쪽으로 걸어갔다.

미안해요, 하고 여자가 말했다.

그 소리는 빗소리에 묻혀 이내 사라졌다. 여자가 따라붙으며 내 팔짱을 끼었다. 제가 어떡하면 돼죠, 하고 여자가 불안하게 말했다.

신경 쓰지 마.

하지만, 하고 그녀는 얼굴 앞으로 흘러내린 머리카락을 귀 뒤로 넘겼다.

오히려 잘된 일이야, 하고 내가 말했다.

여자가 무언가를 말하려 하자, 내가 다시 입을 열었다.

「누구에겐가 이해를 강요하는 것은 괴로운 일이야」

여자의 플레어 치마가 바람에 날렸다. 여자가 망설이는 듯하더니 입을 열었다.

「하지만 〈진실〉의 강요가 비난받아서는 안 되잖아요」

진실? 진실의 척도가 뭘까? 하고 내가 자문하듯이 말했다.

「아직까지 아무것도 해결된 것이 없잖아요?」

「80년대를 힘겹게 보낸 우리에게 이 시대는 또 무엇을 강요할 수 있는 것일까? 지금 우리가 받고 있는 상실감만으로도 진절머리나. 도대체 이 시대는……」

나는 갑자기 슬퍼졌다. 그녀가 나의 손을 꼭 잡아주었다. 나는 감상적이 된 자신에게 화가 났다. 무슨 감정의 시스템이 이 모양이람······.

방을 옮겨야겠어, 하고 내가 말했다.

여자가 음울한 눈으로 나를 바라보았다. 나는 천변 쪽으로 고개를 돌렸다.

매몰차게 쏟아지는 폭우가 그녀와 나 사이에 일어난 감정의 기복을 마구 헝클어놓았다. 여자와 나는 더 이상 폭우 속에 서 있지 않았다.

*　　　　*　　　　*

〈아바나의 우기〉는 끝났다. 음습하고 몽롱한 나날들은 끝났다.

장마 전선은 북상했다. 수천의 가옥이 침수되었고 수많은 이재민이 생겼다. 단지 나와 그녀가 사는 〈희망 여인숙〉 앞을 흐르는 신천에 좀 더 많은 똥물이 흘렀을 뿐이었다. 그 도시에는 가로수로 세워놓은 플라타너스 가지 몇 개가 부러지고 입간판 몇 개가 떨어져 나갔을 뿐이었다.

내가 이사를 가는 날, 여자가 쿠바 시인, 에베르또 빠디야가 쓴 『아바나의 우기』란 소설책을 주었다.

이오네스코의 환상 같은 분위기예요. 읽어보세요.

나는 여자가 주는 책을 필기 도구가 들어 있는 고동색 가방 속에 집어넣었다. 나는 이삿짐 센터에 전화를 했다. 내가 물건을 들어

내고 방청소를 하는 사이, 여자가 이삿짐들을 하나씩 골목으로 내다놓았다. 대만제 조립품 컴퓨터가 나가고, 책 묶음이 나가고, 그리고 내가 나갔다. 그것으로 끝이었다.

나는 책 한 묶음을 그녀와 마주 들고 골목을 빠져나가면서 그녀에게 말했다.

「당신 덕분에 물건이 가벼워졌어. 고마워」 하고 나는 웃었다.

그녀도 환하게 따라 웃었다.

물건을 다 내어놓았을 때, 일 톤짜리 타이탄 트럭이 왔다.

나는 왼발을 절름거리면서 이삿짐을 타이탄 위에 올려놓았다.

나는 짐을 올리고 나서 고개를 돌려 천변을 바라보았다. 똥물의 수위가 조금씩 줄어가는 듯했다.

나는 담배를 피워 물며 언제 저 똥물이 맑아질까? 하고 말했다.

여자는 팔을 뒤로 돌려 마주잡으며 글쎄요, 했다.

나는 하늘을 올려다보았다. 맑고 푸르른 하늘이었다. 오랜 장마가 지나간 후여서 도시는 세수를 한 듯 상쾌했다.

안 탈 거예요, 하고 운전기사가 퉁명스럽게 말했다.

나는 담배를 비벼 끈 후, 타이탄 조수석에 올라탔다. 운전기사가 키를 돌려 시동을 걸었다. 나는 차창 밖으로 고개를 내밀고 그녀를 돌아보았다. 그녀의 흰 블라우스와 붉은 주름치마가 바람에 날렸다.

그녀의 맑게 웃는 환한 얼굴 뒤로 긴 머리가 한없이 너풀거렸다.

순간 나는 그녀가 말로 표현할 수 없을 정도로 아름답다고 생각했다.

「수요일, 병원에 실밥 풀러 나오시지 않을래요?」하고 여자가
물었다.

내가 무슨 말을 할 사이도 없이 트럭이 움직였다. 나는 차창 밖
으로 손을 내밀어 그녀에게 흔들어주었다. 그녀가 조금 달려오면
서 무슨 말을 하려고 했다. 그러나 타이탄이 너무 앞서 달리고 있
었기 때문에 그녀는 달리는 것을 포기해야만 했다.

나는 트럭 속에서 고동색 가방을 열어 그녀가 준 『아바나의 우
기』를 펼쳐보았다. 그 속에는 뭔가 두툼한 봉투가 있었다. 나는 봉
투를 열어보았다. 봉투 속에는 50만 원짜리 자기앞 수표와 편지가
들어 있었다.

......저도 제 감정을 어떻게 조절할 수 없었어요.

난 그날 마구 슬펐고, 견딜 수 없을 정도로 자신에게 화가 났
고, 그리고 그 답답한 상황을 참을 수 없었어요. 그래서 마구 울
고 소리지르고 당신의 물건을 닥치는 대로 부수어버렸어요.

아마 당신이 무척 편하게 느껴졌던 것 같아요. 당신이 나를 이
해할 수 없는 사람이라는 생각이 들었다면, 아무리 내가 술을 마
셨어도 그런 짓은 하지 않았을 거예요. 나는 당신에게 내 상처를
이야기하고 싶었어요. 나의 상실감과, 나의 한과, 세상에 대한
나의 혐오감과 분노와 증오를...... 물론 세상에 대한 분노를 그런
식으로 표현해서는 안 된다는 것은 저도 알아요. 하지만 세상에

대해서 분노를 삭이는 점잖은 사람들은 그래도 나름대로, 아차 하면 도망갈 비상구라도 마련해 놓은 사람들일 테죠.

내 앞에는 아무런 비상구도 출구도 없었던 거예요. 당신에게 내 지나온 삶을 이야기한다는 것은 무리겠죠.

나는 지금까지 내가 하고 싶은 모든 것들을 해왔어요. 성실한 학생, 독서, 모델, 좀은 얄궂은 일이지만 조금도 부끄럽지 않은 스트리퍼…… 나는 내가 할 수 있는 모든 것들에 부딪혀 왔어요. 그런데 내가 아무리 해도 이길 수 없는 것이 있었어요. 그건 우리들을 가수 상태로 이끌고 가는 가짜 욕망이었어요. 이 사회와 국가는 엄청난 거짓말을 하면서 굴러가고 있다는 것을 깨달았어요.

물론 나도 지금까지 살아오면서 많은 거짓말을 하곤 했죠.

우리가 살아 있다는 것은 늘 거짓말을 하고 있다는 것을 증거하는 것이기도 할 테죠. 나는 살아오면서 무수한 거짓말을 해왔지만 그 거짓말의 대부분은 나름대로의 진실을 위해서 쓰여졌다 생각해요.

진실과 고통을 위하여 나의 거짓말은 쓰여졌고, 또한 나는 무수한 거짓말을 하면서 살아 있는 날들을 보내야 하겠죠.

그런데 나는 세상에 눈을 뜨면서 나의 거짓말은 아무것도 아니라는 것을 깨달았어요. 국가는 집단적으로 죄를 저지르는 공룡 같은 범죄 집단이었고, 감옥과 병원과 학교는 안정적인 국가의 범죄를 위해서 철저하게 복무하고 있다는 것을 깨닫게 되었죠.

이 거대한 국가라는 덩어리가 조직적인 범죄를 위해서 굴러가
고, 완전무결한 거짓말을 위해서 가짜 이데올로기가 생산되고,
이단자들을 심판하기 위해서 법이 만들어지고, 계속적인 세일럼
의 마녀 재판이 행하여지고, 그것은 때로는 밀실에서, 때로는
공개적으로……

고등학교 다닐 때까지 공부만 하던 소녀가 대학에 들어와서 세
계의 진실을 알면서, 기성 세대의 조직적인 거짓말을 깨닫게 되
면서, 그 순수한 소녀가 받은 상처 같은 것은 기성세대에게는 아
무것도 아닐 테죠.

대학에 들어와서 수천, 수만의 아이들이 지난 18년 동안 멋모
르고 사기만 당해 왔다는 것을 느끼고, 어떤 분노를 가지고, 어
떤 증오를 가지는지, 어떤 영혼의 상처를 입는지는, 이 세상의
몇몇 자본가와 독재자와 기성세대들은 알 턱이 없죠. 거짓말의
일상화, 가짜 욕망이 판치는 세상, 가짜들이 준동하고, 문학도
미술도 음악도 학문도 인간도 가짜가 되어야만 대접받고 판을 치
는 세상이 아닌가, 하는 생각이 들었던 거죠.

나는 철저하게 짓밟혔어요.

나는 단지 학비를 벌기 위해서 모델을 했지만, 결국 나는 몸을
팔기 위해서 거리로 뛰쳐나온 창녀 대접을 받아야 했으니, 누가
나를 그렇게 대했나요.

이 세상의 남자들이죠. 참으로 비겁하고 비굴한, 돈과 성욕에
굶주린 노예들이, 그런 천민의식을 가진 짐승들이, 남자라구

요?

이 우울한 짐승의 시대에, 그러면 너는 왜 운동을 하지 않느냐 구요?

글쎄요, 내가 약하기 때문일까요?

남자가 죽었어요. 그 사람은 내가 만난 사람 중에서는 가장 성실했고, 그야말로 사람맛 나는 사람이었어요. 오월대 대장하던 그 사람, 그 사람을 누가 죽였나요. 이 세상이 그를 죽였죠. 가짜가 진짜를 죽였죠. 악화가 양화를 구축한 거예요.

．．．．．．．．．．．

적은 돈이지만, 없어진 물건들을 다시 사도록 하세요.

저에게 돈이 많지는 않지만, 혼자 쓰기에는 충분한 돈이 저금되어 있어요.

그중의 얼마를 찾아 당신께 드리는 거예요.

제가 복학하면 당신을 새롭게 만날 수 있을 테죠.

당신은 그 동안 제게 많은 너그러움과 친절을 베풀어주었어요.

아무쪼록 건강하게 잘 지내세요.

디디로부터

*

나는 반월당 대구학원 뒷동네에 방을 얻었다. 방 바로 앞에는 8미터 도로가 나 있고 화랑가로 유명한 골목이 있었다. 거기서 조금 더 올라가면 향교가 있고, 〈도로매기〉라는 술집이 나온다. 거기서 시내 쪽으로 내려오면 출가 전에 내가 잠시 출판사를 하던 사무실이 나온다. 그 사무실은 오래된 일본식 목조 이층 건물로 근대적인 운취가 있었다.

나는 바로 그 사무실을 얻은 것이다. 나는 전에 있던 사람들이 쓰던 사무집기를 밖으로 들어냈다. 그 사무실에는 싱크대와 붙박이장이 있었다. 여러 가지로 편리한 사무실이었다. 나는 벽지를 다시 바르고 뭉크와 마그리트, 달리 그림의 복사판, 케테 콜비츠의 석판화 복사판, 정하수 판화를 벽에 걸었다. 나는 기존에 있던 장판 위에 아이보리색 모노륨을 사서 그 위에 깔았다. 그리고 후배가 쓰던 싱글 베드를 들여놓았다. 그리고 〈상아 기획실〉이라고 선팅된 유리창을 지워내고 밝은 색으로 선팅을 했다.

사무실은 완전히 자취방으로 바뀐 것이다. 나는 개학을 하기 전까지 이층 다락방에서 지내며 질 나쁜 시를 썼다. 머리가 아픈 날은 법학책을 읽곤 했다. 법학책을 읽으면 머리가 논리적으로 차분히 정리가 되었다.

나는 그해, 8월 말까지 하루에 다섯 편 정도의 시를 썼다. 여러 시집을 펴놓고 좋은 말들을 노트에 적기도 하고, 어떤 좋은 착상을 떠올리기 위해서 이 시집, 저 시집을 닥치는 대로 읽었다. 언제나 방바닥에는 300여 권의 시집들이 아무렇게나 나뒹굴었다. 하루 종일 쓴 시들을 자기 전에 다시 읽어보면 언제나 불만스러웠다. 그러면 잠을 자지 못하고 시를 고쳤다.

시를 다듬다 보면 아침이 왔다. 아침이 오면 창문의 커튼을 닫고 선풍기를 틀어놓은 채 잠이 들었다. 잠에서 깨면 정오를 조금 지나 있었다.

잠에서 깨자마자 나는 노트를 펴고 새로운 기분으로 시를 읽었다.

그러면 언제나와 같이 시들이 늘 불충분하다는 것을 발견할 뿐이었다.

그렇게 날들이 흘렀다.

더위는 한층 누그러졌다.

9월이 된 것이다. 나는 9월이 될 때까지 왼발에 수술한 자리의 실밥을 풀지 않았다. 나는 학교 가는 날 아침에 실밥을 풀고 수술한 부위에 알콜을 들이부었다. 그리고는 양말을 신고 학교로 나갔다.

제 3 부
불꽃의 노래

되풀이였다. 일상은 아무것도 변하지 않았다.

화, 목요일은 대학원 건물이나 교수 연구실에서 하루 종일 보냈고, 평일은 도서관에서 종일 노닥거렸다. 일주일에 한 번씩 돌아오는 활동가들의 비공식적인 모임에 나가 학습을 했고, 학교서 가끔씩 디디를 만났다. 디디를 만나면 북문 앞에 있는 〈새벽강〉에 나가 술을 마시거나, 기억에서 이내 사라지는 여러 가지 잡담들을 나누었다. 디디는 취직공부를 위하여 『매스컴 국어』『토플』, 최근 판씨의 『워드파워 뉴스위크』, 동아일보사 간 『시사용어사전』『타임』, 일간신문 등에 매달렸다.

디디와 나는 서로가 바빴으므로 시간이 지날수록 만남이 힘들어졌다.

나는 일주일에 여섯 시간의 강의를 따라잡기 위하여 하루 종일 열람실과 자료실 사이를 뛰어다녀야 했다. 개학을 하면서 나에게는 시를 쓰는 일이 점점 어려워졌다. 나는 법학에 염증을 느끼면서도 법학책을 끈질기게 물고 늘어졌다.

사법시험 공부할 것도 아니면서 왜 그러세요. 전공을 바꿔보세요, 하고 가끔씩 디디가 말하곤 했다.

도대체 내가 다른 무엇을 할 수 있을까? 하고 나는 디디에게 말했다.

「소설을 써보세요」

「소설? 내가? …… 글쎄……」

「난 그런 생각이 들어요. 언젠가 당신 자취방에서 우연히 일기장을 보게 된 적이 있죠. 무슨 일기가 그렇게 길어요. 보통 하루에 대여섯장의 일기를 썼더군요. 그건 일기가 아니고 소설 같았어요. 그래서 제가 이런 말을 하는 거죠」

나는 가끔씩 디디가 했던 말을 떠올리며 『소설 작법』이란 책을 사모으기 시작했다. 그 『소설 작법』을 보면서 나는 그해 가을을 보냈다.

소설을 쓰기 위해서 『소설 작법』을 보다니…… 나는 시를 쓰기 위해서 『시 작법』이란 책을 보지는 않았다. 나는 『소설 작법』에 대한 책을 열 권 정도를 사모았다. 그것을 도서관에 처박혀 고시공부하듯이 몇 차례씩이나 읽고 또 읽었다. 나는 『소설 작법』을 읽은 후, 무언가를 쓰려고 해보았다. 한 시간이고 두 시간이고 원고를 물고 늘어졌지만 아무것도 쓸 수 없었다.

도대체 왜 이러는 걸까. 상상력의 빈곤 탓일까. 나는 글이 안 씌어지는 원인을 찾으려고 했으나 백지 앞에서 시간만 죽일 뿐이었다.

이러다가 나는 시도 못 써버릴지 몰라, 하고 나는 중얼거렸다.

많은 담배를 피웠고 많은 커피를 마셨다.

나는 서른 살이다, 하고 도서관 창 밖을 바라보며 중얼거리곤 했다.

서른 살이 되어도 아무것도 하지 못한다면 가련한 고깃덩어리에 지나지 않는다, 하고 나는 생각했다. 나는 어두워진 창 밖을 바라보며 불안하게 눈을 깜박거렸다.

앙상한 몸, 충혈된 눈, 이건 노안이야, 하고 나는 자신도 모르게 소리질렀다.

나는 얼굴을 매만졌다. 식빵처럼 힘없이 물렁물렁했다. 과거에는 얼마나 탄력 있던 살이었던가, 하고 한숨을 쉬었다.

나는 언젠가 디디에게 말했다.

「혹시 내가 돈을 번다면 어떨까?」

디디는 쿡 쿡 쿡 쿡, 웃으며 숨을 돌리고 나서 말했다.

「좋은 일이죠. 한데 세상은 당신이 번 돈을 남김없이 써버리도록 하겠죠. 세상은 아마 당신에게 언제나 가혹할 거예요. 돈에 대한 욕심은 버리세요」

그렇다면 나는 무엇을 할 수 있을까? 출가 사문? 그건 나에게 뭐지? 평생 화두를 물고 사는 일이지. 그럼 소설은 나에게 뭐지? 그것도 화두를 물고 사는 일이잖아. 그럼 출가 사문이 소설을 쓰는 것은 당연하다?

나는 고개를 저었다.

나는 다시 생각했다. 나는 왜 소설을 한 자도 제대로 쓸 수 없는 걸까.

도대체 무엇이 나의 입을 꽉 틀어막고 침묵을 강요하는 것일까? 나는 재갈이 물린 것이다.

나는 술을 마셨다. 술은 나의 육체를 끝없이 피로하게 했다. 그러나 때로는 술이 정신적인 에네르기를 충전시키기도 했다.

술을 마시면 생각의 진전이 있었다. 나는 도서관을 나서면 몇 시간이고 경대천변을 걸어다녔다. 어떤 이야기의 실타래가 풀릴 듯도 했다. 그러나 술에서 깨면 더 이상의 진전이 없었다. 나는 다음 날에도 술을 마셨다. 가끔씩 기발한 생각이 떠오르곤 했다.

나는 미친 듯이 술병 앞에 노트를 펴놓고 생각이 가는 대로 글을 적어 나갔다.

……45억 년 전에 지구가 태어났다. 그리고 40억 년 전에 지구상에 최초의 생명체가 태어났다. 그리고 40억 년 가량이 지나 호모 에렉투스가 지구 위에 나타났다. 나는 그중의 일원이다. 이건 대단히 재미있는 사실이다. 내가 그중의 일원이라니? 나로서도 불행한 일이고, 지구 위에 존재하는 호모 사피엔스를 위해서도 불행할 일이다. 아니 어쩌면 나를 제외한 그들은 불행하지 않을지도 모른다. 나는 그들과 이 지구 위에서 같이 살아야 한다는 것이, 정말이지, 치욕스러운 일이라고 생각한다. 나는 지구를 교란시키기 위해서 태어나지는 않았다. 그러나 그들은

나를 지구를 교란시키고, 참주 선동하고, 뒤죽박죽으로 만들어
놓는 이단자라고 손가락질한다. 나는 지금 나를 제외한 호모 사
피엔스들이 만들어놓은 감방 속에 갇혀 있다. 그들은 곧 나를 재
판에 회부시킬 것이다. 나는 일심에서 사형을 선고받았다. 그러
므로 나는 지금 항소 이유서를 작성하고 있다. 나는 그들과 끝까
지 투쟁할 작정이다. 아니 어쩌면 나는 그 전에 나 스스로 자살
해 버릴지도 모른다. 내가 이 감옥에 갇히게 된 이유는 간단하
다. 나는 이 감옥에 갇히기 전까지 거리와 시장을 뛰어다니며 지
구는 핵으로 곧 망해 버릴지도 모른다고 떠들었다. 우리들은 모
두 이 평화스러운 지구를 태초의 어둠으로 몰고 가려고 한다고,
나는 경고했다. 나는 즉시 경찰관에게 체포되었다. 그 경찰관은
비극은 아름답지 않으냐고 빈정거리며 나의 손목에 수갑을 채웠
다. 법정에서 검사가 나에게 말했다. 우리는 단지 우리들 최초
의 고향, 암흑 속으로 돌아가고자 할 뿐이다. 점잖은 법관도 고
개를 끄덕거리면서 웃었다……

그러나 나는 더 이상 쓸 수가 없었다. 술에서 깨면 나는 아무것
도 할 수 없었다. 나는 일단 제목을 〈핵〉이라고 달아놓았다.
　역시 되풀이다. 나는 소설에 대한 고민을 좀더 진지하게 해보기
위해서 북문 앞, 고시원으로 책 몇 권을 들고 들어갔다. 나는 언제
나와 같이 경대 천변을 따라 걷다가 돌아오는 길에 우연히 헌책방
에 들렀다.

나는 책 사이를 왔다갔다하다가 책더미 위에서 어머니의 모습과 비슷한 사진 한 장을 발견했다. 그것을 유심히 바라보았다. 그것은 책 뒤표지에 인쇄된 사진이었다. 나는 그 책을 들었다. 아니 에르노, 『아버지의 자리』.

나는 그 책을 사들고 고시원으로 돌아왔다. 책상 앞에 앉아 아니 에르노의 얼굴을 유심히 들여다보았다.

이마, 눈썹, 눈, 코, 입술, 머릿결, 목……나는 세심하게 그 사진을 들여다보았다. 나는 어머니의 사진을 꺼내 아니 에르노의 얼굴과 비교해 보았다. 눈 색깔을 제외한다면 완벽하게 닮지 않았는가. 나는 놀라지 않을 수 없었다. 나는 어머니의 사진을 집어넣고 에르노의 책을 읽기 시작했다. 실로 단숨에 「아버지의 자리」를 읽었다. 나는 옥상에 올라갔다. 한 개비의 담배를 빠른 시간에 피우고 다시 내려왔다.

나는 「아버지의 자리」 뒤에 있는 또 하나의 중편, 「어떤 여인」을 읽기 시작했다. 단숨에 일독한 후 나는 다시 옥상에 올라갔다. 담배 한 개비를 태우고 다시 내려왔다. 읽으면서 줄쳐놓은 문장들을 다시 읽기 시작했다. 읽기를 마쳤을 때, 나는 자신도 모르게 책상 위에 원고지를 펼쳐놓았다. 화장실에 다녀왔다. 그리고는 세면장에 들어가서 세수를 하고 손을 깨끗이 씻었다. 새벽 두 시 반이었다. 나는 최대한 빨리 책상으로 돌아왔다.

고시원 실내는 조용했다. 1인 1실, 몇 개의 방에서 정밀을 깨고 책장 넘어가는 소리가 들렸다.

나는 책상 앞에 앉아 조용히 눈을 감았다.

그래, 꼭 소설을 쓰겠다는 생각은 버리자. 나는 지금 소설을 쓰는 것이 아니다. 라라의 이야기를 어떤 식으로든 쓰지 않으면, 나는 내가 아무것도 할 수 없다는 것을 안다. 지금까지 내 생각의 진전을 막은 것은 바로 이것이었다.

이것이 해결되지 않고서는 아무것도 해결되지 않는다. 나는 이제부터 라라의 이야기를 쓰는 것이다. 라라는 내 글쓰기의 열쇠다. 그녀는 내 글쓰기의 기원이다.

지금 나는 아니 에르노의 소설에서 영감을 받은 것이다. 나는 지금 라라의 죽음의 원인을 사회학적으로 분석해 들어가는 것이다. 그리고 내 어머니가 내 의식을 어떤 식으로 지배했으며, 내 삶에 어떻게 관계했는지를 이야기하자.

나는 호흡을 가다듬었다. 손가락 관절을 부드럽게 꺾었다. 나는 만년필을 들었다.

……째진 옷 틈 사이로 그녀의 성기를 마지막으로 보았다. 그 부분을 여며주고 나서 나는 그녀의 이마를 손으로 부드럽게 쓸었다. 이마는 티없이 깨끗했으나 대리석처럼 차가웠다. 나는 그녀의 긴 생머리를 손으로 빗어주었다. 부검의가 들어왔다. 그는 메스로 그녀의 옷을 찢었다. 그는 그녀의 등과 유방, 그리고 허벅지를 살폈다.

「자살이야」 그는 짧게 말하고 밖으로 나갔다.

장의사가 들어왔다. 그의 손에는 커다란 비닐이 들려 있었다. 그는

나의 도움을 받아 그녀를 뻣뻣한 비닐 안에 집어넣었다. 그녀는 냉동
된 생선처럼 딱딱했다. 그녀는 응급실에서 영안실로 옮겨졌다. 그녀
앞에 병풍이 쳐지고 흰 국화꽃이 놓였다. 그리고 살아 남은 자를 위하
여 돗자리가 깔렸다.

나는 그녀가 남긴 수첩을 뒤져 그녀를 기억할 만한 사람들의 전화번
호를 찾았다.

이건 예사 죽음이 아니다. 나는 그녀의 죽음을 알려야 한다.

그런 절박감과 필요성을 느꼈다. 나는 그녀의 수첩을 몇 번이고 뒤
졌으나 수첩에는 아무것도 적혀 있지 않았다. 이 도시에서 그녀가 알
고 지낸 사람은 아무도 없었다.

그녀는 지난 4년을 그렇게 살았다.

그녀는 가끔씩 웃었지만 우울이 그녀 곁을 떠난 적은 없었다.

그녀는 지상에서 단 한순간도 행복하지 못했다. 그것은 나의 부끄
러움과 관계된다.

나는 영안실에서 나와서 꽃집을 찾았다. 아침 일찍 문을 연 집은 없
었다.

시내 쪽으로 20분쯤 걸은 후, 나는 장미 스물세 송이를 살 수 있었다.

만 22년 6개월.

결국 23년 동안 그녀는 죽음을 위해서 걸어왔다. 죽음을 위해서 책
을 읽었고, 죽음을 위해서 방황의 나날을 보냈다. 죽음을 위해서 학
교를 뛰쳐나와 공장에 나갔고, 죽음을 위해서 사랑을 하고 눈물을 흘
렸다.

그녀는 행복했어야 했다. 그녀는 행복할 수도 있었다. 그녀는 자신

의 행복을 스스로 팽개쳤다. 그녀 행복의 유기에는 나도 공범으로 들어간다.

나는 대학병원 영안실로 돌아왔다. 그녀 앞에 장미꽃을 놓았다.

언젠가 내가 그녀에게 꽃을 사준, 단 한 번의 기억이 난다.

86년 어버이날을 며칠 앞둔, 어느 날이었을 것이다.

동아백화점 주변에는 리어카 노점상마다 꽃이 가득했다. 시내에서 나는 그녀에게 그 꽃을 사주었다. 그리고 그녀는 나의 것이 되었다.

그녀에게서 내가 꽃을 받은 기억도 난다. 서너 번쯤 되었을 것이다.

처음은 그녀로부터 국화, 프리지아, 장미, 수선, 안개꽃으로 이루어진 한아름의 꽃을 받았다.

나는 그녀에게 어디서 샀느냐고 물었다.

그녀는「교회서 훔쳤다」고 말했다.

나는 그 꽃을 화병에서 썩은 냄새가 날 때까지 버리지 않았다.

그녀는 그 꽃들이 시들기 전 내 곁을 떠났다.

그녀가 다시 나를 찾아왔을 때, 그녀의 손에는 장미 한 송이가 들려 있었다. 그녀는 생글거리며 웃고 있었다.

나는 그녀가 주는 꽃을 길가에 집어던졌다.

「이건 불란서 영화가 아니야!」

그녀는 죽지 않았다. 지금 이 글을 쓰는 순간에도 내 옆에서 책을 보거나, 쌔록쌔록 잠을 자거나, 당신 지금 뭐 하세요? 하면서 내 등을 넘어다볼 것만 같다.

그녀에게는 아주 짧았지만 행복했던 적이 있었다.

그때 나는 지금처럼 글을 쓰고 있었다. 낡은 혁대에서 착상을 얻은 소설이었다. 나에게는 낡은 혁대가 있었다. 상표도 없는 못생긴 혁대 때문에 어느 소시민이 직장에서 느끼는 갈등, 나아가 계급의 문제까지 걸고 넘어지는 무모한 단편소설이었다.

책상에서 글을 끼적거리는 나를 보고 그녀가 입을 열었다.

「당신 정말 너무 아름다워요」

그녀는 환하게 웃었다. 행복한 웃음이었다. 그녀는 책상 위에 엉덩이를 걸치고 앉았다. 그녀의 엉덩이 밑에는 내가 쓰던 글의 원고지가 깔려 있었다. 그녀는 여전이 고양된 감정을 억지로 감추려는 듯, 달뜬 표정을 짓고 있었다.

「나는 있죠?」

내가 뭔데? 라고 했던가. 그런 말은 하지 않았을 것이다.

한참 뜸을 들이더니 그녀가 말했다.

「당신이 글을 쓸 때, 난 제일 기뻐요」

그녀는 내가 작가가 되기를 원했다. 그러나 나는 결코 그런 일은 없을 거라고 했다. 나는 지난 10년 동안 글 같은 것은 쓰지 않으려고 노력해 왔다.

나는 불행해지고 싶지 않았다.

나는 물적 재부를 버리고 가열한 정신주의와 싸우는 것을 늘 두려워했다.

그 고통이 보장된 세계에 내 인생을 걸고 싶지는 않았다.

내 앞에는 여러 가지 길이 있었다. 적어도 정신을 희생시키고 물질을 얻는 방법은 이 세상에 널려 있었다. 나는 그녀에게 말했다.

「이 글을 결코 완성하는 일은 없을 거야」

나는 그 글을 완성하지 못했다. 그 글을 끝맺기 전, 나는 출판사 문을 닫았다.

나는 광주로 내려갔다. 그녀의 처음이자 마지막 행복이었다.

나는 지금 소설을 쓰고 있는 것이 아니다. 그녀에게는 미안한 일이지만 앞으로도 그런 일은 없을 것이다.

나는 단지 그녀에 대한 기억을 떠올리며 생각이 나가는 대로 연필을 움직일 뿐이다. 또한 이 글은 그녀에 대한 전기도 아니다.

나는 이 글을 200자 원고지 100매 내외에서 그만둘 것이다.

그녀가 죽은 후 나는 어떤 일이 있더라도 그녀에 관한 글만큼은 쓰지 않으려고 했다. 글을 빌미로 하든, 그녀의 죽음을 빌미로 하든, 지나간 과거 속으로 돌아가고 싶지는 않았다. 그 과거는 너무 고통스럽기 때문이다. 하지만 그녀가 죽은 후, 나는 한순간도 그녀의 죽음에서 벗어나지 못했다. 나는 그녀를 구속하지 않았다. 우리는 서로를 구속하지 않고 지난 4년을 보냈다. 그러나 지금 그녀는 나를 구속하고 있다. 나는 그녀의 죽음에서 자유롭지 못하다. 이 부자유에 대해서 나는 무언가를 설명하지 않으면 안 된다. 그녀의 죽음에 대해서 무언가를 설명하지 않으면 안 된다.

내가 만일 살기를 원한다면, 그것은 필요한 일이다.

나는 지금 혼돈에 빠져 있다. 아마 이 글은 그 혼돈에서 빠져나올 수 있는 유일한 길이 될 것이다. 아마 이 글은 죽음의 원인을 찾으러 가는 우울한 여행이 될 것이다.

……우울한 여행이 될 것이다…… 우울한 여행이 될 것이다
…… 우울한 여행이 될 것이다. 나는 이쯤에서 쓰기를 멈추었다.
나는 만년필을 내려놓고 원고지를 덮었다. 나는 옥상으로 올라갔
다. 나는 담배를 입에 물었다. 나는 주머니에서 성냥을 찾아 담배
에 불을 붙였다.

나는 고시원을 나왔다. 반월당에 있는 목조 건물 이층, 다락방
으로 다시 돌아왔다.
나는 걸레를 빨아서 방을 닦았다. 이것저것 정리를 하고 난 후,
컴퓨터 앞에 앉았다. 플러그를 꽂고 리셋을 눌렀다. Hana, Enter
키를 누르고 고시원에서 쓴 글을 입력시켰다. 나는 몇 분 동안 키
를 두드린 후, 모니터를 바라보며 몇 개비인가의 담배를 피웠다.
……우울한 여행이 될 것이다…… 우울한 여행이 될 것이다.
나는 모니터를 들여다보며 무언가를 더 두드려보려고 했지만 생
각은 더 이상 진전되지 않았다. 그 뒤로는 까만 암흑의 세계였다.
그 칠흑 같은 세계에서 어떤 언어들을 끄집어내서 이야기로 만들어
나갈 것인가?
나는 몇 시간이고 모니터 앞에 앉아 있었다. 그러나 모든 언어가
결박당한 모양, 어떤 언어도 화면 앞에 불러낼 수 없었다.
나는 F9, F3, Enter 키를 누르고 자리에서 일어섰다.
나는 절망적이었다. 어디서부터 잘못된 것일까? 나는 머리를
쥐어 짜며 생각했다. 라라에 대한 글을 쓴다는 것부터가 잘못된 것

일까? 철저한 노동자도 되지 못했고 문학적으로도 미완으로 끝난 80년대의 죽음, 혹은 라라의 죽음. 그 죽음은 죽은 것이 아니고 90년대에도 살아 나를 통해서 부활하기 때문인가?

자판을 두드리다 보면 의도하지 않은 엉뚱한 글만 되풀이되곤 했다. 내가 글을 쓰는 것이 아니라 컴퓨터가 상상을 하고 컴퓨터가 글을 쓰는 꼴이었다. 원질의 나의 상상은 문자 키와 모니터로 옮겨지면서 끊임없이 변용되었다. 그러면서 컴퓨터는 쓰기를 끝없이 강요했다. 또한 나는 미지의 암흑세계를 끊임없이 유영하고 싶다는 욕망 때문에 불안감만 늘어갔다.

글이 되지 않으면 쉬도록 하자.

나는 라면 박스에서 테니스화를 꺼내고, 낡은 청색 사파리와 청바지를 입고 도서관에 나갔다. 바르베르스의 「발자크」와 「고리오 영감」을 읽으며 시간을 보냈다.

디디를 만났다. 나는 다시 반복된 생활로 돌아갔다.

그녀와 같이 공부를 한 후, 밤 열한 시가 되어 도서관을 나온다. 다음날 새벽에도 도서관에 나간다. 디디가 나온다. 몇 잔의 커피와 몇 개비의 담배가 몸 속에 들어왔다가 하늘과 땅으로 끝없이 사라진다. 얼마인가는 내 몸 속에 남는다. 그들은 조금씩 나의 생명을 갉아먹는다. 즐거운 일이다. 무엇인가 나에게 관심을 가져준다는 일은. ……그리고 지하 식당에서 아침 겸 점심으로 맛없는 밥을 먹는다. 점심 겸 저녁은 건너뛸 수 있다. 카페인과 니코틴은 밥을 끝없이 거부한다. 그러나 카페인과 니코틴을 공급하지 않으면 내 기계는 말을 듣지 않는다. 문명병이다. 아니, 어쩌면 자판기가 끝없이 소비를 충동한다.

100원을 집어넣는다. 기분이 좋을 때는 버튼을 부드럽게, 기분이 나쁠 때는 버튼을 주먹으로 쾅, 친다. 일회용 종이컵이 퐁, 소리를 내며 떨어진다. 주르르륵, 배설의 쾌감을 자판기가 대신한다. 커피는 너무 쓰거나 달다. 자판기는 몇 차례 고장이 났고 교체되기도 했다. 오토매틱한 시스템은 언제나 똑같다.

무감동, 무감각, 무미건조한 날들이다.

월요일이 흘러가면 화요일이 떠내려왔고, 화요일을 잡아타면 수요일이 아가미를 벌리고 서 있다. 시간이 나를 잡아먹는다. 다시 목요일이다. 달력에 서른 개 정도의 곱표를 하고 서른 개가 차면 찢어버린다. 그것으로 그만이다.

그런데 나는 무엇을 고민하는가. 지금까지 나는 반복된 일을 불평 한마디 없이 잘해 오지 않았던가. 고시공부도 했고 운동도 했고 사랑도 했고 주제넘게 시라는 것도 끼적거려 보지 않았던가. 술과 밥은 목마르지 않게 있었고, 모퉁이를 돌면 새로운 골목이 시작되듯이 여러 가지의 희망도 있지 않았던가. 여자가 떠나면 늘 새로운 여자가 계절의 변화처럼, 모양은 같지만 이름만 다른 가을 여자, 겨울 여자……끝없이 있었다. 그런데 지금은 무엇인가. 무언가를 쓰지 않으면 무중력 상태에서 넋없이 떠도는 기분이다. 언어라는 유령이 나의 머리와 손을 잡고 컴퓨터 앞으로 끌고 가는 것만 같은 기분이다. 불안하고 초조하다. 하지만 나는 내 머릿속에서 어떤 언어도 끄집어낼 수 없는 지경이다.

글을 쓸 수 없을 때의 고통을 나는 당하고 있다. 이것은 출가 사문의 정신을 짓누르는 화두와 다를 바 없다는 것을 느꼈다. 나는 지금 언어라는 십자가를 지고 골고다의 노란 하늘을 희망 없이 바라보고 있는 것이다. 밥을 먹을 때도, 똥을 눌 때도, 언어가 나를 감시하고 있고, 언어가 내 의식을 끊임없이 물고 늘어진다. 나는 지금 언어의 감옥 속에 갇혀 있는 것이다. 실체 없는 언어에게 결박을 당하고 고문을 당하다니…… 다시 시작하자. 언제나 새로운 시작은 있는 법이다. 당분간 시간의 흐름에 모든 것을 맡겨보도록 하자.

나는 딱딱한 얼굴로 새벽 여섯 시, 밤 열한 시, 별을 보며 도서관에 나갔다가, 별을 보며 도서관을 나서는 일을 반복했다. 정각 열한 시가 되면 언제나와 같다.

〈페르퀸트 제2조곡〉이 흐른다. 노르웨이의 리리시즘. 그리고 방황과 모험. 차가운 북구의 바람 소리. 물레를 자며 페르를 기다리는 솔베이지의 노래.

흘러간 시간은 끝내 돌아오지 않는다. 물레만 무료하게 규칙적으로 돌 뿐이다.

거듭된 반복…… 시간이 흐르면 몸 속에는 시간의 노폐물이 쌓인다.

시간의 노폐물? 노쇠, 노안, 노구, 노약, 노욕, 노병…… 나는 녹슨 폐차인 것이다. 서른, 내가 너무 늙어버렸다고 생각했다.

글이 독이 될 수 있다는 것을 깨달은 것이다.

시를 쓰지 못할 때 이렇게 괴로워해 본 적은 없었다. 시를 쓸 때는 단지, 하나의 분노, 하나의 증오, 하나의 감상, 하나의 이미지로……두 편이고 세 편이고 내키는 대로 뽑아낼 수 있었다.

그런데 산문은 다르다. 무엇이 다른가. 나는 그것을 알 수 없었다. 나는 지난 시기 라라에게 산문 정신에 대해서 얼마나 많은 말을 뇌까렸던가.

모두가 실속 없는 빈말이었다. 이론과 실제는 다르다?

나는 언어의 늪 속에서 헤어나지 못한 채, 2학기를 흘려보냈다.

노란 은행잎이 무리지어 떨어졌고 찬바람이 불었다. 찬바람이 불고 일청담에는 가끔씩 살얼음이 끼기도 했다. 첫눈이 왔다. 도서관에서 갑자기 여학생들이 웅성거리며 자리에서 일어섰다. 디디가 샤프펜슬로 내 손등을 쿡 쿡, 찌르며 말했다.

「눈이 와요」

디디의 목소리는 한껏 상기되어 있었다.

그래, 눈이다. 눈이 어쨌다는 말이냐. 눈이 온다고 해서 제대로 된 것은 아니야.

나는 속으로 중얼거렸다.

디디가 눈구경을 가자고 보챘다. 나는 일어섰다. 첫눈치고는 엄청난 눈이었다. 여학생들은 깔깔거리며 두 팔을 벌려 눈을 맞고 있었다. 카메라를 언제 마련했는지, 여기저기서 셔터 터지는 소리가 들렸다. 함박눈이었다.

얼마 지나지 않아 눈은 도서관 본관 앞 잔디밭을 덮었다.

흰 시루떡 같은 겨울이다, 하고 나는 말했다. 디디가 백떡 같은 겨울이네요, 하고 말했다. 떡 같은 겨울이라니, 둘 다 형상력이 부족하군, 하고 내가 말하자 디디는 깔깔깔깔, 웃었다.

우리는 대학원 건물 쪽으로 걸어갔다. 어디쯤인가에서 팬플루트 소리가 들렸다. 소강당 앞에서였다. 〈THE ROSE〉였다. 디디가 따라 불렀다.

……섬세이 럽 잇이즈럽—— 댓더로운즈 텐더릿 섬세일 럽 잇이즈레이저 댓리브즈 유어솔투 브 섬세일 럽……

우리의 어깨와 머리에 눈이 내려앉고 있었다. 팬플루트 소리가 멀어져 가고 있었다. 디디는 우수에 젖은 얼굴로 말했다.

「이 답답한 분지의 도시에도 눈이 온다니……이제 비로소 겨울이 시작되려나 봐요」

디디는 손바닥을 내밀어 떨어지는 눈을 받으며 다시 입을 열었다.

「학교를 떠난다는 게 겁이 나요. 이제 돌아갈 곳이 없잖아요. 학교가 지겨우면 휴학을 했고, 휴학을 하면 학교가 그리워 다시 돌아오곤 했는데……」

그녀는 내 대답을 기다리지 않고 불안스럽게 말했다.

「언론사 공부가 나에게 어울리지 않는 것 같아요. 공부가 제대로

되지 않아요. 한다면 할 수는 있겠지만 나에겐 직장생활이 어울리
지 않아……」

디디의 마지막 말에는 쓸쓸한 여운이 있었다. 우리가 교내 우체
국으로 접어들었을 때, 디디는 머리카락 위의 눈을 털며 다시 입을
열었다.

「이학년 때, 학교 신문사에서 주최하는 문학상에 소설이 당선된
적이 있어요. 제목이 「빨간 라디오」였는데」

빨간 라디오! 하고 나는 소스라치게 놀랐다.

디디가 왜 그러세요, 하며 나를 빤히 쳐다보았다. 나는 침착하
게 고개를 내저으며 아냐, 아무것도 아냐, 계속해, 하고 말했다.
디디는 다시 입을 열었다.

「내가 사귀었던 선배를 주인공으로 하여 썼던 글이에요. 그 선배
는 언제나 단파 라디오를 가지고 다니며 한·민·전 〈구국의 소리
방송〉을 듣곤 했죠. 라디오라는 도구의 형식을 통해서 빨간 물이
들어가는 과정을 그린 작품이었죠. 소설이라는 건 태어나서 그때
처음 써봤는데 당선이 되더라구요. 나도 놀랐죠」

나는 디디의 말을 듣고 어떤 마술에 스르르, 빨려들어가는 듯한
기분을 느꼈다. 나는 디디의 얼굴을 뚫어지게 바라보았다. 나는
마취가 걸린 사람처럼 디디 앞에서 자신도 모르게 눈을 감았다. 아
찔한 현기증이 나는 것만 같았다. 나는 머리를 흔들었다.

이럴 수가 있다니!

나는 지금 디디의 얼굴에서 라라의 얼굴을 보고 있는 것이다. 디

디와 라라의 얼굴이 오버랩되었다.

나는 갑자기 디디라는 여자가 무서워졌다. 이 놀라운 일치를 나는 뭐라고 설명할 수가 없었다. 내 앞에 서 있는 여자는 디디가 아니라 라라였다.

아니 라라가 아니라, 디디이면서 동시에 라라였다.

나는 그때 디디와 라라의 완벽한 일체감을 느꼈다. 내가 디디의 얼굴을 뚫어지게 바라보고 있을 때, 일그러진 라라의 얼굴이 보였다.

디디가 걸어온 길, 라라가 앞서 걸어갔던 길, 어쩌면 완벽한 일체다.

언젠가 라라가 내게 말했다.

「나는 지금 당신을 주인공으로 하는 소설을 쓰고 있어요」

그때, 나는 라라의 말을 듣고 나를 주연으로 내세우든, 조연으로 내세우든, 엑스트라로 내세우든, 나에 관한 글을 쓰지 말라고 잘라 말했다.

「벌써 거의 다 썼는걸요」 하고 라라가 퉁명스럽게 말하며 내 손에 원고지를 내밀었다.

제목은 「빨간 라디오」였다.

……그의 이야기다. 나는 오늘 아침 신문 사회면을 읽어 내려가다가 그의 사진을 신문에서 보았다. 나는 경악했다. 나는 안절부절 못하고 조급한 마음으로 그의 사진 옆에 난 활자를 읽었다. 〈참세상 출판사 발행인 모모씨 (27), 지난주 화요일 일본을

통해 밀입북, 안기부 발표〉…… 나의 심장은 마구 펌프질하고
있었다. 나는 온몸에 힘이 빠지고 머리가 쭈뼛쭈뼛 섰다…….

정확한 기억인지는 알 수 없지만 대충 이런 식의 글이었다. 나는
그 소설을 읽다 말고 길바닥에 집어던졌다.
「이런 식의 엉터리 소설이 어딨어. 운동하는 사람들이 어디 할
짓이 없어서 입북이나 할 것 같아. 이런 식의 모험주의적인 정신나
간 짓을 할 사람이 어디 있어. 운동이 뭔지를 모르니까 이런 식의
관념적인 글이나 쓰지. 그러니까 자신이 모르는 세계에 대해서는
주제넘게 글로 쓰려고 하지 말아. 운동하는 사람들은 미쳐도 여기
서 미치고 죽어도 여기서 죽어. 알겠어!」
 라라와 나는 그날, 내가 기억하는 한 가장 심하게 다투었다.
 라라는 내 뺨따귀를 다섯 대인가를 연속적으로 때렸다. 라라는
자신의 글이 길바닥에 내팽개쳐진 상황을 도저히 참을 수 없었던
것이다.
 86년이던가, 한때 단파 라디오가 유행했었다. 새벽에 집단적으
로 SW 6.20 메가 헤르츠 어딘가에 채널을 맞추고 정치학습을 했
었다. 그런 시대였다. 한때의 열망, 새로운 것에 대한 호기심, 낭
만, 감상 그런 거였는지도 모른다.
 나는 디디 앞에서 〈회귀〉에 대해서 생각했다.
 디디가 무언가의 말을 했다. 그러나 나는 그 소리를 듣지 못했
다. 어떤 운명적인 고리가 디디와 나를 묶어놓는 것인가. 나는 운

명을 단호히 거부했다. 그러나 운명이라는 것은 있을 것이다. 또한 운명은 과학적이기조차 한 것이다. 인연이란 그런 것이다. 나는 인연에 대해서 생각했다.

그 쓸쓸한, 쓰러질 듯한 〈희망 여인숙〉을 내가 찾은 것부터 나는 디디라는 여자를 만날 인연이었다. 정상적인 학생이라면 더러운 천변 앞, 언덕바지에 있는 여인숙을 자취방으로 정하지는 않을 것이다. 야박한 표현을 쓴다면 일상적인 속물들은, 조금의 돈이 허락된다면 보다 좋은 환경, 수세식 화장실이 있고, 입식 부엌이 있는 집의 자취방을 택했을 것이다.

내가 바람이 불면 곧 쓰러질 것만 같은 〈희망 여인숙〉으로 방을 정한 것은, 오로지 좋은 시를 써보고자 하는 욕망에서였다. 천변 앞에 서 있으면서, 나는 확실히 몇몇 시인들이 노래했던 것처럼, 똥물 속에서 똥물의 부활을 보았던 것이다. 아마, 디디에게도 나와 동일한 어떤 정서의 교감 같은 것이 있었을 것이다. 그렇지 않고서 여자가 그 음울한 여인숙에 방을 얻는다는 것은 납득이 가지 않는 일이다.

나는 확실히 어떤 인연의 끈에 대해서 생각했다.

불교적으로 말한다면 인은 주관적 조건이고, 연은 객관적 조건인 것이다.

그런 완벽한 주·객의 조건 속에서 우리는 만난 것이다.

회귀, 완벽한 되풀이다.

나는 마술적 리얼리즘에 대해서 생각했다. 나는 디디의 얼굴을 유심히 들여다보았다. 나는 디디의 얼굴에 마녀적인 기운이 서려 있다는 것을 그때서야 깨달았다. 눈은 한없이 투명하면서도, 우수와 공포와 불안과 장난기와 반항적인, 갖은 복합적인 이미지들로 이글거렸다.

 나는 그녀가 무서웠다. 아니, 무서운 것은 오히려 나 자신의 운명이었다. 나는 내가 무서웠다.

＊　　　＊　　　＊

 눈은 더 이상 내리지 않았다. 아마 그 도시에서는 첫눈이 마지막 눈이 될 것이다. 그 도시는 원래가 그런 도시였다. 탁하고 건조하고 한없이 불결하고 삭막하고……눈은 거리를 조금 더럽혔을 뿐이다. 언제나 그런 식이다. 그 도시에 오래 살아본 사람이면 안다. 눈이 결코 낭만이 아니고 희망이 아니라는 것을. 그 도시의 모든 것들은 한없이 불행할 뿐이다.

 인위적인 것이든, 자연적인 것이든, 그 도시에 하강하는 모든 것들, 뿌리를 내리고 견디는 모든 것들, 황무지에 던져진 것만 같은 아득한 나날, 불임의 나날을 견뎌야 하는 것이다.

 나는 학교를 그만두기로 마음먹었다. 나에게 학교가 더 이상의 의미나 희망이 될 수 없었다. 나는 애초부터 아무런 목적의식 없이 법학이라는 빵을 위한 학문을 택했던 것이다. 아니, 법학을 공부하고 나서 나는 법학에 대한 기대와 목적의식이 사라졌던 것이다. 감방 같은 밀실에 틀어박혀서 기껏 고시에 합격하고 난 후, 그들이

228

하는 일이란 어떤가. 권력 없고 힘 없는 경제적인 약자들을 자신들이 스스로를 가둔 곳보다 더 열악한 감방에 가두는 반인간적인 일만 일삼는 것이다. 더러는 하기 좋은 말로 진보적인 법학자도 있고, 변호사들도 있고, 소신 있게 판결문을 작성하는 법관이 있다고 하지만, 그들의 계몽주의적 한계란 철저히 자신의 명예에 그들의 진보성을 복무시키는 정도일 뿐이었다.

나는 두 학기를 마쳤다. 나는 지금까지 공부했던 것들을 정리하는 입장에서 한 편의 논문을 쓰기로 했다. 나는 나름대로 법학에 대한 정의를 내리지 않고서는 도저히 학교를 그만두지 못할 것만 같았다.

일테면 나는 법학에 대한 자신의 입장을 밝히고 총괄을 하기로 했던 것이다. 우선 나는 대학원 열람실에 자리를 하나 마련했다. 그리고 열권의 대학 노트를 준비했다. 이층 다락방에 있는 법학 관계 서적들을 책가방에 싸서 도서관 사물함에 집어넣었다.

나는 테트리스 블록을 깨어나가듯, 책들을 하나하나, 부수어나갔다.

노직의 『무정부, 국가, 그리고 유토피아』, 하트의 『법의 개념』, 존 롤즈의 『정의론』, 알렉산더 흘러바하의 『법철학과 법사학』, 헤겔의 『법철학』, 포스너의 『법의 경제분석』, 그리고 김철수, 권녕성의 헌법 기본서, 그리고 엥겔스의 『가족, 사유재산 및 국가의 기원』, 레닌의 『국가와 혁명』, 그리고 국내 법철학자들의 몇몇 교재들을 하루에 두세 권씩 부수어 나갔다. 새벽 다섯 시부터 밤 열한 시까지 하루 열여섯 시간의 강행군이었다. 화장실과 도서관 지하 식당을 내려가는 시간을 제외하고는 책을 부수는 일에 매달렸다. 밤과 낮의 구분이 없는 날들이었다. 새벽별을 보며 도서관에 갔다가, 다시 별을 보며 도서관에서 나왔다.

하루, 이틀, 사흘, 나흘…… 날들이 흘렀다.

이 주일이 지난 후, 나는 논문의 기본 골격을 잡았다. 나는 제목을 잡았다.

「국가와 정의」. 다소 일반론적이고 보편적인 제목을 택했다. 어차피 나는 나 자신의 세계관이 담긴 일반적인 글을 쓰려고 작정했던 것이다.

우선 나는 국가의 본질과 특성을 밝혔다. 그리고 국가의 발생과정과 국가의 형식과 내용을 서술했다. 나는 근대 법률의 성립과 부르주아적인 법의 본성을 기술했다. 그리고 법의 물신성을 강조하면서 종래의 역사법학파, 분석법학파, 비교법학파, 개념법학파, 신칸트학파, 순수법학파, 현상법학파, 네오리얼리즘학파, 카톨릭학파, 그리고 존 롤즈의 영미 분석철학적 방법과 게임이론을 이용한 사회계약론을 비판했다.

비판의 논지는 간단 명료했다.

……국가는 역사적, 계급적 본질을 은폐하고, 국가라는 부르주아적 조직 해체를 방어하기 위하여 군대, 경찰, 재판소, 감옥, 병원, 학교 등과 같은 공적 권력 내지는 조직을 필요로 한

다. ……자본주의 사회에서 거론되는 자유, 평등, 기본권이라는
개념은 상품 생산 관계의 반영에 불과하며…… 법률은 지배 계급
의 계급적 의지를 성문화한, 강제적 선언에 지나지 않는다……
지난 시기의 대통령 책임제는 실질상 대통령 무책임제였다…….

그리고 나는 안기부법, 노동악법, 교육공무원법, 사회안전법 등
제반 악법에 대한 예를 들면서 논지를 보강했다.

나는 열 권의 노트를 모두 채우고 도서관에서 자리를 털고 일어
섰다.

육신이 피로했다. 디디가 나의 논문을 학교 전산실에서 컴퓨터
에 입력시켜 뽑아주었다.

「논문이 아니라 선언문 같네요」 하고 디디가 말했다.

나는 레이저 프린트로 인쇄를 해서 복사집에 가서 **20**부를 복사,
제본했다.

내가 쓴 논문을 몇몇 원생들과 젊은 법학 교수들에게 돌렸다.

프라이부르그 대학에서 박사 학위를 받고 강단에 선 지 얼마되지
않는 어떤 소장파 교수가 말했다.

「논문은 시의 적절해. 자본주의와 사회주의의 이념에 대한 균형
감각도 살아 있어. 한데 이건 논문이 아니라 비평 같애. 이 논문에
는 뭔가에 대한 분노가 도사려 있는 것 같아. 그렇지 않아? 좋게
평가한다면 이 논문에는 아폴론적인 논리의 힘과 디오니소스적인
시적인 힘이 있는데…… 뭔가 공허한 느낌이야. 논문은 뭔가 좀 딱

딱해야 하지 않아? 자네, 혹시 시를 좋아하나? 자네는 전공을 잘
못 선택한 것 같은데…… 이건 논문이라기보다는 한 편의 서사시
같은데, 자네 생각은 어때?」

「『자본론』과 발자크의 소설 같은 차이겠지요」

「……자본론? 『자본론』이 문학인가?」

「예, 제게는」

나는 칼 마르크스가 『자본론』에서 한 말을 중얼거리며 교수연구
실을 나왔다.

〈제 갈 길을 가라. 남이야 뭐라든!〉

나는 다른 사람의 평가는 염두에 두지 않았다. 나는 내가 하고자
한 일을 한 것이다. 단지 그것으로 족했다. 나는 비로소 나 자신의
상상력을 방해해 온 짐을 홀 홀, 털어버린 것이다. 내 삶에서 변비
가 떨어졌고 이제 법학이 떨어진 것이다.

나는 이층 다락방으로 돌아왔다.

나는 깊은 잠의 수렁 속으로 빠져들었다. 잠에서 깨어났을 때는
다음날 아침이었다. 나는 찬물에 세수를 한 후, 아침 일찍 은행에
나갔다.

나는 통장에 입금된 아파트 전세금 중 얼마를 찾아 북성로 쪽으
로 나갔다.

북성로 난로 상가들을 돌아다니다 운치 있는 톱밥 난로를 샀다.

나는 방을 정리한 후, 방의 중앙에 톱밥 난로를 설치했다. 유리

창 하나를 뽑아내고 그쪽으로 연통을 냈다. 난로 설치를 마친 후, 밖으로 나와 제재소를 돌아다녔다. 두 시간 정도 돌아다닌 끝에 한 가마니 분량의 톱밥을 구했다. 나는 난로 아궁이에 종이를 구겨서 집어넣고 성냥을 켰다. 방안은 곧 연기로 자욱해졌다. 종이를 반 박스 가량 태웠을 때 톱밥에는 불이 붙어 벌겋게 달아오르기 시작했다.

붉은 불꽃과 푸른 불꽃이 너울거리며 피어올랐다. 붉은 불꽃은 푸른 불꽃을 잡아먹고, 푸른 불꽃은 붉은 불꽃을 잡아먹는 형상이었다.

밖은 어두웠다. 나는 불을 껐다. 나는 난로 옆으로 의자를 바짝 당겨 불꽃의 현란한 군무를 지켜보았다. 나는 그 불꽃 속에서 희망과 절망, 선과 악, 어둠과 밝음, 지옥과 극락, 새로운 것과 낡은 것, 무한과 유한, 찰나와 영원 등 모든 대립적이고 길항적인 가치들의 변증법적인 투쟁을 상상했다. 나는 부드럽고 역동적인, 파괴하면서 동시에 창조하는 불의 아름다움, 불의 미덕을 바라보며 자신도 모르게 종이와 연필을 들었다.

나는 지난 시기의 기억을 되살려서 미친 듯이 시를 써나가기 시작했다.

*   *   *

휘파람 부는 소리가 들렸다. 나는 침대 위에 엎드려 몸을 뒤척거렸다. 잠시 후, 누군가 이층 나무 계단을 밟고 올라오는 소리가 탕, 탕, 거리면서 들렸다. 나는 침대에서 일어나 진저리나게 몸을 떨었다. 밤중에 영하로 떨어진 차가운 공기 탓이었다. 나는 오리 털 파카를 걸치고 손을 더듬어 스위치를 올렸다. 그때 밖에서 시 읊는 소리가 들렸다.

　　……아 이젠 모든 것을 아낌없이 쓰자꾸나
　　우리 모두 언젠가는 한줌 흙이 되어질 몸
　　흙에서 나와 흙으로 돌아가 쉬니
　　거긴 술도 노래도 없고 한없이 넓은 곳……

　내가 문을 열었을 때, 디디가 문설주에 기대어 「루바이야트」를 읊고 있었다.
「어서 들어와. 한잔했군」
　디디는 몸의 중심을 잃고 흐느적거리며 들어왔다. 디디의 긴 머 리카락에서 물방울이 뚝뚝 떨어졌다. 디디는 핸드백과 책을 침대 위에 내던졌다.
　디디는 입술 사이에 담배를 문 채, 벌벌 떨면서 난로 쪽으로 걸 음을 옮겼다.
　지독한 추위야. 비까지 오다니, 하고 디디가 말했다.
　나는 마른 수건으로 디디의 머리를 닦아주었다.
　디디는 담배를 뻐끔뻐끔 피우면서 다리를 모으고 오돌오돌 떨었 다. 그리고는 두 손을 난로 가까이 대며 손을 폈다 뒤집었다 하는 동작을 반복했다.

나는 디디를 보며 고개를 저었다.

「없어, 자는 사이 꺼져버렸어」

디디는 경련이 일어나듯 고개를 몇 번이고 흔들었다.

나는 디디의 검은색 투피스 니트를 벗겨주고 파카를 벗겨주었다.

불 좀 피워줘요, 하고 디디가 신음하듯 중얼거렸다.

알았어. 우선 전기 포트에 물 좀 데워야겠어, 하고 나는 말했다.

나는 전기 포트를 들고 싱크대로 가서 수도꼭지를 틀었다. 전기 포트에 물을 반 정도 채우고 플러그를 꽂았다. 디디는 방안을 왔다 갔다하며 두 손을 가슴에 모은 채 오돌오돌 떨었다.

「담배, 담배 없나요?」

나는 고개를 흔들며 두 손을 벌렸다.

디디는 비에 젖은 굽 낮은 구두를 벗어 책상 밑으로 집어던졌다. 그리고는 침대 위로 올라가서 울로 짠 검은색 치마를 벗었다.

「소름끼쳐!」 디디는 어깨를 사시나무 떨듯 흔들고는 스타킹을 벗어던지고, 슬립을 벗어던지고 브래지어를 벗어던졌다.

완벽하게 젖었어, 하고 말하면서 디디는 이불 속으로 기어들어 갔다.

나는 구석 자리로 가서 플라스틱 바께쓰에 톱밥을 가득 채우고 난로 쪽으로 걸어갔다. 나는 책상 옆에 있는 라면 박스에서 소용 없는 복사물이나 시험지들을 잔뜩 꺼내서 난로 속에 쑤셔박았다.

나는 성냥을 찾아 불을 붙여 종이에 갖다 대었다. 나는 종이에 불이 옮겨붙자, 조심 조심해서 종이를 한 장, 한 장씩 찢어 난로 아궁이에 집어넣었다. 종이는 매캐한 연기를 잠시 내었다가는 이내 활활 타올랐다.

나는 톱밥을 손으로 한움큼씩 집어서는 타오르는 불길 속에 슬슬, 뿌려주었다. 톱밥이 난로에 반쯤 차자, 나는 디디가 누워 있는 침대 쪽으로 걸어갔다.

따뜻한 커피를 마시고 싶어, 하고 디디가 이불 바깥으로 눈만 내놓은 채 말했다. 나는 디디가 집어던진 검은색 슬립과 브래지어, 니트 치마, 상의를 들고는 난롯가로 걸어왔다. 나는 난롯가로 의자를 당겨서 등받이에 니트 상의를 걸쳐놓았다. 니트 상의에서는 물이 뚝뚝 떨어져 내렸다.

나는 실내를 두리번거리다가 책상 쪽으로 걸어갔다. 책상 서랍을 열어 나는 한 묶음의 끈을 꺼냈다. 나는 끈을 이쪽 벽과 저쪽 벽 사이의 못에 묶고는 그 위에 디디의 슬립과 브래지어, 스타킹, 치마를 차례대로 널었다.

나는 전기 주전자에서 자갈 부딪치는 듯한 소리를 듣고는 싱크대 쪽으로 걸어갔다. 나는 식탁 위에 손잡이 달린 두 개의 컵과 커피, 프림, 설탕통을 늘어놓았다. 프림은 밑바닥이 드러나 있었다. 나는 긴 커피 스푼을 집어넣고 유리병의 안쪽을 박박 긁었다. 나는 몇 번을 그렇게 시도하다가 스푼을 식탁 위에 내려놓았다. 나는 침대로 걸어 가서 이불을 한 뼘 정도 끌어내렸다. 디디가 눈을 말똥

말똥하게 뜨고 나를 올려다보았다.

프림이 다 떨어졌어. 잠시 기다려 줘, 하고 나는 디디에게 말했다.

디디는 고개를 끄덕거리더니 다시 이불 속으로 쏘옥, 기어들어 갔다.

나는 문옆 구석에 차곡차곡 재어놓은 신문을 몇 장 들고 밖으로 나갔다. 나는 삐걱거리는 나무 계단을 조심조심 걸어 내려갔다.

일층 출입문을 열었을 때, 서까래에 떨어지는 빗줄기가 바람이 불면서 내 얼굴에 마구 뿌려졌다.

억수 같은 비였다.

나는 손으로 얼굴을 쓱, 문질렀다. 나는 신문을 머리 위에 뒤집어 쓰고 슈퍼마켓 쪽으로 내달렸다. 나는 슈퍼마켓에서 담배 한 갑과 포도주, 인삼티백, 프림, 일회용 벌꿀 등을 샀다. 나는 슈퍼마켓 입구에서 비 속을 바라보았다. 길 건너편의 약국이 셔터를 내리려는 참이었다. 나는 다시 신문을 뒤집어쓰고 약국까지 순식간에 뛰었다. 나는 약국에서 감기약 하루 분과 솔감탕 한 병을 샀다.

내가 이층 방으로 돌아왔을 때, 전기 포트의 물이 바글바글 소리를 내며 끓고 있었다. 나는 사온 물건들을 식탁 위에 죽 늘어놓은 후, 전기 포트의 플러그를 뽑았다. 나는 컵에 커피 두 스푼, 프림 다섯 스푼, 설탕 두 스푼을 넣고는 전기포트의 뜨거운 물을 부었다.

디디를 깨웠다.

「자지 않았어요」

디디는 뒤로 두 팔을 짚어 상체를 무겁게 일으켰다. 디디는 내가
내미는 컵을 두 손으로 받아 들었다. 그녀는 입김을 훅, 훅 불어
커피를 마셨다.

당신도 드세요, 하고 디디가 말했다.

나는 고개를 끄덕거리고는 식탁으로 걸어갔다.

음악 좀 틀어주세요, 하고 디디가 말했다.

「푸치니 〈라 보엠〉 있어요?」

나는 커피잔에 물만 부어놓고는 책장 쪽으로 걸어갔다. 나는 책
장 안의 테이프를 뒤적거려 푸치니의 〈라 보엠〉을 찾았다. 나는
스톱/이젝트를 누르고 테이프를 집어넣은 후, 플레이를 눌렀다.

나는 다시 식탁으로 걸어가서 커피를 탄 후, 잔을 들고 난로 쪽
으로 걸어갔다. 나는 난로 뚜껑을 열고 몇 줌의 톱밥을 집어넣었
다. 파란 불꽃은 붉은 혓바닥을 날름거리면서 톱밥을 집어삼켰다.

디디는 이불을 둘둘 만 채, 침대에서 내려와 내가 있는 곳으로
걸어왔다.

이제 조금 살 것 같아, 하고 디디가 말했다.

「밑에 입게 츄리닝 줄까?」

「아니, 난 다리는 춥지 않아요」

「몸살 나」

디디는 고개를 저으며 담배 한 대 줘, 했다.

나는 88담배를 한 가치 뽑아 디디에게 주었다. 디디는 담배 부
스러기를 난로 뚜껑에 조금 뿌려놓고는 그것에 불이 붙자, 허리를

238

굽혀 담배를 불 붙은 부스러기에 대고 몇 모금인가 빡 빡, 빨았다. 디디는 담배 연기를 공기 중에 길게 내뱉으며 멍하게 천장을 바라보았다. 디디는 손갈퀴로 머리를 몇 번 휘젓고 나서 말했다.

「마구 걸어다녔어요. 책이 안 젖었는지 몰라?」

디디는 침대로 걸어가서 핸드백과 책을 가지고 왔다. 그녀는 핸드백을 의자의 귀서리에 걸어놓았다.

「다행히 책은 얼마 젖지 않았네. 가슴속에 꼬옥, 집어넣었거든」

「감기약을 지어 왔는데……」

「괜찮아요. 이 정도는 아무것도 아니에요」

「어떻게 했길래 비를 그렇게 많이 맞았어?」

「신천교, 신천 제2교, 경대교…… 마구 헤매고 다녔죠. 미친 여자처럼. 나는 오늘 자기파괴 욕구 같은 것을 느꼈어요」

오늘 무슨 일이 있었어? 하고 내가 디디에게 물었다.

디디는 의자에 앉아서 오래도록 침묵을 지키며 담배 연기만 빨아들이고 있었다. 오랫동안의 냉랭함이 흐르고 난 후, 디디가 입을 열었다.

「엉망진창이야. 나와 잔 적이 있는 남학생이 오늘 끈질기게 괴롭히잖아. 이젠 나 자신이 혐오스러워」

디디는 담배를 손가락에 끼운 채 눈물을 글썽거렸다.

라디오 카세트에서는 아름다운 아리아 〈그대의 찬 손〉이 흘러나왔다. 빗방울이 더욱 거칠게 서까래를 후벼파는 소리가 귓전에 멍멍했다. 〈그대의 찬 손〉이 끝나자, 〈내 이름 미미〉가 흘러나왔다.

〈내 이름 미미〉가 끝나고 〈사랑하는 그대여〉가 끝날 때까지 디디
는 어깨를 격하게 흔들며 흐느꼈다.

　나는 난로 뚜껑을 열어 몇 줌인가의 톱밥을 집어넣었다.

　불 좀 꺼주시겠어요? 하고 디디는 손등으로 눈물을 닦으며 말
했다.

　나는 문 입구 쪽으로 걸어가 스위치를 내렸다. 디디는 난로 뚜껑
을 조금 열어놓았다. 실내는 너울거리는 불꽃으로 조금 밝아졌다.
내 그림자가 기다랗게 벽과 천장에 드리워졌다. 난로 앞에 앉은 디
디의 얼굴이 벌겋게 달아 상기되어 있었다.

　「밤늦게 잠도 깨우고, 여러 가지로 미안해요」

　디디는 실룩거리는 코를 풀었다.

　나는 식탁으로 걸어가서 전기포트의 플러그를 다시 꽂았다. 물
이 끓자, 일회용 꿀컵에 인삼티백과 물을 부어 디디에게 주었다.

　「오늘 뭘 하셨어요?」

　나는 침대 위에 걸터앉아 들릴락말락하게 말했다.

　「글을 써보려 했지. ……시덥잖은 시 한 편을 썼어」

　나는 디디가 길게 늘어뜨린 그림자에 가린 채, 다시 말을 이었
다.

　「휴학계를 냈어. 형식적인 일이지만…… 이 도시를 떠나는 거지」

　오랫동안 정밀이 흘렀다. 불안한 공기의 흐름 같은 거다. 디디
는 일회용 꿀컵을 오른손으로 옮기며 말했다.

　「이 도시가 싫으세요?」

「지겨워. 적대감만 생기고 불안하고 불편하고 불공평하고 불결
하고 불경스럽고」
「도시를 부정하지만 도시 외에는 살 만한 곳이 없잖아요」
글쎄, 하고 나는 난로 불쏘시개로 방바닥을 긁었다. 다시 무거
운 공기가 흘렀다.
디디는 꿀물을 다 마시자, 책상으로 걸어가서 내 습작 노트를 들
고 왔다. 디디는 노트를 뒤로 훌렁훌렁 넘겼다.
읽어도 돼죠? 하고 디디가 말했다. 나는 침대에 걸터앉아 잠
자코 있었다.

1986. 서울. 겨울의 기록

서울 한구석 고시원에서
나는 시궁쥐처럼 살았네
무거운 장화 신고 깊은 발 푹푹 빠뜨리며
서울에서, 외롭고 쓸쓸했네
달동네 시장에서 숨소리 죽이며
순대나 라면, 꾸역꾸역 입 속에 밀어넣으며
엽차로 배를 채웠네
눈 오는 아침에는 걸어서 몸 팔러 나갔네
눈 오지 않는 아침에도 걸어서 몸 팔러 나갔네
실크넥타이 매고 입생로랑 와이셔츠 받쳐입고

웹스터 영영사전, 뉴욕타임스, 워싱턴포스트
쌓아놓고, 나 몸 팔았네
브레진스키 논문, 자본주의 경제이론 번역하다가
나, 전향하고 싶었네
퇴근하면 넥타이 풀어 외투에 꾸겨넣고
삼각지 돌아 동작대교 건너
본동 고개 마루 걸어서 왔네
임페리얼 금강제화 닳아도 좋아
나, 서울을 알고 싶었네
변두리 다방 난롯가에 앉아
눈에 젖은 외투 말리며
수첩에 〈서울, 겨울의 기록〉을 시로 적었네
소용없어라, 시 몇 편에 회개할 서울이 아니었네
갈탄 난로 깊숙이 미완의 시편을 던져넣고
나, 눈 오는 서울에서
전향할 수 없었네
서울은 내게 화해의 손,
내밀지 않았네

디디는 읽기를 마치고 오래도록 톱밥 난로 속의 불꽃을 들여다보았다.
검붉은 불길은 디디의 얼굴을 할금할금 핥듯이 너울거렸다.

「정말 당신은 자본주의와 화해하지 않고 살 수 있다고 생각하세요?」

있을 테지, 하고 내가 말했다.

「일테면 어떤 길요?」

「자본주의사회 안에서 비자본주의적인 삶은 얼마든지 가능하지 않아? 운동을 한다든가, 가짜 화해의 손을 뿌리치고 예술에 전념한다든가」

「통속적이로군요. 그 통속 속에는 위선과 자기기만이 들어 있구요」

「글쎄, 당신은 감정의 기복이 너무 심하군」

「이젠 이런 시는 쓰지 마세요. 난 지식인 냄새나는 나약한 시는 이제 역겨워. 이 시는 불 속에 던져버려도 돼죠? 당신 시 속에도 그렇잖아요…… 난로 깊숙이 미완의 시편을 던져넣고…… 습작은 원래 불꽃 속에 태우는 거예요」

디디는 몇 장의 노트를 찢어 난로 속에 집어넣었다. 불길은 순식간에 종이들을 태워먹었다.

나는 침대에 걸터앉아 디디가 하는 행동만 지켜볼 뿐이었다.

「내 행동 이해 못하시겠어요? 난 가끔씩 당신을 보면 공격심리 같은 것을 느껴요. 난 새디스트인가 봐」 하고 그녀는 어깨를 으쓱 올리며 말했다.

「……난 또 오늘 생리날인걸. 이런 날은 나도 내 감정을 종잡을 수가 없어」 하고 디디는 말을 이었다.

243

얼마인가의 침묵이 흐르고 디디는 담배 한 개비를 피웠다.

「우리 춤출래요?」 하고 디디가 무거운 침묵의 공기 속으로 불쑥 뛰어들며 말했다.

「피곤하지 않아?」

「난 체력적인 조건이 좋다는 걸 아직 모르셨어요?」

디디는 피우던 담배를 비벼 끄더니 이불을 둘둘 만 채, 책상 쪽 으로 걸어갔다.

「딥 퍼플 테이프 없어요?」

나는 전기스위치를 올리고 불을 켠 후, 책상으로 걸어갔다. 나 는 서랍을 뒤져 딥 퍼플의 테이프 몇 개를 찾았다.

「이거면 됐어. 다시 불은 꺼주세요. 난로 불빛이 있잖아요?」

나는 전기불을 껐다. 디디는 라디오 카세트에서 〈라 보엠〉을 꺼 내고 딥 퍼플의 테이프를 집어넣었다. 플레이를 눌렀다.

실내는 갑자기 〈하이웨이 스타〉의 요란한 드럼 소리와 전자기타 소리로 격정적인 분위기가 고조되었다.

「음악은 위대하다, 위대해!」 하고 디디는 팔을 올리며 소리쳤 다. 그녀가 한 손으로 말아 잡고 있던 이불이 갑자기 떨어지면서 디디의 가슴이 드러났다. 그녀는 웨이스트 거들만 입은 채, 몸을 흔들기 시작했다. 그녀는 광란적인 음악 소리에 맞춰 「아일 러뷰, 아일 니쥬」 하고 소리질렀다.

그녀는 가볍게 스텝을 밟으며 난로 쪽으로 걸어갔다. 그녀는 몸 을 열정적으로 흔들며 톱밥 난로의 뚜껑을 열었다. 불꽃이 너울거리며 그녀의 얼굴을 휘감았다. 그녀는 음악에 맞추어 스텝을 밟으며 구석 쪽으로 걸어가 톱밥을 가져왔다. 톱밥이 난로 속으로 가득 들어갔다. 불똥이 탁, 탁, 튀면서 디디의 얼굴에 들러붙었다.

음악은 〈스페이스 트러킨〉으로 넘어갔다.

그녀는 어깨를 으쓱, 으쓱거리며 내게로 걸어와서 나의 어깨를 잡았다.

음악에 맞춰, 드럼 소리에 맞춰, 디디의 탄탄한 젖가슴이 아래 위로, 좌우로 출렁거렸다. 나는 모든 상황을 디디에게 내맡겼다. 디디는 나를 그녀의 마음대로 지배하고 원격조정했다. 음악이 〈버언〉으로 바뀌었다.

디디는 엉덩이를 낮추며 요란하게 팔을 흔들었다. 그리고 빠른 스텝으로 책상으로 걸어가서 라디오 카세트의 볼륨을 높였다.

그녀는 몸을 흔들면서 「우리 춤추면서 술 마셔요, 네?」 했다.

나는 식탁으로 걸어가서 포도주병을 들고 왔다. 나는 포도주병 마개를 땄다.

나는 고개를 쳐들고 몇 모금 마셨다. 포도주 병은 디디의 손으로 옮겨졌다. 음악은 〈디먼즈 아이〉로 바뀌었다. 디디는 포도주병을 들고 방을 휘저으며 스텝을 밟았다. 그녀는 허스키한 소리로 아하, 아하, 아하, 아악! 하는 신음 소리를 내며 긴 머리카락을 출렁거렸다. 그녀는 포도주병을 난로 옆에 놓더니 내 사타구니에 그녀의 다리를 집어넣고 「람바다예요, 람바다」 하고 소리질렀다. 음악은 〈스모크 온 더 워터〉로 바뀌었다.

디디는 두 팔을 길게 늘어뜨리고 자신의 양쪽 허벅지를 치면서 머리를 좌우로 흔들었다. 그녀는 줄 위에 걸린 자신의 검은색 슬립을 걷어 내렸다.

그녀는 전자기타와 드럼 소리에 맞추어 슬립을 걸쳤다.

「어때요, 야해 보여?」

디디가 어깨를 흔들며 몸을 낮추었다가 올렸다가 하는 동작을 반복했다.

그녀의 얇은 슬립은 몸의 율동에 따라 찰랑찰랑 움직이며 난로 불빛을 부수었다. 음악은 오토리버스되어 〈블랙 나이트〉로 바뀌었다.

음악은 다시 〈스피드 킹〉으로 바뀌었다. 디디는 갑자기 침대 위로 뛰어 올라가더니 침대를 뛰듯이 밟았다.

「술 가져와요, 술!」하고 디디는 침대 위에서 외쳤다. 음악이 괴성을 지르며 고조되자, 그녀는 손으로 머리카락을 마구 쥐어뜯으며 광분했다. 그녀는 자신의 옆구리가 전자기타라도 되는 듯이 손가락으로 훑어내렸다. 디디는 다시 몇 모금의 술을 마셨고 방의 이곳 저곳을 밟으며 격렬한 춤을 췄다. 디디가 움직일 때마다 디디의 그림자가 벽과 천장에 길게 늘어지며 불꽃처럼 너울거렸다.

그것은 미친, 완벽하게 미친 불꽃이었다.

음악은 다시 〈파이어 볼〉로 바뀌었고, 음악은 다시 〈차일드 인 타임〉으로 바뀌었다. 음악이 〈차일드 인 타임〉으로 바뀌자, 디디는 마녀의 얼굴을 하며 슬립을 벗어던졌다. 그리고 그녀는 거들을 벗어던졌다. 그리고 그녀는 검은 팬티를 벗어던졌다. 나는 침대에 걸터앉아 완전히 넋을 잃고 그녀를 바라보았다. 그녀는 완전한 알몸이었다. 그녀는 〈차일드 인 타임〉의 광란적인 신디사이저 소리에 맞춰, 죽음의 문으로 걸어가는 사자의 모습으로 책상 쪽으로 걸어갔다. 그녀는 책상 위에 놓인 내 습작품을 들고 난로 쪽으로 걸어왔다.

그녀는 순간적으로 악마적인 웃음을 흘렸다. 그녀는 시를 한 편, 한 편, 불길 속에 집어넣었다. 그녀는 마녀였다. 불꽃의 화마가 그녀의 얼굴을 할금할금 핥았다.

노래가 〈차일드 인 타임〉으로 넘어갔다. 그녀는 숨넘어가는 소리를 냈다.

아 아 아 아 아 아 악, 노우, 노우, 노우!

그녀는 머리카락에 손갈퀴를 집어넣고는 마구 쥐어뜯으며 울부짖었다. 그녀는 미친 것이다. 그녀는 완벽하게 미친 것이다.

격렬한 드럼 소리, 전자기타 소리, 광란의 신디사이저 소리. 이층 목조건물이 떠나갈 듯이 한껏 고조되었다가 일시에 가라앉았다. 디디도 그 자리에 허물어졌다.

갑작스런 정적. 숨소리마저 들리지 않았다. 고요, 혹은 적막감.

비로소 밖에는 비가 내리고 있다는 것을 깨달았다. 빗소리가 들렸다.

*   *   *

나는 소설을 쓰기로 작정했다.

……소설을 쓰기로 작정한 이상, 나는 철저하게 산문정신을 가지고 이 시대를 살아야 할 것이다. 이제 학교도 정리했다. 이제 내가 해야 될 일은 올바른 관점을 가지고 현실에 뛰어들기만 하면 되는 것이다.

일단 가장 먼저 나의 세계관이 얼마나 객관적이고 과학적인지를 철저하게 검토해 보도록 하자. 그렇다! 올바른 세계관의 정립이다. 어차피 이 세상의 모든 재화는 인간을 위하여, 인간의 삶을 위하여, 인간의 질적·양적 삶의 발전과 고양을 위하여, 살맛나는 세상을 위하여 쓰여져야 할 것이다.

그렇다면 작가가 생산하는 작품도, 내가 쓰고자 하는 작품도 인간의 삶을 위하여 복무할 때만 의미 있을 것이다.

그렇다. 작품을 쓰기 위한 최대 강령을 세우자.

나는 침대에서 벌떡 일어났다. 나는 신들린 듯이 책상 서랍을 뒤졌다.

4절지 백색 모조지 한 장과 매직을 꺼냈다. 나는 종이 위에 글을 썼다.

최대 강령 : 인간의 삶을 위하여 이 시대의 싸움꾼이 되자!
내 글은 철저하게 인간의 삶에 복무한다!

나는 풀을 꺼내어 종이를 벽에 붙였다. 나는 다시 침대로 돌아왔다.

나는 깊은 생각에 잠겼다.

……무엇을 쓸 것인가? 운동권 이야기? 노동운동? 80년 광주 항쟁? 나 자신의 개인적인 소소한 이야기들? 상실에 대한 이야기? 지식인적 고뇌에 대한 이야기? 소시민과 중간층의 갈등에 대한 이야기? 군대 체험에 대한 기록? 출가에 대한 이야기? 보다 관념적인 문제에 대한 집착? 불교 경전을 소설화하는 작업? 부다와 예수의 만남을 소설로 그려본다?……

나는 머리카락 사이에 손가락을 집어넣고 쥐어뜯었다.

……아니다. 나는 무언가를 혼동하고 있다. 나는 내가 쓰고 싶은 것을 쓰는 것이 아니라, 내가 쓸 수 있는 것을 쓰도록 하자. 지금 나는 나의 이야기가 아니면 아무것도 쓸 수 없다. 내가 모르는 것은 쓰지 말자. 내가 모르는 것을 쓴다면 나는 거짓말을 하는 것이 된다.

언어에는 힘이 없고, 이야기는 울림이 없고, 공허한 수사의 나열에 불과할 것이다. 그럼 나는 무엇을 쓸 것인가, 혹은 어떻게 쓸 것인가?

지금 나는 인물의 전형과 상황의 전형에 대해서 고민하기 전에 〈무엇을 쓸 것인가?〉에 대한 고민이 선행되어야 할 것으로 안다.

묘사에 대하여 고민하고, 시점에 대하여 고민하고, 문체에 대하여 고민하고, 구성에 대하여 고민하고, 소재에 대하여 고민하고,

여러 가지 형식에 대한 고민, 그런 것은 아직 내게는 이르다.

일단 주제에 대한 고민을 하도록 하자. 내가 출사표를 던지고 이 가짜 세계에, 가짜 욕망과 비굴한 타협과 거짓 화해의 세상에 뛰어 들기로 작정한 이상, 나는 전략과 전술을 내세워야 한다. 내가 이 시대의 싸움꾼이 되기로 작정한 이상, 싸움에 대한 원칙과 방도 없 이는 올바른 싸움꾼이 되지 못할 것이다. 전략과 전술의 수립도 없 이 싸움판에 뛰어든다면, 나는 제대로 한 번 싸워보지도 못하고 퇴 장을 당하고 말 것이다.

그렇다! 노선을 먼저! 실무는 나중에!

좀은 시간이 걸리더라도, 나의 싸움이 1박 2일의 싸움이 아니라 면, 이 시대의 무수한 거짓들과 폭력들과 광기들의 멱살을 잡고, 그것들과 더불어 불지옥에라도 뛰어들 작정이라면, 나는 좀더 시 간을 두고 차근차근하게 고민을 하자.

그래 분명한 것은 내가 무언가를 쓰려고 해도, 나는 지금 한 줄 도 쓰지 못하고 끙끙 앓고만 있지 않은가. 도대체 왜 이런 것일 까? 나는 안다.

내가 글을 쓰고자 한다면 우선 라라의 이야기부터 완성해야 한 다.

그것은 80년대의 살풀이와 마찬가지다. 어쩌면 라라의 죽음은 80년대 우리 순수의 죽음인지도 모른다. 그리고 그 글은 나 자신에 대한 총괄일 수도 있다. 라라에 대한 글을 쓰지 않고서 나는 제대 로 된 글, 본격적인 글을 단 한 편도 뽑아내지 못할 것이다. 일에는 순서가 있다.

우선 순서대로 매듭을 풀어나가자. 무리하다가는 영영·가망 없이 엉켜버리거나, 오리무중에 빠지기만 할 것이다. 일단 라라에 대한 진혼곡을 끝내자. 그리고 나서 내 글쓰기의 기원을 추적해 들어가자.

나는 침대에서 일어났다. 나는 난로의 불을 피웠다. 나는 손에 묻은 톱밥을 털어내고 싱크대 쪽으로 걸어갔다. 나는 손을 씻고 퍼스컴 앞에 앉았다. 나는 또다시 칠흑 같은 우주 속으로 비행할 각오가 된 것이다. 나는 눈을 감고 호흡을 가다듬었다. 잠시 후, 눈을 떴다. 나는 몇 차례 키를 두드려 모니터를 불러냈다.

거기에는 이렇게 적혀 있었다.

……아마 이 글은 라라의 죽음의 원인을 찾으러 가는 우울한 여행이 될 것이다.

그래, 나는 지금부터 다시 우울한 여행을 시작하는 거다. 나는 라라의 기억에서 의도적으로 도망다니려고 했다. 이건 비겁한 짓이다. 나는 이제 더 이상 비겁하지 않을 것이다. 나는 이제 어떤 싸움에서도 물러나지 않을 것이다.

나는 피아노 건반을 두드리듯 부드럽게 문자키를 두드렸다.

……아마 이 글은 라라의 죽음의 원인을 찾으러 가는 나의 우울한 여행이 될 것이다.

그녀가 대학병원 영안실에서 화장터로 실려가기 전, 그녀의 아버지, 오빠, 올케가 왔다. 나는 그들을 전에도 몇 차례 본 적이 있었다. 그녀의 아버지는 퍼질러앉아 넋이 나간 듯, 병풍만 쳐다보고 있었다. 그 병풍 뒤에는 그녀가 누워 있었다. 나는 관뚜껑을 열고 그녀를 포장한 비닐 커버를 뜯었다.

그녀는 〈감금〉을 싫어했다. 그녀를 포장한 비닐을 풀자, 썩은 수초 냄새가 진동했다. 그러나 그 냄새는 영안실의 향내 때문에 견딜 만했다. 나는 그녀의 이마를 짚어주고 머리를 빗어주었다.

내가 그녀의 머리를 빗어주는 지상에서의 마지막이 될 것이다.

그녀는 잠들기 전, 언제나 머리를 만져달라고 했다. 그러면 나는 그녀의 머리결 사이에 손을 집어넣어 부드럽게 쓸어주었다. 까만 윤기가 흐르는 그녀의 머리카락은 그녀의 성이었다. 그리고 그녀의 정신이었다.

「예술하는 여자들을 보니까, 대개 생머리를 했더군요. 통속적인 말 같지만 생머리를 한 여자들은 자기고집이 강한 것 같아요」

라라의 말이었던가. 그러나 지금, 라라의 목소리는 어디에도 없다. 그녀는 지난 4년 동안 우울과 광기 사이를 격렬하게 오갔다. 그녀는 세상살이에 맹목적이었고 무모했다. 그녀는 스물셋의 나이에 할 수 있는 모든 모험을 다 겪고 갔다.

그녀는 기쁨과 고통의 지옥을 하루에도 몇 차례씩 넘나들었다. 라라는 죽어서 비로소 그녀의 글을 완성했다. 라라는 나에게 천사였고 창녀였다. 라라는 나에게 예술이었다.

　그녀의 오빠는 의자에 앉아 담배를 피우고 있었다. 나는 그에게 옥
포 파출소에서 넘겨받은 그녀의 유서를 주었다. 장의사가 들어왔다.
그녀는 들것에 옮겨졌다. 영안실 앞에는 장의차가 대기하고 있었다.
라라와 우리는 화장터로 갔다. 그녀가 입던 옷가지들을 소각실에서
태웠다. 나는 라라 앞에서 천수경을 독송했다.
　잠시 후, 라라는 화구 속으로 들어갔다. 화부들은 기계적으로 움직
였다. 그들의 얼굴은 데드마스크처럼 딱딱했다. 그들의 표정은 죽음
의 사자 같았다.
　스위치가 올려졌다.
　파란 불꽃, 흰 불꽃, 붉은 불꽃이 날름거리며 라라를 덮었다. 라라
는 불꽃과 하나가 되었다. 라라의 올케가 오열했다. 그것은 올케로서
의 의무, 그리고 형식이었다.
　진정 슬픈 자는 눈물을 보이지 않는다. 우리는 밖으로 나왔다. 높
이 치솟은 굴뚝에서 검은 연기가 푸른 하늘로 올라가고 있었다. 라라
였다. 나는 목젖을 떨었다. 나는 눈을 감고 세차게 도리질을 쳤다.
　라라의 오빠가 매점에서 술을 사왔다.
　내가 한 잔, 라라의 오빠가 한 잔…… 라라의 아버지는 담배만 태웠
다.
　그는 태어나서 50년 동안 농사만 지어온 전형적인 농사꾼이었다.
그녀는 아버지를 증오했다. 때로는 아버지가 보고 싶다고 일기장에
적어놓기도 했다. 그녀는 자신을 구속하는 집과 가족을 증오했다. 그

러나 그녀의 말 속에는 애잔한 그리움과 설레임이 담겨 있었다. 아버
지를 증오한다는 라라의 말은 거짓이었다.

그녀가 증오한 것은 50년 동안 변함없이 농사를 지어야 했던 아버
지의 처지였다.

그녀가 증오한 것은 50년 동안 억척스럽게 일을 했지만 농사짓는
아버지는 가난할 수밖에 없는, 이 사회의 구조적인 모순이었다.

단 한 번도 라라는 자존심을 스스로 상처내지 않았다. 그래서 라라
는 나와 만난 4년 동안 줄곧 숨막혀 했다. 나는 이것을 알아야 했다.
그녀의 죽음 이상으로 그녀의 현실을 이해했어야 했다.

라라는 자신의 운명을 결정짓는 가난에서 벗어나고 싶었다. 그녀와
나 사이에는 깊은 강이 가로놓여 있는 것이다. 어쩌면 그 강은 이 시
대에는 결코 건널 수 없는 강인지도 모른다. 그러나 그녀는 그 강을
건너려고 했다.

결국 그녀는 그 강물 속에 빠져 죽었다.

아니, 나의 진술은 거짓일지도 모른다. 나는 그녀의 죽음을 단지
이 시대 탓으로 돌리려 하고 있다. 이 시대에는 결코 건널 수 없는 강
……결코 건널 수 없는 강이란 없다. 그녀의 죽음을 어떤 탓으로 돌리
든 나에게 면죄부는 주어지지 않는다.

나는 그녀를 두 번 죽일 수 없다.

이 시대에 어느 누구도 몰락한 중산층의 남자와 농사꾼 딸과의 결합
을 의아하게 받아들이지는 않을 것이다.

나는 단 한 번도 그녀와 결혼을 해야겠다는 생각을 가진 적이 없었
다. 그 점은 그녀도 마찬가지였다. 가끔씩 나는 라라에게 결혼하자는

말을 한 적이 있다.

　라라 역시 나에게 몇 번 그런 말을 했었다. 우리가 주고받는 결혼이라는 말에는 진정성이 없었다. 나는 어떤 여자와도 결혼할 수 없다는 것을 라라는 잘 알고 있었다. 나 역시 라라는 어떤 남자와도 결혼하지 않는다는 것을 잘 알고 있었다.

　그녀가 죽기 며칠 전이었다.

　나는 그녀를 만나기 위하여 광주에서 대구로 갔다. 그녀는 과외를 한다고 했다. 여중학생인데 착하다고 했다. 우리는 경북대 구내식당에서 점심을 먹었다.

「나 당신과 결혼할지도 몰라요」

　나는 조용히 웃기만 했다.

「이건 진심이에요」

　나는 돌멩이를 찼다.

「난 광주에 3년쯤 있어야 할 것 같아」

　그녀는 그래선 안 된다고 했다.

「나 정식으로 취직했어요」

　나는 조용히 웃었다.

「왜 갑자기 그런 결정을 했는지 당신은 묻지 않는군요」

　나는 그녀에게 자판기에서 커피를 뽑아주었다. 우리는 법대 강의실로 들어갔다. 라라는 초조했다. 그러나 결연하게 말했다.

「나 당신의 아이를 낳을 거예요!」

　나는 창가로 걸어갔다. 라라가 다가왔다. 나는 라라에게 가지고 있던 책을 주었다.

「양재혁 선생의 책이야. 꼭 읽어봐」

라라는 책을 받았다.

「당신의 대답을 기다리진 않겠어요. 그러나 이 사실만은 알아야 해요」

라라는 내 손을 잡고 그녀의 아랫배로 가져갔다.

「이래선 안 돼. 이건 거짓말이야」

나는 단호하게 말했다.

「어쩌면 광주에서 다시 출판사를 시작할지도 몰라」

「안 돼요. 당신은 대구로 와야만 해요」

「갑자기 왜 그렇게 변했어」

「이제부터 당신은 나의 노예예요. 아마 그 편이 더 행복할 거예요」

「행복? 언제 우리가 행복을 위해서 살았어?」

나는 강의실을 나왔다.

이틀 후, 우리는 밤을 같이 보냈다.

그날 밤, 라라는 다시 내 손을 잡았다. 내 손을 그녀의 배 위로 가져갔다. 나는 손을 떼고 돌아누웠다. 라라는 소리 없이 울었다. 나는 라라에게로 돌아누웠다.

라라의 눈물을 닦아주었다.

「내 일을 할 수 있게 해줘. 이건 개인의 일이 아니야. 조직의 결정이야. 마지막 부탁이야」

라라는 어둠 속에서 입술을 깨문 채, 고개를 끄덕였다. 라라는 울음을 억지로 삼켰다. 라라는 다음날 아침, 나에게 오천 원을 주었다.

「미안해요, 이것밖에 없어요」

나는 광주로 내려왔다. 내가 기거하던 절로 돌아왔다. 저녁 7시였다. 라라에게서 전화가 왔다. 7시 30분이었다.

「이젠 우린 영원히 못 보게 될 거예요」

그리고 전화는 끊겼다.

……이제 우린 못 보게 될 거예요. 나는 이 말을 라라에게서 몇 차례씩이나 들었다. 우리는 4년 동안 열두 번 헤어지고 열세 번 만났다. 헤어질 때마다 라라는 말했다.

「우린 이젠 못 보게 될 거예요」

나는 그 말을 들을 때마다 우린 좀 있다가 다시 만나요, 로 의역해서 들었다.

그런데 지금은 무엇인가?

영원히, 영원히라고 했던가? 갑자기 이상한 예감이 스쳤다. 나는 자리에서 벌떡 일어났다. 역과 버스터미널에 전화를 했다. 그 시간에 대구로 가는 차는 없었다. 나는 잠을 자지 못했다. 이른 새벽, 나는 대구로 전화를 했다. 집주인은 그녀가 없다고 했다. 나는 한 시간 간격으로 전화를 했다. 8시, 9시, 10시, 11시, 12시, 1시, 2시, 3시, 4시, 5시…… 여전히 없다, 없다고 했다. 나는 속이 타들어가는 듯했다. 나는 광주 고속버스터미널로 갔다. 대구로 가는 버스는 끊겨 있었다. 오후 7시 30분이었다. 나는 대전으로 가는 막차를 탔다. 나는 대전에서 경부선 하행 무궁화호를 잡아탔다. 밤 열한 시를 넘어서고 있었다. 나는 차 속에서 그녀에게 보여주었던 행동에 대해서 진정으로 후회하고 있었다. 그렇다. 광주 생활을 청산하자.

라라와 결혼을 하자. 라라는 나와 결혼할 권리가 있다. 라라에게도 행복할 권리는 있다. 우린 지금까지 눈앞에 보이는 행복마저 팽개쳐 왔다. 나는 운동이라는 이름으로, 라라는 문학이라는 이름으로…… 생활적인 모든 것들을, 일상적인 모든 것들을 소시민적인 것으로 매도하고, 기회주의적인 것으로 폄하하고…… 라라와 나는 우리들의 손으로 잡을 수 있는 행복마저, 손 안에 굴러 들어오는 기쁨마저 내던져 왔다.

나는 새벽 한 시가 되어서야 라라의 자취방에 도착했다. 라라는 없었다. 방안은 깔끔하게 정돈되어 있었다. 소름끼칠 정도로 깨끗했다. 무서웠다. 불안감이 나에게 엄습했다. 차곡차곡 개켜진 이불, 1,200여 권의 책, 먼지 하나 없는 책상, 윤기가 도는 식기들…… 무엇을 의미하는 걸까.
나는 라라의 책상에 앉았다. 나는 아무 노트나 펴놓고 격정적으로 써내려갔다.

……사랑한다, 라라.
이제 모든 슬픔은 끝났다.
이제 우울과 비탄은 우리들의 것이 아니다. 모든 불행은 우리 곁을 떠났다.
이제 지상의 태양과 맑은 공기는 우리들을 위해서 존재한다. 저 푸른 나무와 화려한 꽃들이 우리에게 인사를 하는구나.
이제 우리에게 고통스럽게 사는 훈련은 끝나고 즐거운 비명만이 남

있다. 그대는 나의 천사, 나의 마녀, 내 사랑의 묘약, 나는 그대 사
랑의 포로가 되었다. 나는 기꺼이 그대의 노예가 될 것이다. 나는 그
대 기쁨과 슬픔, 그대 절망과 한숨, 그대 꿈과 희망, 모든 것을 받아
들이는 강이 될 것이다. 바다가 될 것이다.

라라, 그대를 진정, 사랑한다.

〈이 글을 읽게 되면 이 방에서 기다려주시길…… 당신의 낙타.〉

나는 날이 밝자, 밖으로 나왔다.
꽃집을 찾았다. 9시가 지나서야 흑장미 23송이를 살 수 있었다.
나는 라라의 자취방으로 돌아왔다. 집주인이 파출소에서 전화가 왔
었다고 했다.
나는 내가 쓴 글 위에 장미를 놓고 밖으로 나왔다. 파출소에 전화를
했다. 최대한 침착했다. 저쪽에서의 말이 들렸다.
……사람은 없고 핸드백과 랜드로바 신발, 책 몇 권이 있는데……
경찰에서도 사람을 풀어 찾고는 있지만…… 어떻게 되시죠? ……일단
와보세요…….
나는 공중전화박스에서 나왔다. 나는 택시를 잡았다. 택시는 달성
군 옥포면으로 달렸다. 나는 옥포파출소에서 내렸다. 사고 지점은 용
련사에 있는 저수지라고 했다.
「그럼 죽었단 말입니까?」
나는 엉겁결에 그렇게 물었다.
「아직 모릅니다」

259

나는 밖으로 나왔다. 나는 다시 택시를 탔다. 용련사로 올라가는 도중, 인명구조대 차가 경적을 울리며 쏜살처럼 내려갔다. 혹시, 하는 생각이 설핏, 들었다. 나는 고개를 세차게 저었다. 아니야, 그럴 리가 없어.

잠시 후, 나는 용련사 저수지에 도착했다. 시퍼런 물이 누워 있었다. 라라는 없었다. 적막이 흘렀다.

「올라오던 길에 보니까 물이 너무 맑아요. 나는 대구 근처에도 이렇게 맑은 물이 있구나, 하고 놀랐어요. 갑자기 버지니아 울프 생각이 나더라구요」

갑자기 라라의 말이 새삼스럽게 떠올랐다. 내가 수배를 피하여 잠시 용련사에 머무르고 있을 때, 라라가 찾아와서 하던 말이었다. 나는 갑자기 안동 하회에서의 일이 섬뜩하게 떠올랐다.

「전 죽을 거예요. 죽고 말 거예요」

나는 진저리를 쳤다.

그녀는 밝음, 어두움, 태양, 폭우, 고통, 쾌락, 절망 등등, 모든 극단을 사랑했다.

나는 이제야 알 것 같다. 그 언어 속에는 죽음의 냄새가 난다.

그녀는 중간을 허락하지 않았다. 그녀는 입만 열면 게오르그 트라클, 예세닌, 횔더린, 실비아 플라스, 까미유 끌로델, 마야코프스키 …… 그 불행했던 삶들과 정신병, 자살 등에 대해서 이야기했다. 라라에게선 알바레즈의 『자살의 연구』가 떠나지 않았다.

나는 그녀의 말에서 죽음의 냄새를 맡았어야 했다. 그때서야 나는 라라의 죽음을 확신했다. 내가 조금만 주의를 기울였다면 나는 라라의 죽음을 막을 수 있었을지도 모른다. 갑자기 죽음에 대한 그녀의 이미지들이 앞뒤 없이 떠올랐다.

「어차피 지상에서 하는 말들은 모두 거짓이에요. 죽음만이 진실돼요. 죽음만이 진실을 완성해요. 사랑한다는 말도 거짓이에요. 사람은 자기 이외에는 어느 누구도 사랑할 수 없어요. 만일 사랑이 있다면 그건 죽음일 거예요. 죽음만이 사랑을 완성해요. 모든 오페라의 주인공들과 제대로 된 작품 속의 주인공들은 죽었어요. 그리고 사랑을 완성했어요. 그러니 죽음은 사랑을 완성하는 형식이에요. 나는 이념을 위한 분신도 그렇게 받아들여요. 자기 파괴 충동은 순수한 자만이, 누릴 수 있는 특권이에요. 순수한 자만이 죽음을 스스로 선택할 권리가 있어요…… 난 서른 전에 죽을 거예요. 자기가 늙는다는 것을 자신의 눈으로 지켜본다는 것은 견딜 수 없어요」

나는 조용히 라라의 얼굴을 살펴볼 뿐이었다.

「전 죽고 말 거예요」

나는 라라에게 결정적으로 말할 필요는 없다고 했다.

「서른을 넘긴다는 것은 생각만 해도 지긋지긋해요」

「나는 탐미주의자의 말은 믿지 않아」

「나는 리얼리스트예요」

「나는 당신의 말의 성찬에 질리겠어」

「나는 세상의 필요 없는 말들에 질렸어요」

나는 「그럼 글은 왜 쓰려고 해?」 하고 물었던가.

「세상의 거짓말들을 저주하기 위해서죠」

나는 두 시간 후, 경북대 의과대 부속병원 응급실에 도착했다. 응급실 앞에는 인명 구조대 차가 서 있었다. 나는 응급실로 뛰어들어갔다. 라라는 흰 천으로 덮여 있었다. 나는 흰 천을 걷어냈다. 나는 라라의 눈을 감겨주었다. 나는 응급실 구석에서 라라와 밤을 같이 새웠다.

……추측건대 그녀가 자살한 시간은, 라라의 말대로라면 그녀가 그녀의 예술을 완성한 시간은, 광주에 있는 나에게 전화를 건 직후였을 것이다.

라라가 남긴 유품으로는 랜드로바 신발 한 족, 핸드백, 내가 광주로 떠나기 전에 준 양재혁 저 『장자와 모택동의 변증법』(70쪽까지 밑줄이 그어져 있었다), 민음사 간 김현 역 『지옥에서 보낸 한철』 랭보 시집, 요제프 브로드스키의 『소리 없는 노래』, 그리고 습작 노트 한 권, 일기장 한 권, 200자 원고지에 쓴 200매 가량의 유서, 6월 11일자 《한겨레신문》…… 이것이 그녀가 남긴 전부였다.

《한겨레신문》 문화란 조선희 기자가 쓴 문학기사는 붉은 수성펜으로 줄이 그어져 있었다.

자살을 앞두고 신문을 읽다니…… 라라는 세계에 성실했다.

그녀의 핸드백에는 흔하디흔한 화장품이나 액세서리는 하나도 없었다. 그녀는 편하다는 이유에서 남자용 바지를 사 입었으며, 내 옷을 아무렇게나 걸치고 다녔다. 그녀는 키취적인 모든 것들을 경멸했다. 그것은 극단적이기까지 했다. 라라의 옷차림이 치마에서 바지로, 블라우스에서 내가 입던 티로 변한 것은 라라가 노동자가 되고부터였다.

제3부 불꽃의 노래

그러나 손톱 사이의 기름때와 라라의 거친 옷이 그녀의 외모를 가려 주진 못했다. 라라는 공장에서 해고되어야 했다. 더러는 스스로 그만 두어야 했다. 그녀는 노동자가 되려고 했으나 결국 노동자가 되지 못했다. 그녀에게는 특별나게 관능적인 아름다움이 있었다. 그러나 그녀를 외모에서 두드러지게 했던 것은 그런 것이 아니었다. 라라를 아름답게 보이게 한 것은 그녀를 줄곧 따라다녔던 우수였다. 그것은 그녀를 지적으로 보이게까지 했다. 그 그늘진 얼굴은 그녀의 맹렬한 독서와 사색에서 나왔다. 그녀는 진정으로 노동자가 될 수 없는 자신에 대해서 괴로워했다. 그러나 이제 더 이상 그런 문제로 괴로워하지 않아도 된다. 이제 그녀에게 고통스럽게 사는 훈련은 끝났다.

〈지옥에서 보낸 한철〉도 그렇게 마감했다. 이제 라라의 삶은 〈소리 없는 노래〉가 될 것이다.

라라의 죽음의 원인을 찾는 나의 고통스럽고도, 우울한 여행은 계속되어야 할 것이다. 그녀는 지난 4년 동안 나를 만나면서 자신을 결정적으로 구속했던 〈숨막힘〉을 느껴야 했다. 그렇다면 그녀가 내게서 느꼈던 그 〈숨막힘〉의 정체가 밝혀져야만 한다.

나는 어머니로부터 세상을 사랑하지 않은 어떤 중에 대한 이야기를 들었다. 그의 별명은 〈성 카프카〉였다. 그는 여자를 혐오하고 기피하는 사내였다. 그는 어디엔가 자신의 씨앗을 뿌렸다. 그의 실수였다. 그 씨앗이 물과 바람과 햇빛을 받으며 자라 이 글을 쓰는 불행한 청년이 되었다. 저주받을 일이다.

나는 어머니 뱃속에서부터 존 레논의 〈LET IT BE(그대로 두어

라)〉를 들었다. 아마 미혼모인 나의 어머니는 나를 무국적의 아이로
키워 외국 어디엔가 팔아먹을 작정이었던 모양이다. 나는 컴컴한 동
굴에서 나온 후, 얼마 지나지 않아 어떤 사내에 대한 증오를 키웠다.
내가 철이 들었을 때, 나는 그 사내를 노골적으로 욕했다. 그럴 때마
다 어머니는 렛 잇 비, 렛 잇 비, 하고 말했다. 나는 헤드폰으로 귀를
틀어 막고 라디오의 볼륨을 높여 팝송을 들으며 어떤 사내에 대한 증
오를 삭였다.

그는 젊은 한때, 카프카라는 우물 속에 빠졌던 모양이다. 그리고
헤어나오지 못했다. 그는 죽음으로써 카프카를 극복했던 모양이다.
문학 청년 시절, 그를 따라다녔던 나의 어머니는 그가 죽자, 그에게
〈성 카프카〉라는 작위를 주었던 모양이다.

미친 짓이다.

나는 철이 들면서 문학이라는 〈똥〉을 피해 가는 법을 배웠다. 문학
은 예외를 제외하고는 불행을 보장하기 때문이었다. 나는 문학에 접
근하기 전에 문학을 경멸하는 태도부터 배웠다. 나의 어머니는 고난
찬 문학 청년 시절을 보냈으면서도 내가 책읽는 것을 늘 반대했다.

〈책을 읽으면 불행해진다.〉 그녀의 말이었다. 나는 그녀의 이율배
반성을 설명할 수 없다. 그녀는 나 역시 어떤 사내 꼴이 날까봐 걱정
했었던 모양이다. 국민학교 6학년 때 나는 백일장에서 「아버지」라는
제목의 글로 최우수상을 받은 적이 있다. 시작은 이렇다. 나는 내 아
버지를 모른다. 그리고 중간 부분에, 내 아버지는 중이었다. 그리고
끝에는, 나는 그의 선택을 이해한다. 나 역시 중이 되지 말라는 법은
없다. 이런 식의 글이었다. 그 글은 학교를 발칵 뒤집어놓았고, 나는

무서운 아이라는 소리를 들었다. 이 사실이 어머니에게 알려졌고 나는 피멍이 들도록 종아리를 맞았다.

내 상장은 찢어져 쓰레기통에 처박혔다. 내 첫번째 필화 사건인 셈이다. 나는 그때 과연 글이라는 것은 인간을 불행하게 하는구나, 하는 것을 절실하게 깨달았다. 그 후, 내 방은 국적을 알 수 없는 레코드 판들로 채워졌다. 나는 어머니가 사주는 가벼운 팝송들을 들으며 청소년기를 보냈다. 나는 두 번의 실패 끝에 지방 후기대학에서 법학을 택하게 되었다. 어머니가 원서를 냈고 어머니가 합격증을 받아 왔다.

어머니가 선택한 학교였으니 내가 대학에 나갈 필요는 없는 것이다. 대학에 들어와서 강제적으로 주입된 팝송에 대한 허상은 유신 반대 데모를 보면서 너무나 쉽게 깨어졌다. 나는 완벽하게 수업을 빼먹고 도서관에서 도대체 무엇이 옳은 길인가를 고민했다. 아무도 가르쳐주지 않았다. 도서관 구석에서 《창작과 비평》을 보면서, 시위를 주도하는 학생들의 어깨너머로 〈아무도 미워하지 않는 자의 죽음〉을 보면서 나의 열아홉, 스물이 흘렀다. 그리고 나는 부모로부터 물려받은 더러운(?) 피를 속이지 못했다. 거리에서 분노와 증오로 무언가를 끼적거렸고, 그러다가 라라를 만났다.

라라는 의식적이건, 무의식적이건, 글쓴다는 고통의 세계로 한발짝 한발짝 다가서고 있었다.

문학은 라라의 마지막 자존심이었다. 라라는 문학을 담보로 나에게 어떠한 피해도 끼칠 각오가 되어 있었다. 또한 나는 라라의 어떠한 폭력도 받아줄 준비가 되어 있었다. 라라에게 작가가 되겠다는 욕망은 유별났다. 그녀에게 작가가 된다는 것은 자신은 결코 손에 흙을 묻히지 않는다는 것을 의미했다. 그녀에게 작가가 된다는 것은 그녀 아버지의 상태로 떨어지지 않는다는 것을 의미했다. 농사를 짓는다는 것은 라라에게 치욕이었다. 그녀는 차라리 염색 공장에 나가서 하루에 열두 시간씩 일하는 것이 낫다고 생각할 지경이었다. 그녀는 누구보다도 농촌이 가난할 수밖에 없다는 현실을 잘 알았다. 그녀는 세상을 가혹하게 비판했다. 그것이 그녀에게는 문학이었다. 또한 그녀에게 작가가 된다는 것은 신분 상승을 의미했다. 그리고 그녀가 열망하던 지식인 계층에 편입된다는 것을 의미했다.

라라는 욕망이 강한 여자였다. 지상 위의 지식을 알기 위하여 그녀는 모든 사물을 호기심에 차서 접근했다.

……라라는 죽었다. 나는 그 사실이 도저히 믿기지 않는다.

라. 라. 는. 죽. 었. 다.

나는 내 머릿속에 이 사실을 조용히 집어넣었다. 그러나 여전히 믿어지지 않는다.

……화부들이 우리를 불렀다. 화구의 철문이 열렸다. 화구 속의 내화 벽돌이 벌겋게 달아 있었다. 화부는 철제 들것을 끌어냈다. 라라는 없었다. 철제 들것 위에는 바싹 타버린 삭정이가 있을 뿐이었다. 라라는 뼈였다. 라라의 아버지는 마침내 참던 울음을 터뜨렸다.

아니다. 이것이 아니다. 나는 고개를 세차게 흔들었다. 나는 전율했다. 나고 죽음이 도대체 무어란 말인가? 이렇게 되려고 나와 라라가 만나 사랑하고 방황하고 고뇌하고 싸워왔던가?

화부는 쓰레받기로 라라를 쓸어담았다. 라라는 분골실로 갔다. 라라는 분골통, 연자 맷돌 안에 들어갔다. 골부는 맷돌을 갈았다. 두 명의 골부가 맷돌을 마주잡고, 좌에서 우로, 우에서 좌로, 세심하게 라라를 갈았다. 단단한 것과 단단한 것이 부딪쳐 삐걱거리는 소리가 났다. 소름이 끼쳤다. 라라는 고통스럽게 신음했다. 라라는 바수어져 가루가 되었다.

라라는 먼지가 되려고 22년 6개월을 먹고 마시고 잠을 잤다.

라라는 먼지가 되려고 22년 6개월을 책을 보고 글을 쓰고 노동을 했다.

먼지가 되려고……

라라는 하얀 문종이에 들어가 조용히 누웠다. 한줌의 가루로.

나는 라라를 받아 안았다. 라라는 따뜻했다. 아니다. 라라는 죽어서 비로소 따뜻함을 맛본다. 이 따뜻함을 위하여 지난 4년 동안 라라는 춥고 배고팠다.

나는 1986년 8월 30일, 8년 동안 다닌 지겨운 학교를 떠났다. 나는 노동자가 되었다. 해고, 복직 투쟁 등 여러 가지 길을 걸었다. 나는 반성적 모색 끝에 출판문화운동에 뛰어들기로 했다. 나는 출판사를 차렸다. 나는 결국 라라의 말대로 건강한 노동자가 되지 못했던 것이다. 87년 6월과 겨울이 시작되기까지 나는 라라를 만나지 못했다. 정치적인 상황이 라라와 나의 만남을 가로막고 있었다.

6월 민주화 대항쟁, 7, 8, 9월 노동자 대투쟁이 나오기까지 나는 눈코 뜰 새 없이 바빴다. 그 과정에서 인간이 정치적이지 못하면 산다는 것이 얼마나 끔찍한 일인가를 느껴야 했다. 당시 나에게 산다는 것은 정치를 의미했다.

바람이 불고 낙엽이 떨어졌다. 플라타너스잎들이 보도블록을 뒤덮었다.

11월이 되었다.

목조 건물 이층 출판사에는 많은 사람이 오고 갔다. 난로가 없었지만 사람들의 열기로도 견딜 만했다. 그 즈음 나는 라라의 소식을 전혀 접할 수 없었다. 아마 글을 쓴다고 돌아다니며 어딘가에서 자신의 육신과 영혼을 상처투성이로 만들고 있겠지……

12월이 되었다.

첫눈이 내렸다. 난데없는 진눈깨비였다. 나는 밤이 되어 서점에 들렀다. 클라라체트킨 서한집과 시집 두 권을 샀다. 돌아오는 길은 어두웠다. 진눈깨비는 계속해서 내렸다. 길은 비가 온 듯이 질퍽거렸다. 나는 종이봉투로 머리를 가리고 버스 정류장으로 발길을 재촉했다. 누군가 내 앞에서 멈춰섰다.

라라였다.

불빛은 어두웠고 진눈깨비는 시야를 가렸다. 우리는 말없이 오랫동안 서로를 바라보았다. 진눈깨비가 쏟아졌다. 우리는 헤어진 동안의 6개월이란 시간을 읽고 있었다. 나는 러시아식 낡은 외투를 입고 있었다. 그녀는 화려했다. 화려하다기보다는 야한 쪽이었다. 라라의 입술에는 붉은 루즈가 칠해져 있었고 그녀의 몸에는 귀걸이, 짙은 화장, 강한 향수, 눈에 강렬하게 띄는 옷……라라는 많이 달라져 있었다.

갑자기 우리는 불행하다고 생각했다.

여전히 진눈깨비가 내리고 있었다. 나는 라라에게로 가까이 걸어갔다. 나는 라라의 머리 위에 퍼붓는 진눈깨비를 책으로 가려주었다.

우리는 술집으로 들어갔다. 소주를 마셨다. 그 동안 라라는 즐거웠었다고 했다. 한 남자를 알게 되었다고 했다. 아니, 세 남자를 알게 되었다고 했다. 그 남자들을 통하여 많은 것들을 얻었다고 했다. 당구도 배웠고 춤도 췄다고 했다. 내내 볼링장에서 살다시피 했으며 밤이면 회관에서 회관으로 돌아다니며 술을 마셨다고 했다. 나는 조용히 웃었다.

라라는 나에게 250CC 바이크를 타본 적이 있느냐, 하고 물었다.

나는 잠자코 있었다.

라라는 그런 쾌감은 다시는 누려볼 수 없을 거라고 했다. 나는 이해한다는 표정을 지어주었다.

그날 밤, 우리는 같이 있게 되었다. 라라가 잠들 때까지 나는 김용택의 시집 『맑은 날』을 읽고 있었다. 라라가 잠든 후, 나는 우연히 라라의 노트를 보게 되었다.

일기, 잡문, 그리고 군대 간 첫 남자에게 보내는 편지의 초고……이런 글도 있었다.

〈나도 누군가를 사랑할 권리가 있다.〉 그리고 몇 장 뒤에 〈나는 나를 가로막는 모든 장애물들과 싸우기 위하여 태어났다.〉 그리고 〈진정한 예술은 외설이다. 나는 지금 사드와 조르주 바타이유에 빠져 있다.〉 그리고 〈아버지는 나에게 그렇게 싸돌아다니지 말고 시집이나 가라고 한다. 그 말은 마치 나를 팔아치워야 되겠다는 흥정이나 장삿속으로 들린다. 나는 그에게 배반감을 느낀다. 나는 가족을 다시는

찾지 않을 것이다.〉그리고 맨 뒷장에 〈내일 병원에 가봐야겠다. 그런데 나는 누구의 아이인지 모른다.〉

거기서 나는 라라의 노트를 덮었다. 모든 상황은 변해 있었다. 이제 라라는 내가 생각했던 라라일 수는 없었다.

우리는 오전 여덟 시에 일어났다. 그녀는 밀양에 갈 거라고 했다. 지금 사귀고 있는 남자의 집이 거기 있다고 했다. 라라는 헤어지면서 내 건강이 어떠냐고 물었다. 그리고 나의 연락처를 물었다. 라라는 돌아섰다. 나는 출판사로 돌아왔다. 나는 사무실 문 앞에서 문을 따려고 열쇠를 꽂았다. 문이 열리지 않았다. 나는 몇 번이고 열쇠를 확인하고 자물쇠에 집어넣고 돌렸으나 문은 열리지 않았다. 나는 다시 확인했다. 나는 엉뚱한 열쇠를 가지고 문을 열려고 하고 있었다. ……나는 라라를 사랑하고 있구나.

바람이 불었다. 하늘을 올려다보았다. 하늘은 을씨년스러웠다.

많은 비가 내렸고 눈도 몇 차례 내렸다. 그리고 해가 바뀌었다. 나는 출판사 겨울 물량에 정신이 없었다. 그러나 나는 라라를 단 한순간도 잊을 수 없었다. 나는 술을 마셨다. 위장에 탈이 났다. 나는 병원에 가지 않았다. 나는 라라와의 이별에 사회적 의미를 부여하려고 발버둥쳤다.

모든 것은 정치 때문이다. 세상이 살기 좋았던들…….

난 고통을 참아야 했다. 나는 감상적인 인간으로 보이고 싶지 않았다. 누군가 나에게 리버럴리스트라고 하면 최상의 치욕으로 받아들였다. 나는 주위로부터 소시민 근성이 있다는 말을 듣고 싶지 않았다.

너는 쁘띠비지야, 네겐 부르주아 근성이 있어, 나는 이 말을 듣지 않으려고 과격해질 수밖에 없었다. 나는 모험주의적인 정치적 견해도 서슴지 않았다.

나는 술을 마셨다. 모든 것을 일의 짜증과 피로 탓으로 돌렸다.

나는 여자 문제로 괴로워하고 있다는 인상을 보이고 싶지 않았다. 그런 이유 때문에 나는 나의 정치적 생명줄을 끊고 싶지 않았다. 나는 계급성이 강한 인물로 보이고 싶었다.

그해 봄, 라라에게서 전화가 왔다.

「그 남자와 헤어졌어요. 아마 이제부턴 당신을 사랑해야 할까 봐요」

라라는 내 앞에서 귀걸이를 신경질적으로 떼었다. 그것을 거칠게 쓰레기통에 집어던졌다.

「단순하게 사는 게 역겨워졌어. 당구, 포카, 전자오락실, 회관, 섹스, 섹스, 섹스, 아, 지겨운 남자 냄새…… 나는 그 동안 책을 거의 못 읽었어요. 이젠 미치도록 독서를 해야겠어」

그 만남 이후로도 라라는 나에게 수시로 이별을 선언했다.

그리고 마음이 내키면 나를 찾아왔다. 나는 그녀의 생을 위해서라면 어떠한 역할도 할 수 있다고 생각했다.

라라에게는 사람에 대한 불신의 벽이 두터웠다. 언젠가 라라는 말했다.

「사람은 평생을 두고 사랑할 만한 가치 있는 존재는 되지 못해요」

라라는 인간의 소유욕을 경멸했다.

「사랑이란 결코 구속하지도, 구속당하지도 않는 상태예요. 그러나 인간에겐 그게 없어요. 인간이란 조금만 알 만하면 무엇이든 자기 것으로 만들려고 하죠」

라라는 고독을 즐겼다. 라라는 주위 사람들을 무시하면서, 그것을
즐겼다. 라라에게는 언제나 외로우면 돌아가서 자신을 맡길 수 있는
유일한 친구가 있었다. 그것은, 바로 고독이었다.

라라는 나를 알고 지낸 지난 4년 동안 7, 8명의 남자들과 관계를 가
졌다. 그녀에게 섹스의 형식은 방탕이었지만, 내용은 순수였다. 그녀
는 언제나 무서운 실존 앞에서 도망가는 법이 없었다. 라라는 진정한
순수는 타락 가운데 있다고 믿었다. 그렇게 믿지 않고서는 자신의 존
재 가치가 없었다.

나는 라라를 만난 후, 라라의 성생활에 대한 이야기를 들어야 했
다.

다른 남자와의 성관계에 대한 라라의 묘사는 나를 무력감에 빠지게
했다. 그녀는 나로 하여금 그녀에 대한 공격 심리를 자극하곤 했다.
나는 라라 앞에서 즉흥적으로 일어나는 모든 욕망을 지그시 눌렀다.
나는 라라 앞에서 감정적으로 행동하고 싶지 않았다.

아, 비겁한 유물론자여. 나는 그때만큼 사회주의적 품성에 회의를
일으켜본 적이 없었다.

지난 6개월 동안 나는 쫓겨다녀야 했고, 거친 음식과 불안한 잠자
리로 고통스러워했다. 항상 기관의 눈을 피하기 위하여 서너 개의 이
름을 가져야 했고, 그녀로 인한 고통도 받아야 했다. 그런데 라라는
다른 남자의 품에서 품으로 옮겨 다니며 콧노래를 불렀다.

1987년 5월 말, 라라와 나는 불가피하게 헤어져야 했던 것이다. 나
는 수배를 받았다.

나는 라라에게 피해가 갈 것 같아 연락을 끊고 지냈다. 그리고 6월, 민주화 대항쟁, 그리고 7월, 8월, 그 뜨거운 항쟁의 열기는 어떤 소시민에게나 영웅으로 착각하게끔 만들 수 있는 분위기였다. 그때, 확실히 민중은 역사의 영웅이었다. 우리는 모두 거리로 뛰쳐나와 해방의 연대감을 같이 나누었다. 거리에서 밤을 밝혔고, 거리에서 밥을 먹었다.

서울, 부산, 대구, 광주 등 대도시뿐만 아니라 모든 중소도시와 농촌까지…… 전국적인 대중 투쟁이었다. 평화적인 행진, 집회와 숨바꼭질식의 유격적인 가투가 결합되었고 〈질서〉와 〈비폭력〉이라는 구호 속에 광범위한 대중이 투쟁에 참여했다. 운전수들은 〈경적 시위〉를 했고 보수적인 기성세대마저 전투경찰과 최루탄 발사에 대한 항의와 야유를 퍼부었다.

파출소 습격, 시위진압차량 방화, 민정당사 습격, 이 모든 폭력 투쟁조차 시민들의 묵인과 용인, 지지 속에 행해졌다. 그날 그 순간을 기억하는 사람들이라면 누구나 눈시울 뜨겁게 우리들의 목젖을 뜨겁게 했던 호헌 철폐, 독재 타도, 민주 쟁취라는 구호를 기억할 것이다. ……최루탄이 부족했다.

민중들의 분출하는 힘은 폭발적이었고……최루탄이 부족했다. 드디어 우리는 해냈다. ……그러나 가짜 6 · 29항복 선언 ……되풀이다.

그 상황에서 내가 라라에게 무엇이 될 수 있다는 말인가.

나는 그녀보다 그녀와 함께 지낸 학생 신분의 남자들에게서 질투가 아닌, 분노를 느꼈다. 그렇게 바쁘던 시기에 어떻게 여자를 꿰차고 놀 수 있다는 말인가. 도대체 사랑이란 무엇인가. 사랑이란 역사에서 고립될수록 감미롭고 아름다운가. 그렇다면 역사와 인간은 어떤 관계에 있는가. 설사, 역사가 개인의 사생활까지 침범할 수는 없다 하더라도 지난 6개월 동안 라라의 행위는 지나치지 않았는가.

　라라는 니힐이었던가. 그 시기에 허무주의를 생각한다는 것이 과연 가능했던가?

　그러나 나는 라라를 이해해야 한다. 그녀의 복잡한 성관계는 그녀에게는 독서였을 것이다. 라라에겐 인간에 대한 호기심과 책에 대한 욕망은 동일한 가치일 것이다. 나는 라라의 〈독특한 독서 행위〉를 이해해야 한다. ……라라는 지난 6개월의 생활을 나에게 이야기해 주었다. 섹스 행위에 대한 그녀의 묘사는 리얼했다. 나는 미소까지 띠며 들어주었다. 인내심이 필요했다. 나는 비겁했다. 그때 차라리 라라와 헤어졌어야 했다. 아니, 이 진술은 거짓이다. 나는 라라를 이해했으므로, 나는 그런 라라를 더욱 사랑할 수밖에 없었다. 나는 그녀에게 보호하고 싶다는 말을 했다.

「당신은 신이 아니에요」

「널 이해하기 때문이야」

「이해? 그럼, 날 버려요」

「스스로 찾아온 쪽은 너였어」

「그렇죠. 당신은 사랑을 모르니까」

「그럼 넌 사랑을 안다고 생각하니? 이 남자, 저 남자 번갈아가며 몸을 섞는 게 사랑이야? 내게 그걸 가르쳐주려고 찾아왔나?」

　라라는 나의 말에 파르르 몸을 떨었다. 라라는 격렬하게 소리쳤다.

「그럼 당신이 내게 무얼 했나요?」

나는 라라에게 지난 6개월을 이야기해 주었다. 그리고 우리시대는 사랑을 위해 모든 것을 팽개칠 만큼 여유 있는 시대가 아니라고 했다. 「당신의 그 멋들어진 사회주의적인 품성이 언제까지나 갈 것 같아요. 인간적인 욕망을 참고, 그래서 머리로 쟁취한 그 민중과 역사가 밥을 주던가요?」

「나는 천박하게 살고 싶지는 않아」

「당신은 위선자예요. 민중이나 역사는 쓰레기통에나 가서 찾아요. 민중이나 역사가 그렇게 거룩하다면 쓰레기통에 처박힌 인간들의 욕망도 거룩한 거예요. 아시겠어요?」

나는 그녀에게 사과할 것을 요구했다. 민중과 역사의 이름이 그렇게 짓밟혀서는 안 된다고 생각했다. 욕망에 대한 고찰, 욕망에 대한 긍정적 수용? 그래, 라라의 욕망은 모두 가짜들이다. 나는 다시 한번 라라에게 사과할 것을 요구했다.

「내 입은 진실만을 이야기할 뿐이에요」

「당장 나가」

「못 나가」

순간 라라는 흥분했다. 못 나가, 네가 나가, 하고 라라는 소리를 지르며 내 뺨을 쳤다. 라라는 쓰러져 울었다. 나는 라라에게 진심으로 사과했다.

나는 라라에게 〈당장 나가〉라고 해서는 안 된다. 그녀가 편히 쉴 공간은 나라는 공간밖에 없었던 것이다. 우리는 서로를 잘 알고 있었다.

서로의 고독과, 서로의 광기를. 나는 그녀를 샅샅이 알고 있었다.

또한 라라는 나라는 인간을 샅샅이 알고 있었다. 우리는 사랑한다
는 말을 단 한 번도 주고받지 않았지만, 서로를 안다는 것, 그것은
10년, 아니, 50년의 부부생활과 수천 번의 섹스보다도 중요한 사실이
었다.

언제 어느 때, 그녀가 찾아와도 나는 문 앞에서 그녀를 반겨주어야
했다. 그녀는 나를 그렇게 믿고 있었다. 나는 그런 일을 단 한 번도
마다하지 않았다. 나는 그런 믿음을 깨뜨려버렸으므로…… 라라는 서
럽게 울었다.

그 후, 라라는 출판사에서 편집일을 도와주었다. 라라는 서서히 변
해 갔다.

라라는 출판사를 출입하는 사람에게서 지난 시기에 그녀가 만났던
사람에게서 느낄 수 없었던 점들을 느끼기 시작했다. 그들에게서 느
끼는 순수함과 도덕적 차별성을 보고 라라는 조금씩 변해 갔다. 그녀
는 지나가는 소리로나마 사회구성체 논쟁을 들어야 했고, 통·전·론
과 변혁운동의 약술론을 들어야 했다. 라라는 〈더불어 산다〉는 의미
와 진지한 분위기에 익숙해졌다.

그리고 그녀는 역사에 대한 희망과 민중에 대한 사랑이 환상이 아니
라는 것을 시인하게 되었다. 그녀는 감동을 받고, 때로는 그 세계를
동경하게 되었다. 그러나 그녀가 그 세계로 뛰어들기에는 세상에 대
한 불신의 벽이 너무 두터웠다. 그리고 자신에 대한 집착이 극도로 강
했다.
………

라라는 학교를 정리했다. 라라는 노동자가 되었다. ……

……라라는 노동자가 되었다…… 라라는 노동자가 되었다. 나는 이쯤서 문자 키를 두드리는 일을 멈추었다. 나는 더 이상 허기를 견딜 수 없었다. 나는 자리에서 일어섰다. 나는 실내의 온도계를 보았다. 11도였다. 그때서야 나는 으스스하게 몸에 한기가 든다는 것을 느꼈다. 나는 난로 쪽으로 걸어갔다. 나는 다시 구석으로 걸어가서 톱밥을 푸대째 들고 왔다. 톱밥은 얼마 남지 않았다. 나는 아궁이에 종이를 쑤셔넣었다.

그리고는 주머니에서 성냥을 꺼내어 종이에 불을 붙였다. 나는 종이에 불이 활활 타오르자 톱밥을 조금씩 조금씩 집어넣었다. 나는 난로가 꺼져버린지도 모르고 밤이 깊도록 퍼스컴 앞에 앉아 있었던 것이다.

뭔가를 좀 먹어야 되겠는데…… 나는 일단 전기 포트에 물을 데우기로 했다. 나는 싱크대로 걸어갔다. 나는 수도 꼭지를 틀어 물을 받았다. 나는 전기 포트를 식탁 위에 올려놓고 콘센트에 플러그를 꽂았다. 그리고 나는 들깨차가 든 깡통을 찬장에서 꺼냈다. 나는 들깨차 분말을 그릇에 가득 부었다. 나는 들깨차 분말로 죽을 해 먹을 작정이었다. 나는 난롯가로 걸어가서 담배를 한 개비 피웠다.

나는 글이 예상 외로 잘 된다고 생각했다. 나는 물이 끓기를 기다리며 부드럽게 몸을 풀었다. 손목과 발목, 허리, 목 운동을 차례대로 했다. 나는 온몸의 스트레칭을 하고 나서 침대 위로 올라갔다. 나는 침대 위에서 벽을 본 채로 결가부좌를 틀고 앉았다. 나는 복식 호흡을 하면서 눈을 가늘게 아래로 내리깔았다. 그렇게, 몇 분인가의 시간이 흘렀다. 전기 포트에서 물 끓는 소리가 바글, 바글, 들렸다. 나는 다리를 풀고 허리를 좌, 우로 몇 차례 돌리고는 침대에서 내려왔다.

나는 그릇에 뜨거운 물을 부었다. 나는 들깨죽을 한 그릇 들이켜고 나서 다시 난롯가로 걸어갔다. 나는 난로의 아궁이 불문을 조금만 열어놓았다. 난 갑자기 소변을 누고 싶다는 생각을 했다. 나는 화장실에 다녀올 것인가, 머뭇거렸다. 나는 시계를 보았다. 밤 아홉 시였다.

나는 싱크대로 걸어갔다. 나는 수돗물을 틀었다. 나는 싱크대 안에 그것을 내놓고 소변을 봤다. 나는 불안과 초조로 무엇엔가 쫓기고 있다고 생각했다. 지금 나를 불안하고 초조하게 하는 것은, 지금 내가 쓰고 있는 글이었다. 나는 전에는 이런 상태로 떨어져 본 적은 단 한 번도 없다는 것을 상기했다. 글에게 쫓기다니……나는 소스라치게 놀랐다. 나는 눈길이 자꾸만 퍼스컴 쪽으로 갔다. 나는 지금 무언가를 말하고 싶고, 무언가를 쓰고 싶어, 손가락이 불안하게 꼼지락거리고 있다는 것을 깨달았다.

나는 난롯가에서 불을 조금 더 쬐기로 했다. 그러면서 뒷부분을 어떻게 정리할 것인가를 생각했다. 나는 난로 뚜껑을 열고 남은 톱밥을 모두 부었다. 나는 난로 뚜껑을 닫고 다시 의자로 돌아왔다.

　나는 우우웅, 소리를 내는 모니터 앞에 앉았다. 나는 길게 한숨을 뱉었다. 이건 악마야, 악마, 하고 나는 중얼거렸다. 악마가 아니고서는 나를 이렇게 한 곳에 몰두하게 하고, 나를 인정사정없이 혹사할 리가 없어…… 그러나 지금 나는 무언가를 쓰지 않고는 배겨내지 못할 것만 같았다. 나는 다시 문자 키를 두드리기 시작했다.

　한 시간이 흘렀다. 두 시간이 흘렀다. 세 시간이 흘렀다. 그리고 새벽이 왔다. 나는 완전히 녹초가 되어 있었다. 나는 손가락이 제멋대로 노는 듯했다. 나는 때로는 두 손가락을 써서 한 점, 한 점씩 문자 키를 두드리기도 했다. 나는 몇 번이고 자리에서 일어서려고 했다. 그러나 모니터가 나를 놓아주지 않았다. 나는 괴로웠다. 하루 종일을 죽 한 그릇으로 견딘다니…… 나는 의자에 앉은 채, 손가락의 관절을 푸는 동안, 지난날의 겨울철 동안거를 떠올렸다. 그때도 이렇게 괴롭진 않았다.

　이 뭣고? 도대체 〈쓴다는 것〉은 무엇인가. 시심마! 무엇이 나로 하여금 나의 에너지를 이렇게 소진하게 하는가?

　나는 일단 다시 문자 키를 두드리기로 했다. 두드리다 보면 무엇인가 해결될 테지…… 나는 다시 화두 속으로 깊이 빠져들었다.

　다시 고뇌의 깊은 심연 속으로 들어가는 것이다.

　다시 몇 시간이 흘렀다. 나는 이제 그 고뇌의 밑바닥이 보일락말락한다는 것을 느꼈다. 나는 글의 마지막을 쓰고 있는 것이다.

……라라는 여전히 따스하다.

나와 그녀 아버지, 그녀 오빠, 올케, 우리는 장의차를 타고 시내로 나왔다. 라라의 유언은 자신을 바다에 뿌려달라는 것이었다. 그러나 그녀의 아버지가 퉁명스럽게 말했다.

「아무 곳에나 뿌려」

나는 어쩔 수 없었다. 라라의 아버지 말에 따르는 수밖에 없었다. 차는 금호강 쪽으로 핸들을 꺾었다. 우리는 금호강에서 내렸다. 신천의 똥물이 합쳐져서 금호강이 되고, 금호강 똥물은 흘러흘러 낙동강 똥물이 되는 것이다. 우리는 금호강 기슭으로 걸어나갔다. 시꺼먼 물이 유장하게 눈 아래에 펼쳐졌다. 악취가 심한 폐수가 흐르고 있었다. 강바닥이 말라붙은 곳에는 모기와 파리떼들이 잉잉거렸다. 뒤로는 경부선 고속도로가 길게 내달리고 있었다. 자동차의 질주소리에 소름이 끼쳤다.

나는 금호강을 바라보았다. 시커먼 폐수 위로 콜라병, 카턴 팩, 스티로폴 등등이 둥둥 떠내려오고 있었다. 우리는 물이 흐르는 곳으로 나갔다.

나는 라라를 손으로 만졌다. 그녀는 여전히 따스했다. 그녀는 부드러웠다. 그녀는 내 손 안에서 떠나고 있었다. 우리는 또다시 긴 이별이다.

라라는 바람에 날렸다. 라라는 시커먼 폐수 위에 떨어졌다. 밀리고 밀리는 폐수는 라라를 삼켰다. 라라는 보이지 않았다. 눈앞에는 악취가 심한 폐수만이 도도히 흐르고 있었다.

나는 눈을 감았다. 나는 손가락으로 눈을 몇 번이고 꾹꾹 눌렀다. 멀리서 대종소리가 들렸다. 반월당에 있는 보현사에서 나는 소리였다. 나는 눈을 떴다. 나는 F9, F3, ENTER 키를 차례로 누르고 퍼스컴 코드를 콘센트에서 뽑았다. 나는 의자를 뒤로 밀고 일어섰다. 새벽 세 시였다. 나는 난롯가로 걸어갔다. 수은주의 온도가 형편없이 떨어져 있었다. 섭씨 8도, 나는 옷걸이에서 코트를 손으로 집어들었다. 나는 오리털 파카를 벗고 코트로 갈아입었다. 나는 불을 끄고 밖으로 나왔다.

깜깜한 새벽이었다.

거리는 썰렁했다. 한겨울인 것이다. 나는 코트 깃을 세우고 발가는 대로 걸었다. 온몸에서 힘이 달아났다. 나는 완전히 녹초가 된 상태에서 흐느적거리듯이 걸었다. 나는 반월당, 동아쇼핑, 약전 골목, 만경관극장, 중부경찰서, 중앙공원, 북성로, 시민회관, 대동은행, 번개시장, 칠성시장, 제2신천교…… 끝없이 걸었다. 나는 끝없이 걷다가 디디가 이사한 아파트를 찾아가 보기로 했다.

「방을 옮겼어요. 독신자 아파튼데 나 혼자 생활하기에는 안성맞춤이에요. 나는 지금까지 〈희망 여인숙〉에 있으면서 나에게는 절망만 있을 줄 알았어요. 그런데 이제 나는 희망을 찾은 거예요. 그게 무언지 아세요? 나는 이제 내가 무엇을 해야 하는지를 알았어요. 당신 아시죠? 우리가 이 시대에 얼마나 상처받는 영혼인 줄을. 더구나 이 시대, 이 땅에서 여자가 인간으로 산다는 것이, 남자만한 지위에 올라가기가 얼마나 힘든다는 것을 당신은 아시죠?

그런 내가, 그래도 이 땅에서 무시당하지 않고, 사람답게 살고, 나도 이 시대의 상처받은 영혼으로서, 상처받은 영혼을 위하여 내가 할 수 있는 일을 이제 찾은 거예요. 제 아파트에 한번 와보세요. 내가 무슨 음모를 꾸미고 있는가를…… 와서 한번 보세요」

나는 며칠 전 디디가 한 말을 떠올리며 택시를 잡았다. 새벽 다섯 시였다. 나는 아파트의 계단을 한계단 한계단 밟아 올라갔다. 디디는 자지 않고 있었다. 나는 디디의 품에 내 몸을 던졌다.

「피곤해 보여요」

「아무것도 아니야. 조금 쏘다녔을 뿐인걸」

「이 추운 날씨에?」

「자고 싶어」

「눈이 쑥, 들어갔군요」

나는 고개를 가만히 저었다. 디디가 코트를 벗겨주었다.

나는 디디가 깔아주는 요 위에 드러누웠다.

「……나도 당신처럼 희망을 봤어. 난 조금 더 살아야 할 것 같아…… 디디, 우리는 외로운 영혼들이지. 자기를 끝없이 파괴하고, 파괴한 폐허 위에서 다시 자기를 세우고, 다시 파괴하고…… 디디, 당신은 글을 쓰려고 하고 있다는 것을 나는 잘 알아…… 하지만…… 그 일은 세상과 원수진 자만이 할 수 있는 일일 테지…… 아마 당신은 세상에 대한 분노가 있으니까 잘할 수 있을 테지…… 한데, 분노가 있다고 해서 다 된 것은 아니지…… 나도 모르겠어. 글이라는 것도 또 하나의 위악적인, 혹은 위선적인 타협은 아닐지, 그리고……」

나는 굴곡 없는 목소리로 밑도 끝도 없이 이야기를 해나갔다. 디디가 내 손을 꼭 잡아주었다. 나는 뭔가를 해냈다는 충족감을 느꼈다. 나는 100매에 이르는 단편 분량의 글을 한달음에 해치운 것이다. 디디는 나의 잡초 같은 머리를 몇 번이고 쓸어주었다. 디디는 불을 껐다. 푸른 새벽이 밝아오고 있었다. 나는 혼곤한 잠에 빠져들었다.

*   *   *

며칠인가의 시간이 흘렀다. 나는 짐을 정리했다. 나는 이제 떠날 때가 된 것이다. 나는 버려야 할 물건들과 디디에게 갖다 줄 물건들을 따로따로 나누었다. 확실히 나에게는 버려야 할 물건들이 더 많았다. 나는 톱밥 난로와 철제 책상과 침대를 버리기로 했다.

이런 일이 언제까지 계속되어야 하는가, 하고 나는 중얼거렸다. 나는 태어나서 실로 많은 이사를 한 것이다. 나는 철든 후, 한두 달에 한 번 꼴로 방을 바꾸었다. 때로는 경찰의 눈을 피하기 위하여, 때로는 권태를 견딜 수 없어서, 때로는 이사를 하면 뭔가 새로운 일이 있을 것 같다는 예감으로, 때로는 습관적으로…… 그렇다. 잦은 이사는, 잦은 나의 유격적인 이동은 습관이다. 이미 그것은 내 몸, 내 정신의 일부인 것이다, 하고 나는 생각했다.

나는 퍼스컴을 디디에게 주었다. 그리고 많지는 않지만 몇백 권의 책들을 디디에게 주었다. 그리고 소소한 물건들, 전기 포트,

라디오 카세트, 이불, 식기와 찻잔, 다구 일습……

나는 책상 밑에서 라면 박스를 꺼냈다. 나는 장삼과 승복, 가사를 꺼내서 빨아 널었다. 그리고 대부분의 옷들을 버렸다.

방 안은 썰렁했다. 나는 파카를 입고, 그 위에다가 이불을 둘러쓰고 의자에 앉았다. 나는 생각했다.

대학 들어 13년이란 시간이 흘렀다. 시간이란 아무것도 아니야, 나는 고개를 흔들었다. 13년이란 시간은 늙어버리기에는 너무 짧은 시간이지. 한데…… 이 시대, 이 땅의 13년이란 사람을 갑자기 늙어버리게 하는 것이다.

지난 13년이란 시간이 나에게는 〈스트룸 운트 드랑〉의 나날들이었다.

이제 그 격정의 나날들은…… 흘러갔는가? 나는 고개를 저었다.

갑자기 슬픈 감정이 나의 마음을 무겁게 눌렀다. ……아직 끝나지 않았다. 나는 격정의 나날들이 아직…… 끝나지 않았다는 결론에 이르렀다.

또 이 시간에 얼마나 많은 젊음들이 침침한 골방에서 고뇌하고, 딱딱한 감방에서 고생하고 있는지…… 여전히 암울하다.

누군가는 말할지 모른다. 지난 시기는 카오스의 시기였다고, 이데올로기 과잉의 시대였다고…… 그러나 그러지 않고 또 다른 어떤 길이 있다는 말인가? 나는 생각을 멈추었다. 나는 둘러쓴 이불을 걷고 밖으로 나왔다.

　　　　　*　　　*　　　*

「아니, 이게 누구야! 자명 아닌가!」

요사채 앞에서 눈을 쓸던 자현이 대빗자루를 든 채 걸어왔다.

「자현, 오랜만일세」

나는 자신도 모르게 자현의 손을 덥석 잡았다. 2년이란 시간이 한순간에 지워졌다.

자현의 펄럭이는 치의 자락 속에서 동면하는 겨울이, 생기를 얻고 와르르, 살아나는 것 같았다.

「이 야속한 자명당, 도대체 어떻게 된 거야. 소식 한번 없고」

무설설 불문문의 살아 있음이다.

「먼지 같은 중생이 연락은 무슨?」

자현은 자명의 머리카락을 손으로 휘저어주었다.

「머리 많이 길었어」

나는 씽긋이 웃으며 신에 묻은 눈을 툭툭 털었다.

「어서 대웅전에 들러 부처님께 큰절 올리게」

자명은 눈을 들어 노고단의 갈매재로 이어지는 지리산의 위용을 바라보았다. 지리산도 가부좌를 틀고 겨울 동안거에 들어간 것이다.

수많은 이 땅의 시인들이 노래한 산, 지리산, 큰산, 어머니 산, 그리고 아버지인 산, 지리산은 각황전을 자신의 품안에 안고 묵묵히 앉아 있었다. 지리산은 하얗게 입김을 내뿜으며 〈시심마······〉

285

의 의단을 거는 것이다.

「큰스님은 안 계신가?」하고 나는 자현에게 물었다.

「서울에 출타중이시라네. 장기복역 출소자들 환영식이 있던 모양이던데……」

「법상 스님은?」

「법상 스님은 〈정토 구현 전국 승가회〉 일로 요즘 쭉 서울에서 지낸다네」

……내, 노장, 스님들께 문안드리고 자네에게로 가겠네, 하고 나는 대웅전으로 올라갔다.

「그러세. 차라도 한잔 해야지. 참, 점심 공양은 어떻게 했나?」하고 자현은 내 등뒤에서 물었다. 나는 대웅전 계단을 다시 내려와서 자현에게 들고 있던 가방을 건네주었다.

「차 공양이면 충분하지 않겠나. 내 가방에 좋은 곡차가 있다네」

자현은 가방을 받아 들고 큰 소리로 웃었다. 나는 대웅전에 올라가 부처님께 삼배를 드리고, 여러 노장 스님들을 친견하고 자현의 방으로 들어갔다. 방에서는 작설차 향내가 은은하게 풍겼다.

자현은 나에게 자리를 내어주며 말했다.

「그간 고생 많았지?」

「출출 세간 부처님 경지였지」하고 내가 말했다.

「처음에는 대구에 올라가서 무척 고생했다던데…… 보수적이지 않던가?」

「모두 헛된 일이지」하고 내가 대구 불교 바닥의 보수성을 생각하며 말했다.

「헛된 것이 그뿐이겠는가. 자네 차나 한잔하게나」

자현은 다관을 들고 깊게 우러나온 차를 찻잔에 따랐다.

「산이라서 바람이 매우 차군」 하고 내가 말했다.

자현은 나에게 찻잔을 내밀며 암컷이 도망을 간 모양일세, 하고 말했다.

「바람에게도 암컷 수컷이 있겠나」

「암컷 수컷이 없으면 바람은 어디서 났겠나?」

아 하, 하고 나는 자현의 얼굴을 바라보았다.

「그래, 자명당은 암컷을 어떻게 했나?」

나는 저기 있네, 하며 가방을 가리켰다.

내 그럴 줄 알았네, 하고 자현이 말하며 가방을 열었다.

「고, 참한 년일세」 하고 자현이 말하며 술병을 땄다.

「혼자서 살림한다고 욕보네」

「욕보는 거야 부모 미생전 무겁으로 보았다네」

자현은 내 잔을 채우며 호탕하게 웃었다. 술은 맑고 깨끗했다. 나는 술잔을 들며 속으로 중얼거렸다. 태고로 적멸, 적멸이로다 ......

「그래, 〈정토 구현 전국 승가회〉 일은 잘되어 가나?」

글쎄, 하고 자현이 다구를 거두어 경탁 밑으로 밀어붙였다.

「자명당도 속가 공불랑은 때려치우고 나하고 일이나 하세」

「방랑 편력이 일이지, 그보다 큰 일이 어디 있겠나」 하고 내가 말했다.

하, 문수보살 마하살, 하고 자현이 말했다.

「그래 여기 얼마쯤이나 머무를 셈인가?」

글쎄, 자현당 자네는 이해할 테지, ……난 앞으로 소설을 쓸까 하는데, 자네 생각은 어떤가, 하고 나는 진지한 표정을 지으며 말했다. 그리고는 다시 말을 이었다.

「승려가 소설을 쓴다면 누가 믿겠나?」

자현은 내 말을 듣고는 한동안 깊은 생각에 빠지는 것 같았다.

자현이 입을 열었다.

「글쓰는 일이 구도 아니겠는가. 출가 사문의 길도 구도의 길이 아니겠는가. 결국 같은 길이 아니겠는가. 자네 나르치스와 골드문트를 생각해 보게. 난 방황과 편력, 그리고 예술의 길을 걸은 나르치스를 더 높이 사겠네. 이봐, 자명당. 붓다의 말씀이 생각나지 않는가. ……정복한 나라를 버리고 가는 왕처럼 무소의 뿔처럼 혼자서 가라. 혼탁과 미혹을 버리고 세상의 온갖 애착에서 벗어나, 무소의 뿔처럼 혼자서 가라. 소리에 놀라지 않는 사자와 같이, 그물에 걸리지 않는 바람과 같이 무소의 뿔처럼 혼자서 가라. 자명당. 스스럼없이, 걸림없이 자넨 자네의 일을 하게나. 스승께서도 그걸 원하실 걸세. 누가 감히 중의 고집을 꺾겠나」

나는 자현당이 고마웠다. 그걸로써 나는 충분했다.

막말로 소설 써서 승적 박탈밖에 더 당하겠나. 승적 박탈당하기도 어려운 것이여, 제대로 글을 써야지 그런 화를 당하지, 하면서 자현이 빈정거렸다.

자현은 몇 잔의 술을 더 비우고는 불콰해진 얼굴로 다시 궁시렁거렸다. 이 놈의 조계종 종단 웃대가리들은 웃기는 것이여. 국가원수 만수무강을 위하여 목탁쳐 주는 것이 일이라니께…….

멀리서 저녁 공양을 알리는 목탁소리가 들렸다.

자현과 나는 자리를 털고 일어섰다.

며칠이 흘렀다. 나는 자현의 방에서 당나라 법장이 찬술한 『화엄오교장』과 마코비취가 쓴 『무신론자가 본 예수』를 읽으며 시간을 보냈다.

오랜만에 나는 절 냄새를 느끼며 자신이 출가 사문이라는 것을 피부로 느꼈다. 나는 기분이 새로워졌고, 자신이 납의의 승려가 된 사실에 대해서 정신적인 고양을 느꼈다. 그것은 옷이 주는 무게가 아니라, 나는 이것이 아니면 할 것이 없다는, 운명적인 느낌이었다.

작가와 출가 사문의 길, 나는 고통스럽더라도 그 길을 통일시키며 걸어보려고 마음을 먹었다. 나는 새벽 예불을 마치면 대웅전과 각황전, 적묵당과 총원소, 영산전과 만월당, 경내의 요소 요소를 거닐며 나 자신과 절의 이미지들을 연결시켜 보려고 했다. 솨 아 —— 솨아 —— , 하고 우는 새벽 솔바람 소리는 나에게 서늘한 감동을 주었다. 계곡을 흐르는 물소리가 들리지 않았다. 나는 계곡으로 나가 얼음을 깼다. 가슴만한 돌덩이를 열 번이고 스무 번이고

내리쳐서야 얼음을 깰 수 있었다. 나는 바가지로 물을 퍼서 세수를
했다. 삼세의 미혹이 일시에 달아나는 기분이었다. 달이 밝았다.
달빛은 소나무숲 위로 교교히 비치며 출렁이고 있었다.

쏴아— 솔바람 소리가 분다. 나는 으스스한 한기도 잊은 채,
너럭 바위 위에 올라가 결가부좌를 틀고 앉았다. 나는 생각했다.

……나의 화두는 무엇인가, 그것은 이렇게 결가부좌를 틀고 앉
아 백날을 지내봐야 소용없는 일 아니겠는가. 될 수 있으면 빠른
시일 안에 다시 하산하자. 나는 다시 시장에 뛰어들어야 한다. 시
장 속으로, 그렇다. 사람들의 시장 속으로 뛰어들어가야 한다. 나
는 결가부좌를 풀고 일어섰다. 어디선가 이름을 알 수 없는 짐승의
울음소리가 들렸다. 그 소리는 내가 경내로 들어설 때까지 계속되
었다.

중생의 울음소리가 둥근 달과 만상을 집어삼키는구나, 하고 중
얼거리며 나는 대중 처소로 들어갔다.

해발 1,550고지, 나는 사형이 있는 토굴에 다녀오는 참이었다.
나는 모처럼 겨울 산을 오르며 이마에 땀을 흘렸다.

「자명당, 손님이 와 계신데……」

자현은 내 앞에서 후원으로 가져갈 쌀자루를 들고 말을 이었다.

「내 방에 들어가 봐. 애기 보살이야」

자현은 웃으며 후원 쪽으로 걸어갔다. 나는 자현의 뒤를 따라 후
원 내정에 자리한 수각으로 가서 낯을 씻었다. 디디었다.

　내가 방으로 들어서자 디디가 일어서며 애잔한 눈길로 바라보았다.

　나는 디디에게 가벼운 눈인사를 하고 앉았다.

　「차라도 한잔 해야지」

　나는 전기 주전자를 들고 다시 일어섰다. 나는 수각으로 나가 전기 주전자에 물을 받아 들어왔다. 오랫동안의 침묵이 흘렀다. 물 끓는 소리가 침묵 속에 끼여들었다.

　그 소리는 나의 불안한 감정을 거두어주었다.

　디디가 먼저 입을 열었다.

　「방에 감도는 향기가 좋으네요」

　「승방이란 다 그렇지」

　디디는 방 안을 휘둘러보고 난 후, 다시 입을 열었다.

　「웬 책들이 이렇게 많아요 ?」

　「아직 버리지 못해서 그럴 테지」

　나는 수구를 자신의 무릎까지 바짝 당겼다. 나는 다관에 몇 줌의 찻잎을 집어넣었다. 나는 귀때 그릇에 끓는 물을 부었다.

　「스님 방은 처음이에요」 하고 디디가 말했다.

　나는 수구의 물을 찻잔에 붓고 예열이 되기를 기다렸다. 나는 다시 찻잔의 물을 귀때 그릇에 부었다.

　「2주씩이나 연락이 없기에 이렇게 찾아왔어요. 며칠 후면 졸업도 있고……」

　나는 여전히 잠자코 있었다. 나는 수구의 물을 다관에 부었다.

다시 무거운 공기의 흐름이 방 안을 압도했다. 그 위로 작설차의 향기가 스며들었다.

「향기가 은은하군요?」하고 디디가 조용히 말했다.

나는 고개를 끄덕거렸다.

「언제까지 여기에 머무르실 거예요?」

「글쎄, 사실 난……」

디디가 어깨 앞으로 흘러내린 머리를 뒤로 넘기며 말했다.

「알고 있어요. 제가 왜 모른다고 생각하셨어요. 당신이 스님이란 것은 오래전부터 알고 있었어요. 중요한 것은 그게 아니잖아요. 그게 뭐 대단한 건가요. 이런 일은 당신에게 어울리지 않아요. 당신은……」

나는 손을 저어 디디의 말을 가로막았다.

나는 다관의 차를 찻잔에 따랐다.

「차나 마셔」하고 나는 디디 앞으로 찻잔을 내밀었다.

디디는 찻잔을 두 손으로 받아 들며 다시 입을 열려고 했다.

「무언가 말 몇 마디로 자기 생각을 밝힌다는 것은 늘 불충분해. 차를 마시고 내려가도록 해」

디디는 찻잔을 놓으며 입을 열었다.

「스님, 스님다우시군요. 한없이 부드럽고, 그러면서 말 속에 뼈를 심고, 당신은 아주 강한 사람이군요. 위선적이고, 그러면서 글을 써요? 제가 이제부터 자명 스님이라고 불러드릴까요. 자명 스님, 좋은데요. 네에, 좋아요」

「디디답지 않군」

「당신답지 않군요. 그 남의가 그렇게도 무거운 모양이죠?」

「우리가 서로 대립할 필요는 없잖아」

「그 대립을 누가 만드는가요?」

「왜 왔어?」

「황폐해서요」

「그건 나도 마찬가지야」

「그럼 같이 내려가요」

「이봐, 디디. 당신에게 남자는 필요치 않아」

「이봐요, 그건 당신도 마찬가지예요」

「나는 우리 사이를 통속적으로 만들고 싶지는 않아」

「누구나 통속적으로 살고 있어요. 당신 같은 스님도, 스테이지에서 알몸으로 춤을 춘 나도, 자본주의 사회에서 통속적이지 않은 사람, 통속적이지 않은 가치들은 없어요」

나는 고개를 저었다. 그리고는 차를 몇 모금인가 마셨다.

「일부러 인간적인 욕망을 피해 다니진 마세요. 그건 욕망의 탐닉만큼이나 추해 보여요. 그것도 결국은 욕망이에요. 이젠 우리에게도 욕망을 긍정적으로 고찰하고 수용할 때도 된 거예요. 이제 우리는 과학만의 시대가 아닌, 지혜를 필요로 하는 시대에 살고 있어요」

「이봐, 디디. 아직 우리에게는 더 많은 이념과 더 많은 과학이 필요해. 아직 우리는 빈곤해. 여전히 우리에게 문제되는 것은 철학의 빈곤, 중심의 부재, 그런 것들이야. 우리 시대의 작가란 그런 화두에서 벗어날 수 없어」

「……그런데 이런 깊은 산 속에서 무얼 하겠다는 말이죠?」

「그건 내 문제야. 디디가 관여할 문제가 아니야」

「이제부터 관여해야겠어요」

「정말 이해를 못하겠군. 모든 가치에 통속의 잣대를 무모하게 들이 대는 사람은 바로 당신이군」

「악몽에서 벗어나세요」

「………」

「당신이 쓴 글이 내게 준 컴퓨터 본체에 그대로 내장되어 있어요. 당신은 그 글을 플로피 디스크에 복사하고 본체에 있는 것을 지워버리지 않았어요. 그건 바로 당신의 이야기였어요」

「………」

「사람은 누구나 죽는 거예요. 산 사람은 살아야 해요. 라라라는 여자의 말처럼 〈나에게도 행복할 권리는 있다〉는 거예요」

나는 이건 행복이 아니야, 하며 고개를 저었다.

「나 역시 언제나 죽음에 대해서 생각하고 있어요. 글을 쓰기로 작정한 이상, 죽음은 조금도 두렵지 않아요. 우리에게 중요한 것은, 살아 있는 우리에게 중요한 것은…… 우리는 모두 죽음을 향해 걸어가고 있다는 인식이에요. 본질적인 삶을 산다는 것, 첨예한 고민을 한다는 것, 치열하게 산다는 것은 언제나 자신의 죽음에 대해서 대비하고 겸허하게 준비하는 거겠죠.

지금 나는 살아 있어요. 죽음을 첨예하게 인식하면서…… 나도
이만하면 이제 행복할 권리는 있는 거예요. 나는 확인을 주고 확인
을 받으면서 살고 싶은 거예요. 이게 잘못 되었나요?」

나는 자리를 털고 일어섰다. 나는 선 채로 디디를 내려다보며 선
언이라도 하듯이 말했다.

「디디, 당신의 삶 속에 나를 집어넣지 마. 당신의 상처, 당신의
상실감, 당신의 분노, 그건 당신 스스로 고민하고 당신의 분노를
작품 속에 담도록 해. 난 당신에게 아무것도 아니야」

「당신은 새디스트예요!」

나는 방문을 벌컥 열었다.

디디가 뒤에서 소리쳤다.

「새디스트! 분명히 들어요. 내일은 제 생일이에요. 내일 오후
네 시까지 제 아파트로 오세요. 이 말만은 분명히 들어요. 다시는
당신의 아버지, 어머니 같은 운명을 만들지는 말아요」

……나는 순간 온몸에서 힘이 달아나는 것을 느꼈다. 나는 아찔
한 현기증을 느끼며 문설주를 잡고 자신의 몸을 가까스로 지탱했
다. 땅이 파도처럼 거꾸로 치솟으며 하늘에서 아래로 곤두박질치
는 것 같았다. 하늘이 노랬다.

＊　　　＊　　　＊

나는 다시 도시로 돌아왔다. 나는 자취방에서 몇 분이고 먼지를
밟으며 서성거렸다. 발바닥이 시렸다. 침대와 책상도 빠져버린 자

취방은 을씨년스러웠다. 나는 주인에게 방을 비우겠다는 말을 했다. 나는 모조지를 오등분해서 〈사글세 있음〉이라고 쓴 후, 밖으로 나가 벽이나 전봇대 등, 몇 군데에 붙였다. 나는 피츠제랄드가 쓴『소설 작법』을 들고 학교 도서관으로 갔다. 나는 스팀이 나오는 자리에 앉았다. 나는 책과 노트를 폈다. 167쪽, 제10장, 소설의 첫 장을 쓰는 방법.

쉽게 읽혀지지 않았다. ……소설을 쓰기 위해서『소설 작법』을 읽다니…… 나는 열람실에서 나왔다. 담배를 입에 물고 불을 붙였다. 나는 신문 열람대로 가서 한겨레, 한국, 동아, 중앙, 조선, 경향, 서울, 매일경제, 한국경제, 더 코리아 타임즈, 코리아 헤럴드, 매일, 영남일보…… 차례대로 신문을 보았다. 다섯 개비의 담배와 90분의 시간이 그렇게 흘렀다.

무엇을 쓸 것인가? 이제부터 본격적으로 글을 써야 한다. 이제 맺힌 응어리도 그런대로 풀렸다. 라라의 이야기는 그런대로 끝난 것이다.

나는 창 밖을 바라보았다.

칠성시장, 뉴욕회관, 동아쇼핑, 대백, 대구은행 본점, 대동은행, 영남대 병원…… 여러 가지 건물들이 한눈에 들어왔다.

나는 생각했다.

……내가 태어나고 내가 자란 도시다. 어린 시절에는 붕어를 잡았지만, 지금은 날마다의 꿈과 희망을 내다 붓는, 썩은 물의 수성천이 흐르는 그런 도시다. 수배를 받고 이 도시를 떠나야 했고, 출

가를 하면서 이 도시를 떠나야 했던, 그런 도시다. 그러나 나는 이
도시로 다시 돌아왔다. 지겨운 이 도시로…… 나는 담배 한 대를
빼어 물었다. 담배 연기를 유리창에 대고 길게 뿜었다. ……TK 군
단이라는 도발적인 탱크 부대가 천박한 엘리트주의로 이 나라 민중
의 여론을 교란시켰고, 그리하여 양심 있는 청년 학생으로 하여금
〈부끄러움〉에 눈뜨게 했던 도시…… 푸르던 스물은 그렇게 흘렀
다. 그 푸르던 스물에 저 신천의 똥물도, 이 욕된 역사도, 이 시대
의 간악한 음모도 모두 끌어안고 헤쳐나가자고 다짐했었다.

그러나 지금 나는 무엇인가? 그래, 글을 쓰려고 한다.

나는 담배 한 대를 더 피웠다.

이제 서른인 것이다.

이제부터 나는 무엇을 할 것인가. 작가? 글쎄…… 여전히 힘들
다.

……현실 사회주의의 모습은 역겹기 짝이 없다. 페레스트로이
카, 혁명인가? 배신인가? 이 무수한 논쟁도 공허한 연기와 같
다. 그 동안 나는 무수한 이론의 파고 속에 몸을 담아왔다. 김세
균, 김홍명, 정운영, 안병직, 채만수, 송두율, 황태연, 손호철,
이병천, 안석교, 김주창, 이해영, 박형준…… 우수한 논객들과 무
수한 논쟁들…… 총자본의 힘 앞에선 무력하기 짝이 없다.

나는 담배를 비벼 끄고 자판기에서 커피 한 잔을 뽑아 왔다. 나
는 다시 창가에 섰다.

……모든 〈론〉은 사라져도 문학은 남는다. ……남는다? ……남

는다? 그래, 그렇다면 신념이 흔들리지 말도록 하자. 소설, 소설을 쓰도록 하자. 결코 흔들려서는 안 된다. 라라가 걷고자 했던 길을 내가 걷는 거다.

돈 없이 할 수 있는 것은 이 일밖에는 없다. 책은 도서관에서 빌려 보면 되고, 글은 300원짜리 대학 노트에 쓰면 된다. 하루 세 끼의 밥만 해결된다면…… 아니다. 세 끼는 너무 많다. 두 끼면 된다. 아니, 두 끼도 너무 많다. 라라는 글을 못 쓸 때는 밥먹는 것이 부끄럽다고 하지 않았는가.

일일부작, 일일불식이다. 일하지 않으면 밥도 먹지 않는 거다.

문제는 치열한 고민과 노력, 헌신성, 용감, 그런 것일 것이다.

이제 스물 한때의 내 자리는 후배들에게 물려주고 나는 나의 길로 진입해야 한다. 푸르던 스물의 고민은 이제 마감했다. 나는 이제 서른에 걸맞는 고민을 해야 한다. 그래. 하나하나를 버리는 마음으로 글을 쓴다면…… 출가할 때의 초발심으로 글을 쓴다면…… 이제 나는 지난 10년 동안 의도적으로 기피해 왔던 작가의 길을 걸을 수 있을 것이다. 변혁과 존재론, 이 모두를 걸머지고 나갈 수 있는 글, 내가 그런 글을 쓸 수 있을까?

나는 커피잔을 쓰레기통에 던졌다.

나는 책을 들고 도서관을 나섰다. 나는 북문 쪽으로 걸어갔다. 88번 시내 버스를 탔다. 나는 제일 서적 앞에서 내렸다. 나는 한일 은행에서 얼마인가의 돈을 찾았다. 나는 쉬고 싶었다. 그러나 이제 갈 곳이 없었다. 나는 오늘이 디디의 생일이라는 것을 기억했다. 나는 꽃집을 찾았다. 나는 스물세 송이의 장미를 샀다. 나는 꽃집 창가에 기대어 오후의 햇살을 받으며 디디에게 짧은 편지를 썼다.

　……당신의 생일을 진심으로 축하합니다.
　앞으로 당신은 훌륭한 작가가 되기를 빕니다.
　당신의 글이 여성들의 권리와 지위 향상을 위해서,
　나아가 우리의 삶을 위해서 폭발적인 에너지가 되기를 빕니다.
　우리는 만나서는 아니됩니다.
　우리는 서로가 불안한 삶, 끊임없이 유동하는 삶,
　그 가운데 서 있어야 하기 때문입니다.
　우리가 만나면 서로의 에네르기만 고갈시킬 따름입니다.
　라라가 나를 만나지 않았다면 그녀는 훌륭한 작가가 되었을 것입니다.
　마찬가지로 당신이 작가가 되기 위해서는,
　나를 만나지 않아야 합니다.
　우리가 만난다면 끊임없이 자신의 자유를 갈구하면서도, 상대방을 고통스럽게 구속할 따름입니다.
　당신과 나, 작가를 꿈꾸는 프로메테우스, 그들은 본질적으로 좋은 이웃이 될 수 없으며, 그러면서도 한없이 좋은 이웃이 되고자 하는…… 몽상가들입니다.
　그 몽상은 환상이 아니기에 이 시대에 필요할 것입니다.

당신과 나, 작가를 꿈꾸는 프로메테우스, 우리들은 본질적으로 불안정한 삶을 원하며, 또 그렇게 살 수밖에 없습니다.

우린 화석이 되기를 거부하는, 진정으로 꿈틀거리는 영혼이므로……

사랑하는 디디에게, 건필을 빌며……

*　　　*　　　*

다시 길이다.

나는 길 위에 서 있다. 이 길은 지금 내가 걸어가야 할 길이다. 전에 와본 적은 없다. 그러나 나는 이 길을 안다. 내가 이 길을 아는 것이 대단히 어려운 일은 아니다.

길에는 저마다 독특한 냄새가 있다. 그리고 길의 맛과 길의 소리, 길의 빛깔 같은 것이 있다.. 길에도 육체가 있고 영혼이 있는 것이다. 나는 주머니에 손을 넣은 채, 1분, 2분, 3분, 4분, 5분…… 오래도록 바라본다.

바람이 분다.

역시…… 바람은 길에 어울리는 동료다. 바람이 길의 친구인 한, 길은 외롭지 않을 것이다. 길은 바람의 노래를 듣는다. 나는 그 노래에 귀를 기울인다.

이 길 위에서 많은 사람들이 여러 가지 꿈과 희망을 가졌다. 그리고 노래를 불렀다.

더불어 꽃이 되자고, 눈물로 피어 흐르는 불꽃이 되자고, 불꽃이 되어 반란이 되어 이 시대의 어둠을 사르자고…… 여러 가지 열망과 꿈들. 어디로 사라져 버린 것일까. 단 한 번도 이 길 위에서한 약속들이 지켜진 적은 없다. 그러나 사람들은 이 길 위에서 많은 약속들을 한다.

지켜지지 않은 약속들, 깨어버릴 꿈들. 그 푸른 이데아와 불꽃같은 이념들…….

나는 길을 바라본다. 담배를 꺼내 입에 문다. 라이터를 켠다. 길 위에서의 담배는 어떨까. 홀로 된 깊은 한밤중, 무서운 실존 앞에서 맛보는 커피맛이다. 달고 쓰다. 그리고 말로는 설명할 수 없는 고독과 만난다.

미학적 표현이 가능하다면, 얼음 속의 고독.

이유가 있다. 이 길의 특징을 한마디로 말한다면, 이 길은 서로간에 적대적이기 때문이다. 그러므로 이 길은 여전히 슬프다. 나는 그 길을 가기가 두렵다.

하지만 나는 이 길을 가야 한다.

……이젠 모든 것이 홀가분하다. 나는 나를 구속했던 모든 것으로부터 자유로워진 것이다. 학교도 그만두었다. 라라의 기억으로부터도 해방되었다. 디디와도 어떤 식으로든 이별인 것이다. 나는 이제 자현이 말했듯이, 무소의 뿔처럼 혼자서 나가면 되는 것이다.

정복한 나라를 버리는 왕과 같이, 소리에 놀라지 않는 사자와 같이, 그물에 걸리지 않는 바람과 같이, 무소의 뿔처럼 혼자서 가는 것이다.

작가의 길이란 ……그런 것이다. 누가 글쓰는 사람의 고통과 고독을 알 것인가. 이제 나를 구속할 수 있는 것은 오로지 이 현실의 폭력, 억압, 거짓 화해, 가짜 욕망, 온갖 허위…… 그런 것밖에는 없다.

이제 나는 생활의 안락함을 버리고 산문에 들어서는 출가 남자의 초발심으로 돌아가는 것이다. 나의 고뇌, 나의 고통, 그 모든 투쟁의 결과물들은 글로써 씌어지고, 그 글은 인간의 삶으로 회향되는 것이다. 이제 나를 구속할 수 있는 것은 오로지 이 현실의 악과 모순밖에는 없는 것이다. 나는 다시, 새로운 방식으로, 전혀 새로운 전략과 전술로 이 싸움에 기꺼이 내 몸을 던질 것이다. 이제 나는 나의 출사표를 세상의 갖은 허위와 악, 위선과 불의, 폭력과 광기, 그 모든 죽임의 문화 앞으로 던지기로 하자.

작가 역시 출가 사문과 다름이 없을 것이다. 출가 사문이 나태하지 않기 위해서는 끊임없이 출가 남자의 초발심을 상기해야 할 것이다. 마찬가지로 작가도 부패하지 않기 위해서는 어둡고 불안했던, 암담하고 초조했던 문학청년 시절의 절망과, 고통과, 허기짐과, 배고픔과, 목마름…… 그 모든 결핍들을 잊어서는 안 될 것이다.

나는 떨리는 손으로 초조하게 담배를 피웠다. 오줌이 마려웠다.

도대체 이 불안에서 언제 해방될 것인가.

불안하구나. …… 하지만 불안은 나의 힘!

……우리 시대의 희망과 절망에 대해서 이야기하자. 희망은 무엇이었고, 절망은 무엇이었던가. 그 희망을 파괴하는 폭력의 실체는 무엇이었고, 왜 우리는 현실의 모든 싸움에서 패배할 수밖에 없었는지를…… 그런 지형도를 그려보자. 아니, 그것보다는 우선 먼저 나 자신에 대한 1980년대의 총괄을 하기로 하자. 그래야지만 나는 1990년대를 제대로 싸워 나갈 수 있을 것이다. 총괄 없는 싸움이란 전쟁 수행 능력에 대한 파악 없이 무모한 싸움판에 뛰어드는 일과 같을 것이다. 자기총괄로서의 글쓰기, 애국적 사회진출로서의 글쓰기, 출사표로서의 글쓰기 같은 작품을 만들어보자.

우선 제목부터 정하자.

소리 없는 노래? 길의 노래? 불꽃의 노래? 살아 남은 자의 슬픔?

나는 생각나는 대로 노트에 제목을 적어보았다. 1990년대에 살아 남은 자들은 1980년대 역사의 현장에서 죽은 사람들에게 부끄럽다? 강요할 수 있는 이야기는 아니다. 하지만 적어도 나에게는 그렇다. 살아 남은 것이 부끄럽다. 그렇다면 제목을 「살아 남은 자의 슬픔」으로 하자. 나는 곡주사에서 휘갈겨 쓴 종이를 찢어냈다.

그리고 차분한 마음으로 출사표를 써나갔다. 내 가슴은 글에 대한 불꽃 같은 열정으로 타올랐다. 마치 나는 뜨거운 핏방울로 혈서를 쓰듯, 제목을 한 자 한 자 적어 나갔다.

살·아·남·은·자·의·슬·픔

현실 없는 젊음의 치열한 현실

이남호

이 소설은 푸른 20대의 나이로 혼돈스런 80년대를 살아온 젊음의 기록이라 할 수 있다. 그 젊음은 삶의 세속적 맥락을 무시한 채 순수를 극단적으로 추구하는 낭만적 열정을 지니고 있다. 그리고 그 낭만적 순수열정은 현실과 고통스런 갈등을 일으킨다. 그런 점에서「살아 남은 자의 슬픔」은 〈현실 없는 젊음의 치열한 현실〉을 그린 소설이라 할 수 있다. 그 젊음이 처한 시대와 마찬가지로 그 젊음 역시 혼돈스런 방황이었으며, 그 방황의 기록인 이 소설 역시 혼돈의 형식이다. 우리는 엄청난 격변의 시대였던 80년대를 체계적으로 이해하기 어렵듯이 그 시대에 맹목적으로 부딪혔던 순수젊음의 혼돈 역시 체계적으로 이해하기 어렵다. 그리고 이 소설이 지닌 비전통적 문법의 당혹스런 혼돈도 이해하기 어렵다. 소설「살아 남은 자의 슬픔」은 아예 소설문법을 가지고 있지 않다. 〈지금 나는 글을 쓴다. 뭐, 대단한 글은 아니다. 연필을 들고 대학 노트 위에 손을 탁, 하고 얹으면, 가랑잎이 냇물에 소리 없이 떨어져 흘러가듯, 그런 글을 쓰고 있다. 그러니 나는 플롯이나 갈등, 묘사나 서술 같은 소설의 정공법을 모른다. 내가 소설 같은 것을 쓰기 위해서 이 글을 시작했다면 나는 지금 당장, 연필을 던지고 노트를 덮

을 것이다〉라는 화자의 말처럼, 이 소설은 어떤 면에서 소설답지
않은 소설이다. 그렇다고 해서 전위적인 실험적 기법의 소설이라
할 수도 없다. 형식과 의미질서의 구속성을 아예 무시해 버리고,
일관성이 결여된 화자의 체험을 생각나는 대로 풀어놓고 있는 작품
이다. 그래서 이러한 소설로서의 불만이, 어려운 기법이나 어려운
내용이 전혀 없는 이 소설의 독서를 방해할 수도 있다. 그러나 이
소설에는 진정성이 있다. 이 소설과 유사한 내용을 담고 있는 소설
들이 몇 편 나오기도 했지만, 「살아 남은 자의 슬픔」만큼 진지하고
또 시대적 의미에 도달한 소설은 없었다. 여기에는 순수하고 치열
한 젊음의 방황과 고뇌들이 생생하게 살아 있어 감동을 준다. 감동
은 모든 글에 있어서 형식의 일탈성을 합리화시켜 준다. 중요한 것
은 소설문법이 아니라 당연히 감동의 정도이다. 체계적으로 이해
하기 어렵다고 해서 80년대의 혼돈이나 그 시대를 살았던 젊음의
혼돈스런 방황을 외면할 수 없다. 그것은 우리의 삶을 조건지우는
강력한 현실이기 때문이다. 마찬가지로 이 소설이 거칠고 산만하
고 혼란스럽다고 해서 무시할 수는 없다. 그것은 잘 만들어진 소설
보다 더 큰 호소력과 감동을 주기 때문이다. 우리는 80년대와 그
시대를 살았던 젊음을 이해하려고 노력해야 하듯이, 소설 「살아 남
은 자의 슬픔」을 이해하기 위해 기존의 소설독법을 유보해야 할지
도 모른다.

　소설 「살아 남은 자의 슬픔」에는 세 사람의 주요 인물이 등장한

다. 극단적인 방황으로 20대를 점철한 〈나〉와, 〈나〉 때문에 운동에 투신하나 거기에서 진실을 발견하지 못하고 끝내 자살하고 마는 라라, 그리고 모든 기존의 가치에 냉소적 태도를 지니고 열정적으로 반항하는 삶을 사는 디디의 이야기가 이 작품의 내용이다. 그런데 이들의 이야기에는 중심이 없다. 이 소설은 80년대 한국사회의 모순을 파헤친 이야기도 아니고, 80년대의 운동권 대학생이 겪은 투쟁과 고뇌의 기록도 아니고, 순수젊음이 현실 속으로 진입하면서 삶의 의미를 발견해 가는 성장소설적 기록도 아니며, 80년대 대학생들의 평균적 생활을 구체적으로 보여주는 세태적 소설도 아니다. 운동권의 이야기가 주류를 이루고 있긴 하지만, 그것은 어디까지나 80년대 젊음의 조건이요 배경으로서의 의미를 갖는 것이지, 80년대 운동권의 전형적 모습을 드러내준다고 보기는 어렵다. 이 소설을 두고 〈80년대 운동권을 제대로 그린 것이 아니다〉라는 비판은 아무 의미가 없다. 이 소설에서 중심이 있는 이야기, 또는 일관된 의미체계를 찾고자 하는 노력은 아마도 실패하게 될 것이다. 그러나 그럼에도 불구하고 이 소설은 우리시대 젊음의 성격과 방황을 진실되게, 어느 정도 성공적으로 그려내고 있다고 판단된다.

개성이 강한 세 등장인물의 이야기들은 평이하고 직설적으로 묘사되어 있다. 수많은 작은 이야기들은 구체적이다. 그러나 그 구체적 작은 이야기들은 일정한 의미체계 아래 선택되고 통제되어 질서화되어 있는 것이 아니다. 그것들은 무질서하게 모자이크되어 있다. 具象적 편린의 모자이크로 된 한 폭의 抽象畵와 같은 소설이다. 그러니까 이 소설은 우리시대 젊음의 성격과 방황을 하나의 의미맥락 속에서 체계적으로 탐구하는 것이 아니라, 마치 슈퍼마켓의 진열장처럼 보여준다. 그 상품 하나하나는 의미가 있고 이름이 있고 용도와 특성이 있지만 그것들의 수평적 진열은 그냥 슈퍼마켓이듯이, 이 소설도 작은 이야기 하나하나는 구체성을 갖고 80년대의 어떤 면들을 직접 드러내지만 전체 이야기는 막연하게 우리시대 젊음의 성격과 방황을 암시한다. 그 방황은 순수하고 아름답고 가슴 저리다. 그리고 그 성격은 우리사회의 오늘과 내일을 규정하는 중요한 징후이다. 아름다운 방황의 모습은 작품을 읽다 보면 곳곳에서 쉽게 만날 수 있을 것이다. 그 점은 전적으로 독자에게 맡겨두고, 여기서는 이 작품이 독특하게 드러내고 있는 우리시대 젊음의 성격을 살펴보기로 하자.

먼저, 〈나〉의 삶 또는 성격에 대해서 생각해 보자. 〈나〉는 홀어머니 밑에서 성장했다. 출가 사문이었던 아버지는 처음부터 不在했다. 뱃속에서부터 팝송을 들었고, 개성이 강한 어머니 아래서 성장하였으며, 어머니의 뜻에 의해 대학에 진학하였다. 그리고 그 어머니는 〈나〉의 20대가 시작되는, 즉 80년대 초입에 자살하였다. 80년대 초반 우리사회는 父權으로 상징되는 기성질서에의 격렬한 거부와 해체를 보여준다. 그리고 80년대 후반에는 부권이 거세된 무질서한 공간 속에서의 편모슬하 의식을 보여준다. (80년대 후반, 우리 시들은 편모슬하 의식을 강하게 드러낸다. 편모슬하 의식의 사회적 의미에 대해서는 졸고, 「偏母膝下에서의 시쓰기」에서 정리한 바 있다.)

그런데 90년대 소설이라 할 수 있는 「살아 남은 자의 슬픔」에서는 홀어머니마저 부재한다. 80년대 후반의 의식 속에는 불구의 모습으로라도 가정이라는 사회적 질서가 존재하였으나, 90년대에 들어와서는 이제 사회적 질서의 기초적 토대인 가정이라는 개념 자체가 거부된다. 〈나〉가 라라를 사랑하고, 또 디디를 사랑하며 그녀들의 존재를 기꺼이 포용하면서도, 그녀들이 아기를 가지고 가정의 개념을 떠올리게 되면 무작정 도망가 버리는데, 이러한 행동은 가정에 대한 거부의식과 관련될 것이다. 이처럼 80년 이후 우리사회의 해체현상을 〈부권에의 도전과 거부──편모슬하에서의 방황──가정 자체의 거부〉로 이해할 때, 이 소설은 80년대 젊음의 성격과 방황을 대상으로 하고 있긴 하지만 그 의식은 90년대적이다. 즉이 소설은 80년대라는 과거를 기록한 것이라기보다는 90년대라는 현재의 새로운 세대적 성격을 보여주는 작품이다. 그러므로 어머니가 자살하고 가정이 완전히 해체된 시점에서 20대를 시작하는 〈나〉는 새로운 세대의 상징적 모습일 수 있다.

〈나〉에게 있어 어머니는 질서가 될 수 없다. 어머니는 자신의 의사와는 상관없이 대학을 정해 주고, 또 대학생 아들에게 공부 잘하라고 맥주와 문방구를 동시에 사준다. 어머니로 상징되는 불구적 사회질서는 아들의 삶을 구속할 수 있는 권위를 전혀 지니지 못하며, 스스로 어른에게 사주는 맥주와 어린아이에게 사주는 문방구를 동시에 사주는 모순을 드러낸다. 그러한 환경 아래서 성장한 〈나〉는 어머니의 죽음을 애틋해하지 않는다. 그는 어머니의 죽음을 존 레논의 죽음과 등가에 놓으려고 하며, 어머니의 일생을 他者의 그것으로 기억하려는 태도를 보여준다. 소설 속에 펼쳐지는 어머니에 대한 그의 기억은 마치 자신과는 무관한 자의 기억처럼 냉소적으로 묘사되어 있다. 그는 어머니의 죽음으로 완전한 자유를 얻었다고 생각한다. 즉 그는 아무런 사회적 관계성도 없는 상태, 자기만 생각해도 되는 상태를 자유라고 생각한다. 여기서 우리는 사회적 관계 또는 타인과의 관계로부터의 완전한 일탈을 자유라고 생각하는 극히 개인주의적인 의식을 읽을 수 있다. 그리고 이러한 개인주의적인 의식은 경제적인 조건과도 상관이 있다. 어머니는 죽으면서 〈나〉에게 26평짜리 주공아파트와 여섯 개의 저금통장, 퇴직금을 남겨주었다. 그는 적어도 먹고 사는 생존의 문제에 구속당하지 않을 수 있다. 그가 〈누가 언제 1억의 돈을 원했던가? 자신은 살 만큼 살았고 돈이란 것은 지옥에 가든, 천국에 가든, 다른 별나라에 가든, 그런 세상에서는 무용지물이었을 것이다. 그러니 그런 짐 따위를 그냥 내버려두고 간 것이 아닌가. 또한 나에게 돈 같은 것은 이것도 아니고, 저것도 아니며, 아무것도 아니며, 아무것도 아니라는 것이다〉라고 말할 수 있는 것은 생존의 위협으로부터 이미 벗어나 있기 때문이다. 이것은 기성세대들이 먹고 살기 위해 사회적 관계에 굴복할 수밖에 없었던 점을 이해하지 못함을 뜻한다. 아니, 이해할 필요를 느끼지 못함을 뜻한다. 극단적 경제적 결핍의 실존적 사회적 의미를 이해할 필요가 없는 세대이기에 그러한 개인주의적 의식이 가능한 것으로 볼 수 있다.

현실 없는 젊음의 치열한 현실

 부권은 일찌감치 없어져 버렸으므로 말할 필요도 없고, 홀어머니마저 자살해 버린(그러나 그것은 정상적인 소멸이 아니라 갑작스럽고 부자연스러운 소멸이므로, 그 공백의 허무의식은 매우 크다) 사실, 즉 가정의 완전한 분해는 사회적 질서의 가장 기초적 토대마저 붕괴되었음을 의미한다. 그러면서도 생존을 위한 최소한의 물질적 조건은 확보되어 있는 상황은 극단적 개인주의를 가능하게 한다. 개인의 존재를 구속하는 사회적 관계를 완전히 무시할 수 있기 때문이다. 〈나〉의 캐치프레이즈가 〈우리는 모든 가능성에 도전한다〉일 수 있는 것은, 불굴의 진취적 기상을 지녔기 때문이 아니라 모든 사회적 금기와 관계로부터 벗어나 있기 때문에 가능해지는 것이다. 〈나〉가 체험한 수많은 일들, 음악과 영화와 섹스와 이념과 출가와 그 외 사소한 일상적 탐닉들은 젊음의 보편적 방황이라기보다는 모든 사회적 금기와 관계가 소멸된 90년대적 젊음의 모습으로 이해된다. 만약 그것들이 젊음의 보편적 방황이라면, 그것들은 혼란스러운 대로 나름대로의 맥락을 이루어야 한다. 한 체험에서 다음 체험으로의 전이과정에 이유와 논리가 분명해야 하며, 점진적인 자기성숙의 단계가 설득력 있게 추구되어야 한다. 그러나 〈나〉의 방황은 그러하지 못하다. 〈가짜 이데올로기에서 해방되어 진짜를 찾아가는 머나먼 순례의 길, 나의 열아홉은 그렇게 시작되었다〉라고 말하고 있지만, 그 순례의 길은 뒤죽박죽이었고 끊임없는 〈되풀이〉였을 따름이었다. 그는 통속적 팝문화에 길들여졌다가 이

념에 뛰어들지만 그러한 큰 변화의 계기는 설명하지 않는다. 그리
고 또 출가라는 일생의 대선택을 하지만 그 계기 역시 구체적으로
설명되어 있지 않다. 그런가 하면 출가사문의 신분으로 세속에 내
려와 여전히 운동을 하고 세속적 생활을 하는데, 모순일 수도 있는
그러한 생활들이 문제되지 않는다. 베르디의 오페라와 딥 퍼플의
하드록과 반미 출정가와 김영동의 귀소와 성창순의 소리와 염불소
리가 뒤섞여 있지만 그것에서 이상함을 느끼지 못한다. 그의 방
황, 정서, 가치에는 순서나 단계가 없다. 그는 슈퍼마켓에서 어린
아이가 과자를 고르듯이 기분 내키는 대로 이러저러한 삶을 선택한
다. 모든 가능성에 도전한다는 〈나〉의 태도는 바로 이러한 것으로
이해된다.

널리 알려진 대로 사회적 금기의 기초는 성이다. 성의 통제로부
터 사회적 관계와 질서는 시작된다. 그리고 기성질서의 해체는 성
윤리의 붕괴를 수반한다. 「살아 남은 자의 슬픔」에서 기존의 성윤
리는 더 이상 존재하지 않는다. 〈나〉와 라라는 만난 지 며칠 안 돼
서 성관계를 갖는다. 그리고 〈나〉에게 다른 남자와 같이 잔 이야
기를 아무렇지도 않다는 듯이 한다. 〈라라는 나를 알고 지낸 지난
4년 동안 7, 8명의 남자들과 관계를 가졌다. 그녀에게 섹스는 고독
의 형식이었다. 그녀의 형식은 방탕이었지만 그녀의 내용은 순수
였다.〉 또 그녀에게 섹스는 세계를 이해하기 위한 〈독특한 독서행
위〉라고 말해진다. 한편 디디에게 있어서의 성은 더욱 극단적이
다. 디디는 아무 남자하고나 자는 여자이다. 그녀에게 섹스는 커

뮤니케이션이며, 또한 기성질서에 대한 반항의 한 형식이다. 그녀
는 성교 도중에 시를 읊기도 하고, 변태마저 옹호하기도 한다.
〈나〉 역시 라라나 디디의 섹스에 대한 태도에 동조한다. 이들에게
있어 섹스는 이미 사랑의 표현도 아니고 종족보존의 수단이나 가정
형성의 조건도 아니다. 이와 같은 성관념의 극단적인 전복은, 이
들 세대가 사회적 금기나 질서 그리고 관계로부터 완전히 일탈되어
있음을 의미한다.

　그렇다면 사회적 금기나 질서 그리고 관계로부터 완전히 일탈되
어 있고 극단적 개인주의 의식을 지니고 있는 이들이 변혁이념에
몰입하게 된 것은 어떻게 이해할 수 있을까? 이 소설의 많은 부분
은 운동권의 모습을 보여준다. 80년대 후반 운동권의 이모저모,
특히 운동권의 갈등과 회의가 비교적 상세하게 그려져 있다. 그러
나 이 소설은, 앞서 말했듯이, 운동권 대학생의 실상을 그린 것이
라 할 수는 없다. 운동권의 실상을 보여주려면 우선 현실의 모순에
대한 구체적이고 실존적인 탐사가 선행되어야 하고 또 현실인식의
변화와 변혁운동의 전개 사이의 변증법적 상관성이 계속적으로 탐
구되어야만 한다. 그러나 이 소설에서는 변혁운동의 대상이 되는
현실의 모순에 대한 탐구가 없다. 현실은 이미 선험적으로 혐오와
부정의 대상이다.

　──그리고 40억 년 가량이 지나 호모 에렉투스가 지구 위에 나타

났다. 나는 그중의 일원이다. 이건 대단히 재미있는 사실이다. 내가 그중의 일원이라니? 나로서도 불행한 일이고, 지구 위에 존재하는 호모 사피엔스를 위해서도 불행한 일이다. 아니 어쩌면 나를 제외한 그들은 불행하지 않을지도 모른다. 나는 그들과 이 지구 위에서 같이 살아야 한다는 것이 정말이지, 치욕스러운 일이라고 생각한다. 나는 지구를 교란시키기 위해서 태어나지 않았다. 그러나 그들은 나를 지구를 교란시키고, 참주 선동하고, 뒤죽박죽으로 만들어놓은 이단자라고 손가락질한다. 나는 지금 나를 제외한 호모 사피엔스들이 만들어놓은 감방 속에 갇혀 있다.

이것은 〈나〉가 소설 속에서 쓴 글의 일부이다. 그는 그의 존재 자체가 불행이며, 세상사람들과 같이 사는 세상이 치욕스럽다고 생각하며, 세상사람들이 그를 가두어놓고 있다고 생각한다. 이유는 없다. 세상은 선험적으로 혐오와 부정의 대상이며, 전복의 목표인 것이다. 이러한 맹목적 부정의식이 공간적으로 〈TK군단이라는 도발적인 탱크부대가 천박한 엘리트주의로 이 나라 민중의 여론을 교란시켰고, 그리하여 양심 있는 청년 학생으로 하여금 부끄러움에 눈뜨게 했던 도시〉와 시대적으로 〈에지테이션과 프로퍼갠더, 최루탄과 화염병, 바리케이드와 쇠파이프, 함성과 격돌, 그런 불꽃의 시대, 질풍노도의 시대〉인 80년대에 위치했을 때, 그 지향점은 뻔하다. 그것은 혁명에의 투신이다. 즉 사회적 관계에 구체적으로 기초하지 않고서도 사회변혁의 이념을 수용할 수 있다. 이 경우, 그 변혁이념은 존재와 현실의 밖에서 존재와 현실을 맹목적으로 장악한다. 그것은 모든 가치와 질서가 해체된 세대들에게 새로운 질서와 가치의 이상적 모델을 제공한다. 그렇지만 그것은 현실 모순의 실존적 탐사 위에서 얻어진 것이 아니기에 종교적 도그마와 같은 성격을 지니게 된다. 처음에 그것은, 영혼의 허무를 은폐시켜 주고 존재의 중심을 잡아주는 기둥처럼 느껴진다. 그러나 상황의 변화가 아니더라도 원래의 개인주의적 의식은 그 도그마와 불화를 일으키게 되어 있다. 갈등과 회의는 처음부터 내포되어 있는 것이다. 그렇지만 그 도그마를 쉽게 부정하지도 못한다. 왜냐하면 그 순간 다시 영혼은 허무의 황야에 버려지고 존재는 몰가치의 혼돈 속에 버려지기 때문이다.

그래, 나도 모르겠다. 쫓기며, 굶어가며, 고문당하며, 투옥되며, 물에 빠진 사람이 지푸라기 잡듯이 이것만은 놓쳐선 안 돼, 놓쳐선 안 돼, 하며 붙잡은 사상을 단 한순간에 팽개친다는 것은 말도 안 된다. 내가 믿는 사상이 설사 환상에 불과하더라도, 내가 이 시대의 돈키호테가 될 수밖에 없다 하더라도, 종교의 도그마를 위하여 목숨을 버리는 순교자가 될 수밖에 없지 않은가, 이제는—— 이제 더 이상 그 길이 아니고 어떤 길을 걸을 수 있단 말인가. 회의와 갈등이 있다 하더라도 활동가의 그것을 어떻게 나타낼 수 있다는 말인가. 그것은 나 자신의 과거를 전면적으로 부정하는 최악의 길이다.

〈나〉는 라라의 비판을 받고 이와 같은 고민을 한다. 라라의 비판이 아니더라도 운동권의 변화와 운동 자체에 대한 〈나〉의 회의와 갈등은 심각하고 또 진지하다. 그런데 그 회의와 갈등은 현실사회에 대한 구체적 인식의 바탕 위에서 이루어지는 것이 아니라, 여전히 운동 내부의 논리구조 안에서 이루어진다. 그리고 어떠한 회의와 갈등도 운동 자체를 부정하게 하지는 못한다. 이미 운동의 부정은 존재 자체의 부정이기 때문이다.

이와 같은 의미의 변혁운동은 라라에게 있어서도 마찬가지다. 그녀 역시 2년 가까이 운동에 투신하였다. 그녀는 〈나는 나 자신의 실존에 대한 고민을 해볼 겨를도 없이 변혁운동이란 물살에 휩쓸려들어가 버렸습니다. 어느 날 갑자기, 내가 아닌 내가 변혁운동을 하고 있구나, 하는 사실에 깜짝 놀랐습니다. 그래서 나는 진지하게 나 자신의 문제에 대해서 고민해 보기로 했습니다〉라고 고백한다. 〈나〉와 마찬가지로 라라에게 있어서도 운동은 상황적 조건으로 주어진 것이며, 존재와 현실 밖에서 존재와 현실을 장악하는 종교적 도그마와 같다. 그런데 라라는 〈나〉와는 달리 그에 대한 회의와 갈등을 보다 솔직하게 드러내고 인정한다. 그것의 부정은 곧 자신의 부정이었기에 라라는 자살을 선택할 수밖에 없었던 것이고, 그 사실을 알기에 〈나〉는 살아 남은 자의 슬픔을 강하게 느낀다. 한마디로 말해서 이들에게 있어서의 변혁이념이란, 모든 질서와 가치의 공백상태에서 어떤 그 무엇의 마니아가 되지 않으면 존재이유를 찾을 수 없는 세대에게 주어진 매우 강력하고 매력적인 형이상학적 구조물이었던 것이다.

한편, 라라가 회의와 갈등을 외면하지 못하고 결국 죽음을 택할 즈음에 〈나〉는 자기부정의 위기를 出家라는 형식으로 처리한다. 출가라는 일생의 선택에 대한 분명한 계기가 없음은, 그것이 이와 같은 자기부정의 형식이기 때문일 것이다. 그는 출가 이후에도 출가 이전과 유사한 생활을 한다. 머리를 기르고 속세에서 운동을 하며, 디디를 만나 사랑을 하기도 하고, 술과 담배를 많이 한다. 불교에 귀의해서 달라진 모습을 거의 보여주지 않는다. 그는 노동선을 이해하려고 하며, 유물론과 禪을 결합시키고자 하는 노력을 보여준다. 이것은 불교의 가르침에 귀의하려는 태도라기보다는 출가라는 자기부정의 형식을 합리화시키려는 태도에 가깝다. 따라서 그에게 있어 출가란 한 방을 둘로 나누어놓은 장지에 비유될 수 있다. 장지 이편에 라라가 있다면, 저편에는 디디가 있다. 〈나〉는 이제 디디가 있는 쪽으로 건너간 것이다. 라라가 세상에 대한 운동이란 형태의 반항을 시험해 본 인물이라면, 디디는 세상에 대한, 운동이 아닌 형태의 반항을 시험하는 인물이다. 디디는 타락한 세상에 대해서 냉소와 일탈적 행동으로 반항을 시도한다. 그녀는 고급한 지성으로 세상의 천박함을 냉소한다. 그리고 일탈적 행동으로 세상의 거짓과 위선을 공격한다. 그러나 타락한 방식으로 타락한 자본주의의 세상을 공격하는 디디의 삶은 자학적인 것일 뿐이다. 그것은 절망의 몸짓이다. 두 번에 걸친 디디의 만취와 광란의 슬픈 모습은 그러한 반항이 에너지의 자학적 소모에 불과하다는 것을 확인시켜 준다.

이 즈음에서 우리는 「살아 남은 자의 슬픔」이라는 작품, 즉 具象의 편린들로 모자이크된 抽象畵 속에서 희미한 의미의 선을 생각해 볼 수도 있다. 우선 〈나는 지금 디디의 얼굴에서 라라의 얼굴을 보고 있는 것이다. 디디와 라라의 얼굴이 오버랩되었다〉라는 〈나〉의 말처럼 디디와 라라를 한 사람의 두 모습이라고 가정하자. 그 사람은 남달리 강한 자존과 순수열정을 지닌 젊은이다. 그 젊음은 모든 가치와 질서가 해체되어 버린 황량한 현실, 또는 온갖 모순과 전도된 가치들이 가득한 혼돈의 현실에 위치하고 있다. 그 현실을 부정할 수밖에 없었을 때, 밖으로부터 주어진 당위가 변혁운동이었으며, 운동에의 투신은 필연적이었다. 그러나 그 선택은 사회적 관계에 기초해 있지 않으며 철저한 개인주의적 의식과 모순될 수밖에 없다는 점에서 애초부터 회의와 갈등을 내포한 것이었다. 그러나 일단 운동에 투신한 이상, 그것의 부정은 곧 존재의 부정이었다. 이것이 라라의 삶을 통해 이야기되는 삶이다. 그렇다면 운동이 아닌 현실부정의 방법은 없는가? 디디가 취한 삶의 형식이 또 다른 하나의 방법일 것이다. 그러나 그 방법 역시 자학과 절망을 확인시켜 줄 뿐 현실에 작용하는 의미 있는 것이 되지 못한다. 여기서 다시 라라와 디디 두 사람 모두를 〈나〉의 분신이라고 가정해 보자. 〈나〉에게는 나의 존재가 뿌리내릴 수 있는 현실이 없다. 존재하는 현실은 부정의 대상일 뿐이다. 〈나〉는 상황적 조건에 의해서 또는 시대의 욕망에 갇혀서 운동에 투신하게 된다. 그러나 회의와 갈등을 느끼게 되고 운동을 부정하게 된다(라라와의 사랑과 이별). 이에 운동이 아닌 현실부정 또는 새로운 현실확보의 방법을 추구해 보지만 그것 역시 절망일 뿐이다(디디와의 사랑과 이별). 그는 원점으로 돌아와 다시 길 위에 서게 되었다. 그러나 절망과 좌절의 체험 뒤에 선 길은, 체험 이전의 길과는 분명히 다를 것이다. 〈나〉는 라라와 디디의 체험 그리고 절망을 넘어서서 새로운 의지와 희망을 갖고 현실의 악과 모순에 대항해 싸우고자 하는 출사표를 쓰고자 한다. 이것이 곧 〈나〉가 말하는 글쓰기의 의미이고, 이 작품의 결론인 셈이다.

위에서와 같이 작품의 의미맥락을 꾸며보는 것은 이 소설의 이해에 도움이 될 수도 있지만, 동시에 방해가 될 수도 있다. 이 소설을 그 같은 의미로 한정시킨다면, 이 소설은 매우 미진한 곳이 많은 작품이다. 왜냐하면 등장인물의 방황과 변신을 설득시킬 수 있는 구체적 상황과 논리가 절대적으로 필요해지기 때문이다. 그리고 여타의 산만한 요소들이 불필요한 군더더기 이상의 의미를 갖지 못하기 때문이다. 따라서 이 작품은 그러한 의미맥락을 어렴풋이 뒤로 미루고 우리시대 젊음의 순수한 방황과 새로운 성격을 드러내는 작품으로 이해하는 편이 바람직할 것 같다.

그런데, 이러한 의미맥락의 허술함은 그 자체가 우리시대 젊음이 보여주는 또 하나의 주요한 성격이다. 이 점은 〈나〉의 독서방식에서 잘 드러난다. 〈나〉는 매우 많은 책을 소유하고 또 읽었다. 그의 독서편력은 대단히 광범위하고 수준 높다. 이 작품 속에 나열된 책을 다 읽고 이해했다면 그는 아마 놀라운 지식의 소유자일 것이다. 그는 언제 그러한 방황을 하고, 또 그렇게 많은 책을 읽은 것일까? 비밀은 그의 독서방식에 있는 것 같다.

책에서 가장 관심 가는 부분은 저자의 약력인 것이다. ──저자의 살아온 삶을 읽고 난 뒤에는 책의 목차를 본다. 그리고 발행날짜와 몇 판째 인쇄된 것인지를 본다. 제법 영악하게 책을 대하는 것이다. 목차를 보고 우선 당장 호기심이 가는 부분만 본다. 지금 당장에는 읽을 필요가 없다고 생각되면 한쪽으로 치운다. 책 한 권의 소화는 이렇게 수월하게 끝난다. 대사가 중요한 소설책은 대사를 중심으로 읽는다. 지문이 중요한 소설은 지문을 중심으로 읽는다. 손등을 뒤집으면 손바닥이 나온다. 그런 독법이다.

이러한 독법에서 짐작할 수 있는 것은, 전체 의미질서나 문맥에 대한 경시풍조이다. 책 한 권을 처음부터 끝까지 정독하고 그 의미를 자신의 삶 속에서 검증하여 지식의 탑을 차근차근 세우는 것이 아니다. 마치 〈어린이종합선물〉 속의 갖가지 과자를 풀어놓고 이것 한번 맛보고 다른 것 한번 맛보는 아이들의 태도와 흡사하다. 이런 식으로 흡수된 지식은 자신의 삶에서 실존적 의미를 지니지 못함은 물론, 체계화될 수도 없다. 오늘날의 세계는 전체 문맥이

나 체계의 파악이 불가능 또는 불필요해진 시대인지도 모르고, 새
로운 젊은 세대에게는 그것이 무의미해졌는지도 모른다. 이것은,
음악이나 영화에 대해서도 마찬가지이고 인간관계에 있어서도 마
찬가지라고 할 수 있다. 라라 혹은 디디와의 관계에서 보듯이 자신
이 필요한 부분만 타인과 서로 나누면 되지 삶 전체를 이해하고 책
임지는 관계는 더 이상 존재하지 않는 것이다. 또 이러한 성격은,
변혁운동이 삶 전체와의 상관성 속에서 추구되기보다는 개인적 반
항의 한 형태로 나타나는 것에서도 드러나고, 〈나〉가 출가하여 중
이 되었으면서도 자신에게 필요한 불교의 한 부분만 취하고 불교
전체에 대해서도 무관심해 버리는 태도에서도 드러난다.

전체 문맥이나 체계에 대한 무감각은 소설의 내용에서도 빈번히
드러나지만, 소설의 서술형태에서도 반영되어 있다. 이 소설은 매
우 산만한 느낌을 준다. 특히 시간이 혼란스럽다. 전체적으로 회
고의 방식에 의존하고 있긴 하지만, 그 회고 역시 시간순서를 무시
한다. 현재에서 과거를 회상하기도 하고 과거에서 이전의 과거를
회고하기도 한다. 시간뿐만 아니라 사건의 배열도 혼란스럽다. 사
건과 사건의 인과관계를 파악하기 힘들고 어떤 대목은 과감히 생략
되는가 하면 어떤 사건은 반복해서 이야기된다. 그리고 서술과 묘
사, 사건과 화자의 독백이 뒤섞여 있다. 이와 같이 산만한 서술형
태는 소설미학적으로 볼 때 분명히 부정적이다. 그러나 그 서술형
태가 우리시대 젊음의 한 속성을 반영하고 있다고 볼 수 있는 것이다.

이와 아울러 작품 속에 많이 반복되고 있는 책이름, 영화이름,

음악이름, 그 외에 名詞들 역시 그러한 성격을 반영하고 있다고 보인다. 얼핏 보면 현학적인 것처럼 보이는데, 그렇게 볼 수도 있지만 새로운 세대의 〈슈퍼마켓식 사고〉를 드러내는 것이라 할 수 있다.

「살아 남은 자의 슬픔」은 우리시대 젊음의 방황과 성격을 특이한 방식으로 보여주는 작품이다. 이 소설의 일차적 매력은 그 아름다운 방황의 진지함과 순수함에 있다. 그리고 그것을 묘사하는 발랄하고 경쾌한 문체의 맛에 있다. 그러나 그것은 독자의 몫으로 미뤄두고, 지금까지 우리는 그 성격의 해명을 축으로 해서 이 작품을 살펴보았다. 그러니까 이 글은 「살아 남은 자의 슬픔」을 한쪽 측면만 살펴본 셈이다.

이상에서 보듯이 이 소설은 전통적인 소설문법에 벗어나거나 부정적으로 보이는 요소들 그 자체가 우리시대 젊음의 성격을 반영하고 있다. 그러니까 이 작품은 어떤 주제를 담고 있는 그릇이 아니라, 그 존재 자체가 주제의 실현인 경우라 할 수 있다. 우리는 이 작품의 미학을 긍정적으로만 볼 수 없듯이 그것으로 드러난 우리시대 젊음의 성격 역시 긍정적으로만 볼 수는 없다. 그러나 그것의 긍정과 부정을 따지기 이전에 우리사회의 오늘과 내일을 규정짓는 중요한 문제이기에 그 성격 자체를 인식하는 것이 중요하며, 그러한 인식을 가능케 하는 이 작품의 진지성과 신선함 그리고 활달한 에너지와 문체를 소중하게 생각하지 않을 수 없다. 이 작품은 〈현실 없는 젊음의 치열한 현실〉을 보여주는 데 성공하고 있으며, 그

속에서 우리시대 젊음의 방황과 성격을 뚜렷이 인식시켜 준다. 특히 그 성격의 시대적 의미는 매우 중요하다고 짐작된다. 그러나 그 성격에 대한 비판적 성찰은 다른 자리를 필요로 한다. 「살아 남은 자의 슬픔」은 우리 90년대 소설의 출발이 되지 않을까 한다.

(필자 : 문학평론가·고려대 교수)

──언어를 다루는 고독한 이들께 이 짧은 헌사를 바칩니다.

*

담배에 불을 붙이다 보면 가을이 가고 겨울이 왔습니다.
쓴 커피를 마시다 보면 늙는구나, 하는 생각이 들었습니다.
불꽃 같은 격정과 얼음 같은 고독 사이에서 스물은 흘렀습니다.
이데아가 있었고 이데올로기가 있었습니다.
어떤 것은 공기 속으로, 어떤 것은 땅밑으로 사라졌습니다.
그 시절, 저에게 인식의 눈을 뜨게 해준 붓다·마르크스·레
닌·모택동, 그리고 저에게 딱딱한 얼굴을 갖게 해준 벤, 메타 언
어의 세계로 영도한 퐁쥬, 쉬운 언어의 강함을 일깨워준 브레히
트, 언어 속의 유토피아로 안내해 준 바흐만, 지적인 서정성을 만
나게 해준 브로드스키, 그리고 제 삶을 다소 돈키호테적으로 이끌
어준 견자 랭보·횔더린·고호·고갱·밀레나·베이유·룩셈부르
크 등, 지상에 왔다가 사라진, 혹은 현존하는 수많은 돈키호테들
에게 감사드립니다.

*

묘사보다는 서술을 택하는 전개방식, 지루한 평면적 서술, 감정
의 방만한 노출, 비전형적 인간의 등장…… 저는 이러한 글쓰기의
모든 결점을 어머니에게서 배웠습니다. 그녀는 살아 생전 많은 글
을 썼습니다. 그러나 그녀는 단 한 편의 글도 발표하지 않았습니

다. 저는 그런 분들이 많다고 생각합니다. 저 역시 그렇게 글쓰기를 해왔지만, 〈어느 날 갑자기〉 작가가 되었습니다. 〈대단히 불행한〉 일인 것 같습니다. 〈자유〉를 찾기 위한 오랜 방황 끝에 글을 썼지만, 그 글 때문에 세상에 무방비로 노출되어 영혼이 만신창이가 된 듯한 기분입니다. 지상에 자유는 없는가? 저는 또다시 어디론가 달아날 음모를 꾸미고 있습니다.

*

박은 풍산금속에서 노동운동을 하다가 구속되어, 지금 경주 교도소에 있습니다. 모두가 마르크스의 적자이기를 부정하는 지금에도 그는 여전히 낙관적이고, 심지어 그의 편지는 선동적이기까지 합니다. 〈조직은 최고의 아름다운 나다!〉 그의 말입니다.

문학청년 생활을 하던 디디는 아프리카로 떠났습니다. 「아프리카는 인류의 마지막 희망인지도 모르겠어……」 그녀가 떠나며 한 말입니다. 그리고 나는 그녀가 들고 있던 엘리어스 카네티의 책 속에 내 운명의 마지막 날짜를 적어주었습니다.

우린 그날까지 몇 통의 편지를 주고받을 것입니다.

*

끝으로, 불행한 우리 시대의 문학청년들에게 제 생을 지배할 몇 가지 경구를 바칩니다.

작가의 말

——전쟁에서 입은 상처는 명예를 준다. (돈키호테 중에서)

——(그러니) 남이야 뭐라든 제 갈 길을 가라! (단테·칼 마르크스)

——(그러면) 그날은 올 것이다. (잉게보르크 바흐만)

——지상에 유토피아는 없다. 그것을 네 언어 속에서 건설하라.

(박일문)

박일문

충북 영동에서 태어나 상주를 거쳐 대구에서 성장

1992년 《대구매일신문》 신춘문예 「〈왕비〉를 아십니까?」(단편)로 등단

살아 남은 자의 슬픔

1판 1쇄────────────1992년 6월 10일
1판 7쇄────────────1992년 10월 30일

지은이────────────박일문
펴낸이────────────朴孟浩
펴낸곳────────────(주)民音社

편집─이갑수 · 김명재 · 정희숙 · 손주희 · 박숙희

출판등록 1991. 12. 20 제16-490호
은행지로번호 3007783
우편대체번호 010041-31-0523282
135-120 서울시 강남구 신사동 506
강남출판문화센터 504호
515-2000~2 (영업부)
515-2003~5 (편집부)
515-2007, 2101 (팩시밀리)
ⓒ 1992, 박일문

값 5,000원
Printed in Seoul, Korea

ISBN 89-374-0037-5 03810